SUPE... T4-BAH-831

MARY HIGGINS CLARK

MENTRE LA MIA PICCOLA DORME

SPERLING
PAPERBACK

Traduzione di Maria Barbara Piccioli
A cura di Guado - Milano
While My Pretty One Sleeps
Copyright © 1989 by Mary Higgins Clark
Originally published by Simon & Schuster
© 1990 Sperling & Kupfer Editori S.p.A.
I edizione «Superbestseller» Paperback febbraio 1994

ISBN 88-7824-385-4
86-I-05

XV EDIZIONE

Visitate i siti www.simonsays.com/MHClark e www.sperling.it

Ai miei ultimi nipotini,
Courtney Marilyn Clark
e
David Frederick Clark,
con immutabile amore, divertimento e piacere

1

RISALIVA con cautela la Thruway in direzione del Morrison State Park. I quaranta chilometri di viaggio da Manhattan alla Contea di Rockland erano stati un incubo. Erano le sei ormai, ma non c'era segno dei primi chiarori dell'alba; la neve che aveva cominciato a cadere durante la notte si era fatta più fitta e fioccava senza sosta sul parabrezza. Le nubi, grigie e pesanti, sembravano enormi palloni gonfiati fino a scoppiare. Stando al bollettino meteorologico sarebbero caduti cinque centimetri di neve, «diminuendo d'intensità dopo la mezzanotte». Come al solito il meteorologo si era sbagliato.

Ma era vicino all'ingresso del parco e, considerato il maltempo, probabilmente non ci sarebbe stato nessuno a fare jogging o escursioni. Circa quindici chilometri prima aveva sorpassato un'autopattuglia, ma poco dopo la vettura lo aveva superato, con le luci lampeggianti, probabilmente diretta sul luogo di qualche incidente. Certo i poliziotti non avevano motivo di interrogarsi sul contenuto del suo portabagagli, nessuna ragione di sospettare che sotto una catasta di valigie, in un sacco di plastica compresso in uno spazio esiguo a ridosso della ruota di scorta, c'era il cadavere di una nota scrittrice sessantunenne, Ethel Lambston.

Lasciò la Thruway e percorse la breve distanza che lo separava dal parcheggio. Come aveva sperato, era quasi vuoto, con solo poche macchine sparpagliate qua e là e coperte da uno strato di neve. Qualche maledetto idiota accampato all'aperto, immaginò. Tutto stava nell'evitarli.

Si guardò intorno mentre scendeva dall'auto. Nessuno. La neve che si stava accatastando in grossi mucchi avrebbe coperto le sue impronte, nascosto ogni traccia. Con un po' di fortuna, quando lei fosse stata trovata, non ci sarebbe rimasto molto da esaminare.

Ma prima doveva effettuare un sopralluogo, da solo. Aveva sempre avuto un ottimo udito e ora si sforzò di sfruttarlo al massimo, di percepire i rumori che si mescolavano al lamento del vento e allo scricchiolio dei rami che gemevano sotto il peso della neve. Dal parcheggio partiva un ripido sentiero e al di là di esso, su un pendio piuttosto erto, si stagliava un gruppo di macigni coperto da uno strato di pesanti pietre. Era poca la gente che si prendeva la briga di arrampicarsi fin lì. Il posto era off-limits per i frequentatori del maneggio: la direzione non voleva che le casalinghe dei quartieri residenziali, che costituivano il grosso della clientela, si rompessero il collo.

Un anno prima la curiosità lo aveva spinto a salire fino in cima e lì, mentre si riposava contro un masso tondeggiante, la mano gli era scivolata sulla roccia, permettendogli di sentire la cavità che si apriva dietro di essa. Non proprio l'ingresso di una caverna, solo una formazione naturale che le assomigliava, ma per un momento aveva pensato che sarebbe stato un posto fantastico per nascondervi qualcosa.

La neve si andava trasformando in ghiaccio e l'arrampicata lo stancò moltissimo, ma tra uno scivolone e l'altro ce la fece. L'apertura era ancora lì, un po' più piccola di come la ricordava, ma lui considerò che sarebbe riuscito ugualmente a infilarvi il corpo. Adesso cominciava la parte peggiore. Tornando alla macchina avrebbe dovuto evitare a ogni costo di farsi vedere da qualcuno. Aveva parcheggiato l'auto in diagonale, in modo che eventuali automobilisti di passaggio non potessero vedere quello che estraeva dal portabagagli, anche se, naturalmente, un sacco di plastica nero non aveva di per sé nulla di sospetto.

2

Da viva Ethel era stata una falsa magra, ma mentre ne sollevava il cadavere lui pensò che quegli abiti costosi celavano una struttura ossea alquanto pesante. Tentò di caricarsi il sacco sulle spalle ma, maligna da morta come lo era stata in vita, Ethel doveva essere già entrata nel rigor mortis e il suo corpo si rifiutava di assumere una posizione maneggevole. Finalmente, mezzo trascinando e mezzo trasportando il sacco, riuscì ad arrivare fino al pendio; poi fu l'adrenalina a dargli la forza di issarlo sui massi scivolosi e umidi fino al posto che aveva scelto.

Aveva pensato di lasciarla nel sacco, ma all'ultimo momento cambiò idea. Gli esperti della scientifica stavano diventando maledettamente in gamba, capaci di scovare tracce rivelatrici in qualunque cosa, fibre di indumenti o di tappeti, peluria umana invisibile all'occhio.

Ignorando il freddo, mentre il vento impetuoso gli fustigava il viso e i fiocchi di neve gli ghiacciavano le guance e il mento, sistemò il sacco sopra l'apertura e cercò di strapparlo. Niente da fare. Doppio strato, pensò cupamente, ricordando la pubblicità. Ci riprovò, ghermendo con furia la plastica, e sorrise quando apparve il corpo di Ethel.

Il tailleur di lana bianca era macchiato di sangue e il colletto della camicetta si era infilato nello squarcio aperto sulla gola. Un occhio era socchiuso e nel chiarore crescente dell'alba pareva più contemplativo che spento. La bocca, che in vita non aveva mai conosciuto riposo, era increspata, come se stesse per dare il via a uno degli interminabili monologhi di Ethel.

L'ultima frase che aveva sputato fuori era stata un fatale errore per lei, pensò con tetra soddisfazione.

Benché portasse i guanti, detestava ugualmente l'idea di toccarla. In fondo era morta da quasi quattordici ore e a lui sembrava che dal cadavere emanasse già un lieve odore dolciastro. Con improvviso disgusto, spinse il corpo giù nell'apertura e cominciò a buttarvi sopra dei sassi. La cavità era più profonda di quanto avesse immaginato e le pietre cadevano con precisione sul corpo. Un arrampicatore di passaggio non le avrebbe neppure smosse.

Era finita. Trasportata dal vento, la neve aveva già coperto le impronte; dopo la sua partenza, sarebbero stati sufficienti dieci minuti per cancellare ogni traccia del suo passaggio.

Appallottolò il sacco di plastica ormai a brandelli e si affrettò verso l'auto. A quel punto non vedeva l'ora di andarsene, di allontanarsi dal pericolo di essere scoperto. Sul limitare del parcheggio, tuttavia, indugiò. Vide le stesse auto di poco prima, nessuno si era avvicinato e sulla neve non c'erano tracce fresche di pneumatici.

Cinque minuti dopo era di nuovo sulla Thruway, con il sacco sporco di sangue che era stato il sudario di Ethel ficcato sotto la ruota di scorta. Ora nel bagagliaio c'era abbondanza di spazio per le valigie e la borsa di lei.

Il fondo stradale era ghiacciato e stava cominciando il traffico dei pendolari, ma nel giro di poche ore sarebbe stato di nuovo a New York, di nuovo alla realtà e alla sanità mentale. La sua ultima sosta fu sulle sponde di un lago non lontano dalla Thruway, ormai troppo inquinato perché vi si potesse pescare. Ma era un buon posto per scaricarvi la borsa e il bagaglio di Ethel. Le valigie, quattro, erano pesanti, e poiché il lago era profondo, lui sapeva che sarebbero affondate con facilità per finire impigliate nell'ammasso di detriti che riposava sul fondo. C'era gente che addirittura andava a buttarvi vecchie auto.

Gettò le cose di Ethel il più lontano possibile e le guardò scomparire nell'acqua grigia e scura. Ormai non gli restava che liberarsi della plastica lacera e insanguinata e a questo scopo decise di fermarsi vicino a un qualsiasi bidone della spazzatura, appena avesse lasciato la West Side Highway. Si sarebbe perduta tra i cumuli di immondizie che il mattino successivo qualcuno avrebbe portato via.

Impiegò tre ore per tornare a New York. Guidare si era fatto pericoloso e lui stava attento a mantenere la distanza regolamentare dagli altri veicoli. Una discussione per un parafango ammaccato era l'ultima cosa che desiderava. Per molti mesi a venire, nessuno doveva aver modo di scoprire che quel giorno era stato fuori città.

4

Andò tutto secondo i piani. Sulla Nona Avenue si fermò brevemente per sbarazzarsi del sacco di plastica e alle otto restituiva la macchina alla stazione di servizio sulla Decima, che, come attività secondaria, noleggiava vecchie carrette. Si pagava in contanti e lui sapeva che i proprietari non tenevano registrazioni.

Alle dieci, fresco di doccia e con indosso un vestito pulito, era a casa sua che ingollava bourbon liscio nel tentativo di neutralizzare l'improvviso, violentissimo attacco di nervi. Rivisse mentalmente ogni minuto trascorso da quando, il giorno prima, era andato a casa di Ethel e aveva dovuto ascoltarne il sarcasmo, lo scherno, le minacce.

Poi lei aveva capito. Il tagliacarte antico che di solito stava sulla sua scrivania era comparso improvvisamente nella mano di lui. I suoi occhi si erano riempiti di paura e aveva tentato di indietreggiare.

Aveva provato una sorta di esaltazione mentre le squarciava la gola e la guardava barcollare all'indietro, oltre l'arco che portava in cucina, e poi crollare sul pavimento di ceramica.

Lo stupiva ancora ricordare come si fosse mantenuto calmo. Aveva chiuso la porta in modo che, se per uno scherzo bizzarro del destino fosse arrivato il custode o un amico con la chiave, non potesse entrare. Tutti sapevano quanto era stravagante Ethel, a volte. Se qualcuno provvisto della chiave avesse trovato la porta chiusa, si sarebbe certamente limitato a pensare che lei non aveva voglia di aprire.

Poi si era spogliato, restando con la sola biancheria intima addosso, e si era messo i guanti. Ethel aveva progettato di lasciare la città per scrivere un libro e, se lui fosse riuscito a portarla via di lì, tutti avrebbero creduto che si fosse allontanata spontaneamente. Per settimane, forse perfino per mesi, nessuno si sarebbe stupito della sua assenza.

Ora, mentre buttava giù un sorso abbondante di bourbon, ripensò alla cura con cui aveva scelto gli abiti, prelevandoli dall'armadio di lei; le aveva tolto di dosso il caffetano fradicio di sangue, messo i collant, la camicetta e la giacca, le aveva abbottonato la gonna e tolto i gioielli e infine infilato i piedi nelle scarpe a tacco alto. Trasalì, ricordando come aveva dovuto sostenerla, in modo che il sangue sgorgasse sul davanti della camicetta. Sgradevole, ma necessario. Quando l'avessero trovata, *se* l'avessero trovata, dovevano pensare che era morta con quel tailleur addosso.

Si era perfino ricordato di tagliare le etichette che avrebbero portato a una identificazione immediata. Il sacco di plastica lo aveva trovato nell'armadio, probabilmente era stato utilizzato per proteggere un abito da sera restituito dalla lavanderia. Ci aveva ficcato dentro il cadavere, poi aveva eliminato le macchie di sangue che costellavano il tappeto orientale, lavato con l'Aiax le piastrelle della cucina, riempito le valigie con indumenti e accessori, in un'incessante, frenetica lotta contro il tempo...

Si riempì il bicchiere fino all'orlo mentre riviveva il momento in cui era squillato il telefono. La segreteria telefonica era entrata in funzione, ripetendo il conciso discorsetto di Ethel: «Lasciate un messaggio. Richiamerò quando e se ne avrò voglia.» Il suono della sua voce lo aveva innervosito fino al parossismo. Quando dall'altra parte era stata interrotta la comunicazione, si era affrettato a disattivare l'apparecchio. Non voleva una testimonianza verbale delle chiamate di persone che forse più tardi avrebbero ricordato eventuali appuntamenti non rispettati.

Ethel stava nell'appartamento al pianterreno di un edificio di arenaria a quattro piani. Il suo ingresso privato si apriva a sinistra del piccolo portico che portava all'entrata principale e la porta restava nascosta alla vista dei passanti. Solo gli scalini, più o meno una dozzina, che dalla sua porta scendevano sul marciapiede, erano pericolosamente visibili.

Nell'appartamento lui si era sentito relativamente al sicuro. Il momento più difficile era stato quando, dopo avere nascosto il corpo di Ethel e i suoi bagagli sotto il letto, si era avventurato fuori. Quel giorno l'aria era fredda e umida, foriera di neve, e una folata di vento gelido aveva fatto irruzione all'interno. Subito aveva richiuso la porta. Erano le sei passate da poco e le strade brulicavano di gente che rientrava a casa dal lavoro. Aveva atteso altre due ore prima di sgusciare fuori, chiudere a doppia mandata la porta e raggiungere a piedi l'autonoleggio. Poi era tornato a casa di Ethel e la fortuna era stata ancora dalla sua, perché aveva trovato un parcheggio quasi di fronte al palazzo. Era buio ormai, é la strada era deserta.

Due viaggi erano stati sufficienti per caricare tutto il bagaglio in macchina, ma il terzo era stato il più sgradevole, e, prima di trasportare fuori dall'appartamento il sacco di plastica con il cadavere di Ethel, aveva rialzato il bavero della giacca e si era calcato in testa un vecchio berretto trovato nell'auto. Mentre richiudeva con un tonfo il bagagliaio, si era sentito per la prima volta sicuro di farcela.

Rientrare nell'appartamento era stato un incubo, come l'accertarsi che non fossero rimaste tracce di sangue e del suo passaggio. Ogni fibra del corpo gli urlava di guidare fino al parco e di abbandonare lì il cadavere, ma sarebbe stata una pazzia. Di notte, il rischio di farsi notare dalla polizia era alto. Invece aveva lasciato l'auto in strada, a sei isolati di distanza, attenendosi rigorosamente alla sua consueta routine giornaliera, e alle cinque del mattino si era messo in viaggio con i primi pendolari...

Adesso era tutto a posto, si disse. Era *salvo*!

Fu proprio mentre ingoiava l'ultimo sorso di bourbon che si rese conto dell'unico, spaventoso errore commesso, e seppe con assoluta certezza chi lo avrebbe quasi inevitabilmente rilevato.

Neeve Kearny.

2

La radiosveglia entrò in funzione alle sei e trenta. Neeve allungò la mano destra, cercando a tastoni il pulsante che avrebbe cancellato la voce pervicacemente allegra dello speaker, ma si fermò quando distinse il significato delle parole attraverso il dormiveglia. Durante la notte erano caduti sulla città più di venti centimetri di neve. Si consigliava ai cittadini di non mettersi al volante, se non in caso di assoluta necessità. Il parcheggio alternato sui lati delle strade era stato sospeso. Si aspettava da un momento all'altro l'annuncio della chiusura delle scuole. Secondo le previsioni, la nevicata si sarebbe protratta fino al tardo pomeriggio.

Fantastico, pensò Neeve mentre tornava a sdraiarsi e si tirava la trapunta fin sotto il mento; detestava dovere rinunciare al suo jogging mattutino. Di colpo trasalì, pensando agli altri cambiamenti che avrebbero caratterizzato la giornata. Due delle sarte vivevano nel New Jersey e certo non sarebbero riuscite ad arrivare in città. Il che significava che avrebbe dovuto trovarsi al lavoro di buon'ora, per mettere a punto il programma di Betty, la sua terza collaboratrice. Betty abitava tra l'Ottantaduesima e la Seconda e il maltempo non le avrebbe impedito di fare a piedi i sei isolati che la separavano dal negozio.

Era riluttante ad abbandonare il piacevole tepore del letto, ma ugualmente scostò le coperte e andò all'armadio

8

da cui tirò fuori il vecchio accappatoio di spugna che suo padre, Myles, insisteva nel definire un residuato delle crociate. «Se le donne che pagano quei prezzi assurdi per comprare i tuoi vestiti ti vedessero con quello straccio addosso, tornerebbero in massa a fare acquisti da Klein's.»

«Klein's ha chiuso vent'anni fa, e comunque, se anche mi vedessero con questo straccio, come lo chiami tu, penserebbero soltanto che sono un po' eccentrica», gli rispondeva lei. «Un tocco di fascino in più.»

Si allacciò la cintura in vita, desiderando fuggevolmente, come sempre faceva, di avere ereditato la struttura esile di sua madre, invece delle spalle quadrate e il corpo un po' dinoccolato dei suoi antenati celti; poi si spazzolò i capelli nerissimi e ricciuti che erano il marchio di fabbrica della famiglia Rossetti. Dei Rossetti Neeve aveva anche gli occhi, con le iridi color sherry i cui bordi più scuri spiccavano netti nel bianco della cornea, occhi grandi e curiosi tra le ciglia nere. Ma la carnagione era quella lattea dei celti, con appena uno spruzzo di lentiggini sul naso diritto, e la bocca generosa e i denti forti erano identici a quelli di Myles Kearny.

Sei anni prima, quando aveva lasciato l'università e convinto Myles di non avere alcuna intenzione di trasferirsi altrove, lui aveva insistito perché arredasse ex novo la sua camera. Setacciando le aste di Sotheby's e Christie's, Neeve aveva messo insieme un assortimento alquanto eclettico che comprendeva un letto in ottone, un armadio antico e un cassettone Bombay, una poltrona di epoca vittoriana e un vecchio tappeto persiano che aveva la lucentezza del manto di Joseph. Trapunta, cuscini e trine erano candidi; la poltrona era stata ritappezzata in velluto turchese, lo stesso punto di turchese del tappeto; le pareti bianche facevano da sfondo agli ottimi dipinti e alle stampe che le venivano dalla famiglia di sua madre. *Women's Wear Daily* l'aveva fotografata in quella camera, e l'aveva definita gaia ed elegante, caratterizzata dall'ineguagliabile tocco di Neeve Kearny.

Neeve infilò i piedi nelle pantofole imbottite che Myles chiamava le sue babbucce e alzò le tapparelle. Non c'era bisogno di essere dei cervelloni per capire che quella era una tormenta coi fiocchi, si disse, pensando alle parole dell'addetto alle previsioni meteorologiche. La sua camera nella Schwab House, tra la Settantaquattresima Strada e Riverside Drive, guardava direttamente sull'Hudson, ma quella mattina Neeve riuscì a malapena a distinguere gli edifici al di là del fiume, nel New Jersey. La Henry Hudson Parkway era coperta di neve e il traffico vi scorreva lento e cauto. Certo i pazienti pendolari dovevano aver lasciato le loro abitazioni nei sobborghi di buon'ora, quel giorno.

In cucina, Myles aveva già messo la caffettiera sul fuoco. Neeve lo baciò sulla guancia, costringendosi a non fare osservazioni sulla sua aria stanca. Doveva avere di nuovo dormito male. Se solo avesse acconsentito a prendere un sonnifero, di tanto in tanto, pensò. «Come sta la Leggenda, stamattina?» Da quando Myles era andato in pensione, l'anno precedente, i giornali si ostinavano a riferirsi a lui come al «leggendario comandante della polizia di New York». Un appellativo che lui detestava.

Ignorò quindi la domanda e la guardò con aria falsamente sorpresa. «Non dirmi che oggi non conti di fare il giro di Central Park di corsa!» esclamò. «Che cosa sono pochi centimetri di neve per l'intrepida Neeve?»

Per anni avevano fatto jogging insieme e, ora che non poteva più correre, Myles aveva preso a preoccuparsi per le uscite mattutine della figlia. D'altro canto, sospettava Neeve, lui non era mai stato capace di *non* preoccuparsi per lei.

Prese dal frigorifero una caraffa di succo d'arancia, riempì un bicchiere grande per il padre e uno piccolo per sé e cominciò a preparare i toast. Un tempo Myles amava concedersi colazioni sostanziose, ma ormai bacon e uova erano stati banditi dalla sua dieta, sostituiti dal formaggio, dalla carne di manzo e da altri cibi che, come diceva lui, «ti costringono a sfrenate fantasticherie su un pasto decente». Era stato un grave attacco cardiaco a modificare radicalmente le sue abitudini alimentari e, contemporaneamente, a porre fine alla sua carriera.

Mangiarono in un silenzio tranquillo, dividendosi, come sempre facevano per tacito accordo, il *Times*. Ma quando alzò gli occhi, Neeve si accorse che Myles non leggeva, limitandosi a fissare la pagina senza vederla. Il toast e il succo d'arancia che aveva davanti erano ancora intatti e solo la tazza del caffè era semivuota. Neeve abbassò la sua parte di quotidiano.

«D'accordo», esordì. «Parliamone. Se ti senti a terra, posso capirlo. Ma santo cielo, non metterti a recitare la parte della vittima che soffre in silenzio.»

«No, sto bene», rispose lui. «O meglio, se mi stai chiedendo se ho dolori al petto, la risposta è no.» Gettò a terra il giornale e allungò la mano verso il caffè. «Nicky Sepetti lascia il carcere oggi.»

Neeve trasalì. «Ma io credevo che gli avessero rifiutato la libertà sulla parola lo scorso anno!»

«Lo scorso anno la sua scarcerazione è stata discussa per la quarta volta. Ma ormai ha scontato la pena fino in fondo, con qualche riduzione per buona condotta. Sarà di nuovo a New York stasera.» Un'espressione di freddo odio gli indurì il viso.

«Papà, datti un'occhiata allo specchio. Se continui così ti verrà un altro attacco.» Accorgendosi che le tremavano le mani, Neeve afferrò i bordi del tavolo. Non voleva che Myles se ne accorgesse e intuisse i suoi timori. «Non m'importa se Sepetti ha pronunciato o no quelle minacce quando è stato condannato. Tu hai passato anni a cercare il collegamento tra lui e...» Per un attimo la voce le mancò, ma si riprese in fretta, «ma non è venuto a galla neppure uno straccio di prova. E Dio santo, non azzardarti a tormentarti per me solo perché quell'uomo è tornato in circolazione!»

Suo padre era stato il procuratore generale che aveva mandato dietro le sbarre il capo della famiglia mafiosa Sepetti, Nicky Sepetti. Subito dopo la sentenza, quando all'imputato era stato chiesto se avesse qualcosa da dire, lui aveva puntato il dito contro Myles. «So che hanno apprezzato molto il lavoretto che ha fatto con me e che l'hanno nominata comandante della polizia metropolitana. Congra-tu-la-zio-ni. Il *Post* ha pubblicato un simpatico articolo su di lei e sulla sua famiglia. Si prenda cura di sua moglie e della bambina. Potrebbero avere bisogno di un po' di protezione.»

Due settimane dopo Myles aveva prestato giuramento insediandosi nella nuova carica e un mese più tardi il cadavere della sua giovane moglie, la trentaquattrenne Renata Rossetti Kearny, era stato trovato in Central Park con la gola tagliata. L'autore del delitto non era mai stato trovato.

Neeve non obiettò quando Myles insistette per chiamarle un taxi che la portasse al lavoro. «Non puoi andare a piedi con questa neve», le fece notare.

«Non si tratta della neve, e lo sappiamo tutti e due», replicò lei. Ma prima di uscire lo baciò e gli passò le braccia intorno al collo, stringendolo a sé. «Myles, la sola cosa di cui dobbiamo preoccuparci è la tua salute. Nicky Sepetti non avrà nessuna voglia di tornare in prigione e scommetto che, ammesso che lo sappia fare, ora starà pregando con fervore che non mi accada nulla per molto, molto tempo. In tutta New York non c'è nessuno, a parte te, che non sia convinto che sia stato qualche teppistello ad aggredire la mamma e a ucciderla quando lei non ha voluto consegnargli la borsa. Probabilmente aveva cominciato a urlargli improperi in italiano e lui si è lasciato prendere dal panico. Quindi ti prego, dimentica Nicky Sepetti e lascia che sia il cielo a occuparsi di chi ci ha portato via la mamma. D'accordo? Me lo prometti?»

Il cenno d'assenso di lui non la rassicurò più di tanto. «Adesso vai», la esortò Myles. «Il tassametro corre e i programmi dei giochi a premi cominciano tra poco.»

Gli spazzaneve avevano provveduto a quello che Myles avrebbe definito un tentativo superficiale di sgomberare almeno in parte la neve accumulatasi sulla West End Avenue. Mentre il taxi arrancava lungo le strade scivolose e poi imboccava la trasversale che attraversava il parco all'altezza della Ottantunesima, Neeve si trovò ad augurarsi che quello che era un vano «se» si verificasse. Se solo l'assassino di sua madre fosse stato scoperto. Forse in quel caso il tempo avrebbe alleviato la perdita di Myles, così com'era stato per lei. Invece per lui la ferita era ancora aperta e dolente. Myles continuava a rimproverarsi per non aver protetto Renata e per non aver preso sul serio la minaccia fattagli. Non riusciva a tollerare la consapevolezza che, pur con le immense risorse del dipartimento cittadino di polizia a sua disposizione, non era riuscito a identificare l'autore del delitto di cui, a suo avviso, Sepetti era il mandante. Era quella la sola esigenza rimasta inappagata della sua vita: scovare l'assassino, far pagare a lui e a Sepetti la morte di Renata.

Neeve rabbrividì nel gelido abitacolo del taxi e l'autista dovette vederla nello specchietto retrovisore, perché disse: «Mi spiace, signora, ma l'impianto di riscaldamento non funziona troppo bene».

«Nessun problema.» Neeve girò la testa per evitare di lasciarsi coinvolgere in una conversazione. I «se» continuavano a sgranarsi nella sua mente. Se solo l'omicida fosse stato scoperto e arrestato anni prima, Myles avrebbe potuto riprendere in mano le fila della sua vita. Ancora adesso, a sessantotto anni, era un uomo attraente e non erano mai mancate le donne pronte a concedere una speciale attenzione all'atletico comandante della polizia con la sua grossa testa di capelli precocemente imbiancati, gli intensi occhi azzurri e il sorriso pieno di un sorprendente calore.

Sprofondata com'era nei suoi pensieri, Neeve non si accorse neppure che il taxi si era fermato davanti al negozio. La scritta a caratteri elaborati sulla tenda blu e avorio diceva «La Bottega di Neeve»; la neve che si posava sulle vetrine di Madison Avenue e dell'Ottantaquattresima regalava uno scintillio speciale agli abiti primaverili di seta dal taglio impeccabile sui manichini atteggiati in pose languide. Era stata sua l'idea di ordinare ombrelli che sembrassero civettuoli parasole. Impermeabili lucidi che ne riprendevano i colori erano drappeggiati sulle spalle dei manichini. Scherzando, Neeve diceva che quello era il suo look «perfette-an-che-sotto- la-pioggia», ma l'idea aveva riscosso un enorme successo.

«Lavora qui?» le chiese l'autista mentre intascava i soldi. «Sembra un posto di lusso.»

Neeve si limitò ad annuire, ma sorrise pensando: questo posto è *mio*, ragazzo. Una consapevolezza che non mancava mai di elettrizzarla. Sei anni prima, quando il negozio che occupava quei locali era fallito, il famoso stilista Anthony della Salva, vecchio amico di suo padre, l'aveva spronata a prenderli in affitto. «Sei giovane, certo», le aveva detto, abbandonando per l'occasione il marcato accento italiano che ormai faceva parte del suo personaggio. «Una qualità in più. E, dopotutto, operi nel campo della moda fin da quando hai cominciato a sbrigare qualche lavoretto dopo la scuola. Per di più, hai le capacità e il buon gusto necessari. Ti presterò io il denaro per cominciare. Se non dovesse funzionare, troverò il modo di recuperare comunque il denaro, ma so che funzionerà. Hai tutto quello che ci vuole per ottenere un risultato eccellente. E poi, ho bisogno di un altro punto di vendita per i miei vestiti.» Quella era in realtà l'ultima cosa di cui Sal aveva bisogno, e lo sapevano entrambi, ma lei gli era stata ugualmente grata di quella bugia.

Myles, da parte sua, si era dichiarato ferocemente contra-rio a che lei accettasse quel denaro, ma Neeve non aveva voluto lasciarsi scappare l'occasione. Oltre ai capelli e agli occhi, aveva ereditato da Renata un intuito tutto particolare per la moda e nel corso di quell'ultimo anno era riuscita a saldare integralmente il suo debito con Sal, insistendo per aggiungervi gli interessi al tasso corrente

Non la sorprese trovare Betty già al lavoro in sala cucito. La donna teneva la testa china, e anni di concentrazione le avevano scavato rughe perenni sulla fronte e tra le sopracci-glia. Le mani, rugose e sottili, maneggiavano ago e filo con l'abilità di un chirurgo. In quel momento stava facendo l'orlo a un top arricchito da un elaborato intarsio di lustrini. I capelli color rame, sfacciatamente tinti, formavano un contrasto stridente con la pelle sottile e incartapecorita del viso. Neeve detestava pensare che Betty aveva superato i settant'anni e che presto o tardi avrebbe dovuto decidersi ad andare in pensione.

«Ho pensato di portarmi avanti con il lavoro», fu il saluto di Betty. «Per oggi è prevista una marea di ritiri.»

Neeve si sfilò i guanti e si tolse la sciarpa. «Come se non lo sapessi. E Ethel Lambston che insiste per avere tutta la sua roba entro questo pomeriggio!»

«Già. Comincerò a prepararla appena avrò finito qui. Che Dio ci scampi dai suoi borbottii, nella disgraziata eventualità che i suoi stracci non siano tutti pronti quando passerà a prenderli.»

«Eppure non mi dispiacerebbe se tutte le clienti fossero come lei», commentò Neeve con voce pacata.

Betty annuì. «Immagino di sì. A proposito, sono contenta che tu abbia convinto la signora Yates a comperare questo completo. L'altro che aveva provato la faceva sembrare una mucca al pascolo.»

«Costava anche millecinquecento dollari in più, ma proprio non potevo permetterle di acquistarlo. Prima o poi si sarebbe data una bella guardata allo specchio, e allora... No, il top di paillettes è più che sufficiente. Quello che le serve è una gonna morbida e ampia.»

Quel giorno un numero soprendente di acquirenti affrontò la neve e i marciapiedi scivolosi per fare un salto nella boutique e, dato che due delle commesse non si erano presentate, Neeve trascorse parecchio tempo nel reparto vendite. Era quello l'aspetto del suo lavoro che apprezzava di più, ma in quell'ultimo anno era stata costretta ad accontentarsi di seguire personalmente solo poche clienti.

A mezzogiorno passò nel suo ufficio sul retro per un sandwich e una tazza di caffè e da lì telefonò a casa.

Myles sembrava più o meno tornato se stesso. «Avrei vinto quattordicimila dollari e un camioncino *Champion* alla *Ruota della Fortuna*», la informò. «In effetti, se fossi stato un partecipante, forse mi sarei addirittura aggiudicato quell'orrendo cane dalmata di gesso da seicento dollari che hanno la sfrontatezza di chiamare premio.»

«Ti senti meglio, mi sembra», osservò Neeve.

«Stamattina ho parlato con i ragazzi. Hanno messo degli ottimi elementi alle calcagna di Sepetti; dicono che è molto malato e che non ha più molta voglia di darsi da fare.» C'era una nota di soddisfazione nella voce di Myles.

«E probabilmente ti avranno anche ricordato che secondo loro quell'uomo non ha niente a che vedere con la morte della mamma.» Neeve non aspettò la risposta. «Mi sembra la giornata ideale per un buon piatto di pasta. Nel freezer abbiamo salsa in abbondanza. Tirala fuori, okay?»

Quando riappese, Neeve si sentiva in qualche modo rassicurata. Mandò giù l'ultimo boccone di sandwich al tacchino, vuotò la tazza di caffè e tornò al reparto vendite dove tre camerini erano già occupati. Il suo occhio esperto prese nota di tutti i particolari del negozio.

L'entrata di Madison Avenue dava direttamente nella zona accessori. Neeve sapeva che uno dei principali motivi del suo successo era la facilità con cui le clienti che entravano per acquistare un vestito o un completo potevano trovare la bigiotteria, le borse e le scarpe senza dover cercare altrove gli accessori adatti. L'interno della boutique era tutto nelle tonalità dell'avorio, con appena qualche accenno di rosa carico nel rivestimento dei divani e delle poltrone. Camicette, gonne e capi d'abbigliamento sportivo erano ospitati in spaziose nicchie vicino alle vetrine. A eccezione dei manichini squisitamente abbigliati, non si vedevano in giro altri indumenti. La potenziale cliente veniva scortata a una sedia ed era la commessa a portare da lei i vari capi perché potesse fare comodamente la sua scelta.

Era stato Sal a consigliare Neeve in quel senso. «Se non lo fai, finirai sopraffatta da branchi di donne maldestre che strappano i vestiti dalle rastrelliere. Buttati sull'esclusivo, tesoro, e restaci», le aveva suggerito, e come al solito aveva avuto ragione.

Ma la scelta delle tinte, avorio e rosa, era stata di Neeve. «Quando una donna si guarda nello specchio, non voglio che lo sfondo faccia a pugni con l'abito che sto cercando di venderle», aveva spiegato al decoratore d'interni che invece propendeva per audaci pennellate di colore.

Con il passare delle ore le clienti si fecero più rare e alle tre Betty emerse dalla sala di cucito. «Le cose della Lambston sono pronte», annunciò.

Fu Neeve stessa a mettere in ordine i capi acquistati dalla scrittrice, tutti abiti primaverili. Ethel era una scrittrice free-lance sulla sessantina e con un best-seller a suo credito. «Scrivo di tutto quello che succede sotto il sole», le aveva confidato il giorno dell'inaugurazione della boutique. «L'importante è adottare un approccio nuovo, che stimoli la curiosità. Io sono tutte le donne che vedono qualcosa per la prima volta, o che lo vedono da un'angolazione diversa. Scrivo di sesso, di rapporti umani e di animali, di case di cura e di immobili, di come entrare a far parte di un'associazione di volontari e dei partiti politici e...» A quel punto era rimasta senza fiato, con gli occhi blu mare scintillanti, i capelli di un biondo quasi bianco che le svolazzavano attorno al viso. «Il guaio è che lavorando così sodo non ho mai un minuto di tempo per me. Se compero un abito nero, finisco spesso per abbinarvi scarpe marroni. Ma voi qui avete tutto. Che buona idea! Dovrà crearmi, da capo a piedi.»

Nel corso degli ultimi sei anni, Ethel Lambston era divenuta una cliente preziosa. Insisteva perché fosse Neeve a scegliere tutti gli abiti e gli accessori che comperava, e pretendeva delle liste che le indicassero i giusti abbinamenti, e di tanto in tanto Neeve faceva un salto da lei per aiutarla a decidere quali vestiti conservare da un anno all'altro e quali scartare.

L'ultimo spoglio risaliva a tre settimane prima e il giorno successivo Ethel era andata in negozio per ordinare i nuovi capi.

«Ho quasi terminato quell'articolo sulla moda per cui ti ho intervistata», aveva detto a Neeve. «Quando lo pubblicheranno un bel po' di gente sarà furiosa con me, ma a te piacerà. Ti ho fatto un sacco di pubblicità gratis.»

Mentre sceglievano gli abiti nuovi, lei e Neeve si erano

trovate in disaccordo su un unico capo, un tailleur. «Non voglio venderlo», aveva dichiarato Neeve. «In realtà, è qui per errore; avrebbe dovuto essere restituito con gli altri. È un Gordon Steuber, capisci, e io mi rifiuto di smerciare i modelli di quell'uomo. Non lo sopporto.»

Ma Ethel era scoppiata in una risata. «Aspetta a leggere quello che ho scritto sul suo conto. L'ho crocifisso. Ma il tailleur lo voglio. I suoi vestiti mi donano.»

Ora, mentre infilava gli indumenti accuratamente piegati in grosse sacche di plastica, Neeve ebbe un moto di contrarietà scorgendo il modello di Steuber. Sei settimane prima, la donna che sbrigava le pulizie in negozio l'aveva pregata di parlare con una sua amica che si trovava nei guai. L'amica, una messicana, aveva raccontato a Neeve di lavorare nella zona sud del Bronx, in un laboratorio clandestino di proprietà di Gordon Steuber. «Non abbiamo la carta verde, il permesso d'immigrazione, e lui ci minaccia continuamente di farci arrestare. L'altra settimana, dopo che sono stata male, ha licenziato me e mia figlia e ora non vuole pagare quello che ci spetta.»

La giovane donna non dimostrava più di venticinque, ventisei anni. «Sua figlia!» aveva esclamato Neeve. «Ma quanti anni ha?»

«Quattordici.»

Neeve aveva subito cancellato l'ultimo ordine effettuato a Gordon Steuber e gli aveva mandato una copia della poesia di Elizabeth Barrett Browning che aveva contribuito a modificare la legislatura inglese sul lavoro minorile. Ne aveva sottolineato la strofa: «Ma i giovani, giovani fanciulli, oh, fratelli miei, piangono lacrime amare».

Qualcuno nell'ufficio di Steuber aveva spifferato tutto al *Women's Wear Daily,* che aveva stampato la poesia in prima pagina, accanto alla bruciante lettera scrittagli da Neeve e aveva esortato gli altri rivenditori a boicottare i fabbricanti che infrangevano la legge.

Anthony della Salva ne era rimasto sconvolto. «Neeve, in

giro si dice che Steuber abbia molto più di qualche laboratorio illegale da nascondere. Grazie al polverone che hai sollevato, i federali stanno ficcando il naso nelle sue dichiarazioni dei redditi.»

«Fantastico», aveva ribattuto Neeve. «Se ha manipolato anche quelle, spero che lo becchino.»

Bene, decise mentre appendeva alla stampella il completo di Steuber, questo è il suo ultimo capo che esce dal mio negozio. Non vedeva l'ora di leggere l'articolo di Ethel che, come sapeva, sarebbe stato pubblicato tra breve su *Contemporary Woman,* la rivista per la quale Ethel lavorava come redattore esterno.

Neeve passò poi alla compilazione degli elenchi. Abito da sera di seta blu da indossare con la camicia di seta bianca; gioielli nel cofanetto A. Insieme rosa e grigio; scarpe grigie a tacco alto, borsa in tinta; gioielli nel cofanetto B. Abito nero da cocktail... in totale otto capi che, con gli accessori, erano venuti a costare quasi settemila dollari. Ethel spendeva una cifra analoga tre o quattro volte all'anno; aveva confidato a Neeve di avere divorziato ventidue anni prima e di avere investito saggiamente la grossa liquidazione del marito. «Inoltre si è impegnato a passarmi mille bigliettoni al mese di alimenti per tutta la vita», aveva riso. «Quando ci siamo separati stava bene a soldi e disse ai suoi legali che era disposto a sborsare qualunque somma pur di liberarsi di me. In tribunale affermò che, se mai mi fossi sposata di nuovo, non avrei potuto farlo che con un sordo. Forse, se avesse tenuto il becco chiuso, io avrei avuto la mano più leggera. Ora si è risposato e ha tre figli, e da quando la Columbus Avenue è diventata una strada elegante, il suo bar non va più tanto bene. Di tanto in tanto mi telefona e mi supplica di dargli un po' di respiro, ma io gli rispondo che non ho ancora trovato nessuno tanto sordo da volermi sposare.»

Ascoltandola, Neeve l'aveva trovata sgradevole, ma poi Ethel aveva aggiunto con una punta di malinconia: «Ho sempre desiderato una famiglia. Quando ci siamo separati avevo trentasette anni, e nei cinque che siamo stati sposati non ha mai voluto darmi un figlio».

Neeve aveva preso l'abitudine di leggere tutti gli articoli di Ethel e ben presto si era resa conto che, sebbene chiacchierona e apparentemente svagata, la sua cliente era un'ottima scrittrice e una vera professionista. Qualunque argomento affrontasse, le sue ricerche erano sempre esaurienti e accuratissime.

Con l'aiuto della segretaria, Neeve chiuse con la graffatrice le sacche contenenti gli indumenti. Gioielli e scarpe furono impacchettati in scatole singole, poi sistemati in cartoni rosa e avorio con la scritta «La Bottega di Neeve» sui lati. Infine, con un sospiro di sollievo, compose il numero telefonico di Ethel.

Non ci fu risposta; anche la segreteria telefonica era disinserita. Probabilmente, rifletté Neeve, Ethel era già in strada; sarebbe arrivata da un momento all'altro, senza fiato e con un taxi ad aspettarla fuori.

Alle quattro non c'erano più clienti e Neeve mandò tutte a casa. Maledettissima Ethel, pensò. Anche a lei sarebbe piaciuto potersene tornare a casa. La neve aveva preso a cadere più fitta e con l'approssimarsi dell'ora di punta non le sarebbe stato facile trovare un taxi. Rifece il numero di Ethel alle quattro e mezzo, poi ancora alle cinque e alle cinque e mezzo. E adesso? si chiese dopo l'ultimo, inutile tentativo. Poi ebbe un'idea. Avrebbe atteso fino alle sei e mezzo, il consueto orario di chiusura, decise, e sarebbe passata dall'appartamento di Ethel durante il tragitto di ritorno a casa. Certo il custode avrebbe acconsentito a prendere in consegna i pacchi, e se Ethel contava di partire presto, avrebbe potuto portare con sé il nuovo guardaroba.

Il centralino della società di taxi era riluttante ad accettare la sua chiamata. «Stiamo facendo rientrare tutte le auto, signora. Guidare con questo tempo è un inferno. Ma mi dia il suo nome e numero di telefono » Il suo tono mutò di colpo. «Neeve Kearny? Perché non mi ha detto subito che era la figlia del comandante? La faremo arrivare a casa, stia tranquilla.»

20

Il taxi arrivò alle sette meno venti. Le strade erano ormai quasi impraticabili e al conducente non piacque dover fare un'ulteriore fermata. «Signora, non vedo l'ora di scendere da questa maledetta macchina.»

Neeve non ebbe risposta quando bussò alla porta di Ethel e neppure le riuscì di rintracciare il custode. Nell'edificio c'erano altri quattro appartamenti, ma Neeve non ne conosceva gli inquilini e non le andava di affidare gli abiti a degli estranei. Alla fine scarabocchiò qualche parola su un foglio dal notes che aveva in borsa e lo fece scivolare sotto la porta di Ethel: «Ho con me i tuoi acquisti. Chiamami appena arrivi». Sotto la firma aggiunse il suo numero di telefono poi, impacciata dal peso delle scatole e delle borse, risalì sul taxi.

All'interno dell'appartamento di Ethel Lambston una mano afferrò il biglietto di Neeve, lo lesse, e gettatolo da parte, riprese la sistematica ricerca delle banconote da cento dollari che Ethel aveva l'abitudine di nascondere sotto i tappeti e fra i cuscini del divano... il denaro che lei definiva ridendo «gli alimenti di quel buono a nulla di Seamus».

Myles Kearny non riusciva a scrollarsi di dosso l'ansia che da settimane andava ingigantendo dentro di lui. Sua nonna, che aveva posseduto un misterioso sesto senso, soleva dire: «Ho una strana sensazione. Guai in arrivo». Myles ricordava con nitidezza quando, all'epoca in cui lui aveva dieci anni, la nonna aveva ricevuto dall'Irlanda la foto di un suo cugino. Aveva pianto, allora: «Ha la morte negli occhi». E due ore dopo il telefono li aveva informati che il cugino era rimasto ucciso in un incidente.

Diciassette anni, prima Myles aveva ignorato la minaccia di Nicky Sepetti; la mafia aveva un suo preciso codice d'onore, non se la prendeva mai con le mogli e i figli dei suoi avversari. Ma poi Renata era morta. Alle tre di un gelido, ventoso pomeriggio di novembre, era stata assassinata mentre attraversava Central Park per andare a prendere Neeve

21

all'Accademia del Sacro Cuore. Il parco era deserto e non si trovarono testimoni in grado di riconoscere chi aveva attirato o costretto Renata fuori dal sentiero, nella zona dietro il museo.

Lui era in ufficio quando la preside del Sacro Cuore gli aveva telefonato, alle quattro e mezzo. La signora Kearny non era passata a prendere Neeve e quando avevano telefonato a casa, non avevano ricevuto risposta. Qualcosa non andava? Il tempo di riappendere e Myles *seppe*, con allucinante chiarezza, che qualcosa di terribile era accaduto a Renata. Dieci minuti dopo la polizia setacciava Central Park; lui era in macchina diretto lì quando era arrivata la telefonata che annunciava il ritrovamento del cadavere.

Al parco un cordone di poliziotti teneva lontano i curiosi e i soliti affamati di emozioni. La stampa era già arrivata; Myles ricordava ancora i flash che lo avevano abbagliato mentre si dirigeva verso il punto in cui giaceva il corpo di lei. Era presente anche Herb Schwartz, il vicecomandante. «Non guardarla, Myles», lo aveva pregato.

Ma lui si era scrollato di dosso il braccio dell'amico e, inginocchiatosi sul terreno gelato, aveva scostato la coperta che le avevano buttato sopra. Sembrava che dormisse e sul suo viso ancora delizioso non c'era l'espressione di terrore che tante volte Myles aveva visto stampata sui volti delle vittime. Aveva gli occhi chiusi. L'avevano trovata così, o era stato Herb a pensarci? In un primo momento gli parve che portasse una sciarpa rossa. Non lo era. Era temprato alla vista delle vittime, ma in quell'attimo il senso professionale gli venne meno. Non voleva vedere che qualcuno le aveva reciso longitudinalmente la giugulare e poi le aveva tagliato la gola. Il colletto della giacca a vento bianca che indossava era rosso di sangue e il cappuccio, scivolato all'indietro, mostrava la massa di capelli nerissimi che le incorniciava il viso. I pantaloni da sci rossi, il rosso del suo sangue, la giacca a vento bianca e la neve che s'induriva sotto il suo corpo... perfino da morta sembrava il soggetto di una foto di moda.

Lui avrebbe voluto stringerla a sé, trasmetterle il suo calore e la vita stessa, ma sapeva di non doverla muovere.

Così, si era accontentato di baciarle le guance e gli occhi e le labbra. Le aveva sfiorato il collo con la mano, ritirandola chiazzata di sangue. Nel sangue ci siamo incontrati, nel sangue ci separiamo, aveva pensato.

Non era che un poliziotto ventunenne alle prime armi il giorno di Pearl Harbor, e la mattina dopo si era arruolato nell'esercito. Tre anni più tardi aveva partecipato con la Quinta armata del generale Clark ai combattimenti in Italia. L'avevano conquistata città dopo città. A Portici era entrato in una chiesa apparentemente deserta: un momento dopo aveva sentito un'esplosione e un fiotto di sangue gli era sgorgato dalla fronte. Voltandosi di scatto aveva visto un soldato tedesco accucciato dietro l'altare; era riuscito a spargli prima di svenire.

Una piccola mano che lo scuoteva lo aveva fatto tornare in sé. «Vieni con me», gli bisbigliava all'orecchio una voce. Le parole erano inglesi, ma pronunciate con un marcato accento italiano. Il dolore alla testa era lancinante e quasi non gli permetteva di pensare. Aveva gli occhi semichiusi, incrostati di sangue rappreso. Fuori era buio pesto; in lontananza, sulla sinistra, si udiva il frastuono di una sparatoria. La ragazzina – in qualche modo si rese conto che era una ragazzina – lo guidò lungo vicoli deserti e in seguito lui ripensò spesso a quei lunghi momenti lungo strade sconosciute. Dove lo stava portando, e perché era sola? Percepì vagamente lo stridio dei suoi stivali militari sui gradini di pietra, il cigolio di un cancello arrugginito che si apriva, poi rapidi mormorii concitati, la spiegazione della ragazzina. Parlava in italiano, adesso, e lui non riusciva a capire che cosa stesse dicendo. Infine sentì un braccio che lo sosteneva, che lo aiutava a sdraiarsi. Rimase a lungo in stato di incoscienza, ma nei rari momenti di lucidità era sempre consapevole del tocco di mani delicate che lo lavavano e gli cambiavano la fasciatura alla testa. Il suo primo ricordo chiaro fu il viso di un medico dell'esercito chino su di lui.

«Non sai quanto sei stato fortunato», gli disse. «Ci hanno

23

fatto ripiegare ieri. È stata dura per quelli che sono rimast indietro.»

Dopo la guerra, aveva approfittato delle leggi per i veterani e si era iscritto all'università. Il campus di Fordham Rose Hill distava solo pochi chilometri dalla casa nel Bronx in cui era cresciuto. Suo padre, capitano di polizia, aveva accolto con scetticismo la sua decisione. «Abbiamo dovuto sbatterci parecchio per farti arrivare al diploma», gli aveva detto. «Non che tu non abbia cervello, ma non ti è mai piaciuto tenere il naso tra le pagine di un libro.»

Quattro anni più tardi, dopo essersi laureato magna cum laude, Myles aveva deciso di specializzarsi in giurisprudenza. Suo padre ne era stato deliziato, ma l'aveva ammonito: «Dentro sei rimasto un poliziotto. Non dimenticarlo quando avrai finito di collezionare titoli di studio».

Facoltà di giurisprudenza. Ufficio del procuratore distrettuale Esercizio privato della professione. Era stato allora che aveva capito che era troppo facile per un buon avvocato far assolvere un imputato colpevole. E poiché non se la sentiva di prendere quella strada, aveva colto al volo l'opportunità di diventare procuratore generale.

Era il 1958 e lui aveva trentasette anni. In quell'arco di tempo era uscito con parecchie ragazze e una dopo l'altra le aveva viste sposarsi. Eppure, ogni volta che lui stesso era arrivato vicino al matrimonio, una voce gli aveva bisbigliato all'orecchio: «C'è di meglio. Aspetta ancora un po'».

La voglia di tornare in Italia crebbe con il tempo. «Essere sparati come un proiettile attraverso l'Europa non è precisamente il modo migliore di viaggiare», fu il commento di sua madre quando una sera, a cena, lui accennò con qualche riluttanza ai suoi programmi. Poi gli propose: «Perché non cerchi di rintracciare quella famiglia che ti nascose a Portici? Dubito che allora tu fossi nelle condizioni adatte per ringraziarla».

Myles benediceva ancora sua madre per quel consiglio. Perché quando aveva bussato alla loro porta, era stata Rena-

24

ta ad aprire. Renata, che ora aveva ventitré anni, non più dieci. Renata, snella e alta... lui la superava a malapena di mezza testa. Renata che incredibilmente disse: «So chi sei. Sono stata io a portarti a casa, quella notte».

«Come fai a ricordartene?»

«Mio padre ci scattò una foto insieme prima che ti portassero via. L'ho conservata nel mio cassettone.»

Si erano sposati tre settimane dopo e gli undici anni successivi erano stati i più felici della sua vita.

Myles si avvicinò alla finestra e guardò fuori. Tecnicamente, la primavera era arrivata una settimana prima, ma nessuno si era preoccupato di informarne madre natura. Si sforzò di non pensare a come Renata aveva amato passeggiare sulla neve.

Sciacquò la tazza del caffè e il piatto in cui aveva mangiato l'insalata e li infilò nella lavastoviglie. Se tutti i tonni del mondo scomparissero di colpo, che cosa mangerebbe la gente a dieta, a colazione? si chiese. Chissà, forse sarebbe tornata ai buoni, vecchi hamburger di un tempo. La sola idea gli fece venire l'acquolina in bocca, ma gli ricordò anche che c'era da scongelare il sugo per la pasta.

Alle sei cominciò a preparare la cena. Tirò fuori dal frigo il necessario per l'insalata e con gesti abili tagliò la lattuga e gli scalogni, e affettò i peperoni verdi in sottilissime striscioline. Sorrise tra sé, quasi inconsciamente, ricordando come, da ragazzino, per lui la sola insalata possibile fosse un mare di maionese in cui galleggiavano pezzi di pomodoro e foglie di lattuga. Sua madre era stata una donna meravigliosa, ma poco tagliata per la buona cucina. Aveva l'abitudine di cuocere la carne per ore, per «uccidere tutti i germi», e le sue bistecche e le sue braciole erano sempre così dure e secche che tagliarle era un'impresa quasi impossibile.

Era stata Renata a iniziarlo alle delizie dei sapori ben calibrati, alle gioie della pasta, alla delicatezza del salmone, alle insalate aromatizzate con l'aglio.

Neeve aveva ereditato le abilità culinarie della madre, ma

25

Myles riconosceva senza false modestie di aver imparato a sua volta a preparare un'ottima insalata.

Verso le sette meno dieci cominciò a sentirsi piuttosto preoccupato per Neeve. Probabilmente c'erano pochi taxi in giro. Dio santo, fa' che non decida di attraversare il parco a piedi in una serataccia come questa. Compose il numero del negozio, ma non gli rispose nessuno. Quando lei arrivò, con le braccia cariche di vestiti e grossi scatoloni, lui era sul punto di telefonare alla centrale e chiedere alla polizia di perlustrare il parco alla sua ricerca, ma riuscì a tenere la bocca chiusa.

Invece, la liberò del carico con un'espressione di convincente sorpresa. «Siamo di nuovo a Natale? Da Neeve a Neeve con amore? Hai deciso di spendere per te i guadagni della giornata?»

«Non fare il furbo, Myles», scattò Neeve, di malumore. «Te lo dico io, Ethel Lambston sarà un'ottima cliente, ma è anche una maledetta seccatura.» Lasciò cadere le scatole sul divano e gli raccontò a grandi linee i suoi frustranti tentativi di consegnare gli abiti nuovi alla scrittrice.

Myles sembrò allarmato. «Ethel Lambston! Non è quella vecchia carampana che avevi invitato al party di Natale?»

«Proprio lei.» Seguendo un impulso del momento, Neeve aveva invitato Ethel alla festa natalizia che lei e Myles organizzavano ogni anno. Dopo avere inchiodato il vescovo Stanton al muro e avergli spiegato per filo e per segno i motivi per cui, nel Ventesimo secolo, la chiesa cattolica non aveva più una posizione di rilievo, Ethel aveva casualmente scoperto che Myles era vedovo e da quel momento non si era più staccata dal suo fianco.

«Non m'importa se devi accamparti davanti alla sua porta per i prossimi due anni», borbottò Myles. «Ma non permettere più a quella donna di mettere piede qua dentro.»

26

3

Per Denny Adler non era il massimo del divertimento spezzarsi la schiena per uno stipendio ridicolo più le mance nel negozio di delikatessen tra l'Ottantatreesima Est e Lexington. Ma Denny aveva un problema. Era in libertà condizionata e il funzionario incaricato di vigilare sulla sua condotta, Mike Toohey, era un porco che amava approfittare dell'autorità conferitagli dallo stato di New York. Denny sapeva che, se non avesse avuto un lavoro, non avrebbe potuto spendere neppure una monetina senza che arrivasse Toohey a chiedergli come se l'era procurata, così lavorava e detestava ogni maledetto minuto che passava in negozio.

Alloggiava in uno squallido alberghetto che faceva angolo tra la Prima Avenue e la Centocinquantesima Strada, ma quello che l'incaricato della vigilanza non sapeva era che Denny trascorreva buona parte del suo tempo libero chiedendo l'elemosina per le strade. Il trucco stava nel cambiare posto e travestimento molto spesso. A volte si travestiva da barbone, con abiti a brandelli, scarpe da tennis scalcagnate e capelli e faccia imbrattati di sporco. Si appoggiava al muro di qualche palazzo ed esibiva un pezzo di cartone su cui era scritto: «AIUTATEMI, HO FAME».

Era una delle esche migliori e i gonzi abboccavano con facilità.

In altre occasioni indossava una sbiadita divisa color cachi, una parrucca grigia e se ne andava in giro con un paio di occhiali scuri, appoggiandosi a un bastone, con un cartello che diceva: «VETERANO SENZA CASA». E la ciotola che portava con sé si riempiva in fretta di monetine e quarti di dollaro.

Con questo sistema Denny tirava su un bel po' di spiccioli. Certo, non era eccitante come progettare un colpo vero e proprio, ma era pur sempre un modo per tenersi allenato. Solo un paio di volte, imbattendosi in un ubriacone con qualche dollaro, aveva ceduto alla tentazione di farlo fuori. Ma ai poliziotti non importava niente di quello che capitava ai beoni e ai vagabondi, e Denny non aveva mai corso alcun vero pericolo.

Mancavano tre mesi alla scadenza del periodo di libertà condizionata, dopodiché avrebbe potuto sparire dalla circolazione e cominciare a darsi da fare sul serio. Ormai, perfino l'incaricato della vigilanza cominciava a sentirsi tranquillo. Un sabato mattina Toohey gli telefonò al negozio. Denny riusciva quasi a vederlo, con quel suo corpicino fragile incassato dietro la scrivania dello squallido ufficetto. «Ho parlato con il tuo capo, Denny. Dice che sei uno dei suoi dipendenti più affidabili.»

«Grazie, signore.» Se fosse stato in presenza di Toohey, Denny avrebbe cominciato a torcersi le mani in un atteggiamento di nervosa riconoscenza. Avrebbe costretto i suoi pallidi occhi nocciola a inumidirsi e stirato le labbra sottili in un sorriso ansioso. Invece, scandì silenziosamente una parolaccia.

«Denny, puoi fare a meno di venire da me lunedì. Ho parecchio da fare e tu sei uno dei pochi di cui so di potermi fidare. Ci vediamo la settimana prossima.»

«Va bene, signore.» Denny riattaccò, mentre la caricatura di un sorriso gli raggrinziva le guance. Aveva passato metà dei suoi trentasette anni in carcere, e ne aveva solo dodici quando ci era entrato la prima volta. Col tempo, il suo viso aveva assunto il tipico grigiore che si acquista vivendo al chiuso.

Lanciò un'occhiata al negozio, ai tavoli da gelateria disgustosamente civettuoli, alle sedie di vimini, al banco di formica bianca, alle insegne che pubblicizzavano le specialità del locale, ai clienti ben vestiti sprofondati nella lettura del giornale mentre mangiavano toast alla francese o corn flakes. Le fantasticherie su quello che avrebbe voluto fare a quel posto e a Mike Toohey furono interrotte dal grido del direttore: «Ehi, Adler, muoviti! Quelle ordinazioni non si consegnano da sole».

«Sì, signore!» Ma il periodo dei *sissignore* stava per finire, pensò selvaggiamente Denny, afferrando la giacca e la scatola piena di sacchetti di carta.

Al suo ritorno, il direttore stava rispondendo al telefono. Guardò Denny con la sua solita espressione arcigna. «Ti avevo detto niente telefonate personali durante le ore di lavoro.» Poi gli sbatté il ricevitore in mano.

La sola persona che lo chiamasse in negozio era Mike Toohey. Denny pronunciò ringhiando il proprio nome e sentì in risposta un soffocato: «Salve, Denny». Riconobbe subito la voce. Big Charley Santino. Dieci anni prima Denny aveva diviso una cella con Big Charley e in seguito aveva sbrigato qualche lavoro per lui. Sapeva che Charley aveva conoscenze importanti nella malavita.

Decise di ignorare l'espressione tempestosa, del tipo «datti una mossa», del gestore del locale. Ormai al banco c'erano solo un paio di coppie, i tavoli erano vuoti e lui si stava godendo la piacevole consapevolezza che, qualunque cosa Charley volesse, sarebbe stata interessante. Automaticamente si voltò verso la parete e coprì con la mano il ricevitore. «Sì?»

«Domani. Alle undici. Bryant Park, dietro la biblioteca. Resta in attesa di una *Chevy* nera dell'84.»

Denny non si accorse neppure che stava sorridendo quando uno scatto gli segnalò che la comunicazione era stata interrotta.

Nel corso di quel nevoso fine settimana, Seamus Lambston rimase rintanato in completa solitudine nel suo appartamento all'angolo tra la Settantunesima Strada e la West

End Avenue. Il venerdì pomeriggio aveva telefonato al suo barman. «Sto male. Fammi sostituire da Matty fino a lunedì.» Quella notte aveva dormito profondamente, del sonno di chi è emotivamente esausto, ma il sabato si era svegliato oppresso da una sensazione di estremo inquietudine.

Ruth era partita per Boston il giovedì e vi sarebbe rimasta fino a domenica. L'assegno per la retta del semestre che Seamus aveva mandato a Jenny, la figlia più piccola, matricola all'università del Massachusetts, era risultato scoperto e Ruth, ottenuto un prestito di emergenza dal suo ufficio, era partita a precipizio con il nuovo assegno. Dopo l'isterica telefonata di Jenny, lei e Seamus avevano avuto un litigio che certo era stato sentito fino a cinque isolati di distanza.

«Maledizione, Ruth, io faccio del mio meglio», aveva urlato lui. «Gli affari non vanno bene e con tre ragazze all'università è forse colpa mia se siamo a terra? Credi forse che i soldi me li regalino?»

Si erano affrontati esausti, impauriti, disperati. Lui si era sentito umiliato dall'espressione di disgusto che aveva letto negli occhi di lei. Sapeva di non essere invecchiato bene. Aveva sessantadue anni e, sebbene si fosse costruito una struttura atletica a forza di flessioni e di sollevamento pesi, adesso la pancia si rifiutava di scomparire, i capelli color sabbia si stavano diradando e avevano assunto una brutta sfumatura giallo sporco, e gli occhiali da vista accentuavano il gonfiore del viso. A volte confrontava la sua immagine nello specchio con la fotografia che lo ritraeva vicino a Ruth nel giorno del loro matrimonio. Ambedue eleganti, ambedue sulla quarantina, ambedue al secondo matrimonio, felici e innamorati l'uno dell'altra. Il bar allora andava a gonfie vele e anche se aveva dovuto ipotecarlo pesantemente, a quel tempo era stato certo di poterlo riscattare in un paio d'anni. E i modi pacati, tranquilli di Ruth erano il paradiso, dopo l'aggressività di Ethel.

«Qualunque somma costi la pace, sono sicuro che la vale tutta», aveva detto all'avvocato che lo sconsigliava di firmare un accordo con cui si impegnava a pagare gli alimenti alla prima moglie vita natural durante.

La nascita di Marcy lo aveva riempito di gioia. Linda era arrivata inaspettata due anni dopo, ma lui e Ruth stavano ormai entrando nei quarantacinque anni quando era stata concepita Jenny, e la nuova gravidanza li aveva lasciati esterrefatti.

Il corpo snello di Ruth si era appesantito. A mano a mano che l'affitto del bar raddoppiava e poi triplicava e i vecchi clienti si trasferivano altrove, il suo viso un tempo sereno si faceva sempre più teso, preoccupato. Erano tante le cose che avrebbe voluto dare alle figlie, cose che non potevano permettersi. Spesso Seamus le faceva notare con durezza: «Perché non dare loro una casa felice invece di tanta robaccia inutile?»

A causa soprattutto delle spese universitarie, quegli ultimi anni erano stati una tortura. Il fatto era che i soldi non bastavano mai e i mille dollari al mese da versare a Ethel finché non si fosse risposata o passata a miglior vita, erano divenuti il pomo della discordia, un pomo che Ruth mordeva incessantemente. «Torna in tribunale, Santo Cielo!» lo pungolava. «Di' al giudice che non hai i soldi per dare un'istruzione decente alle tue figlie e che invece quella parassita arricchisce ogni giorno di più. Non ha *bisogno* dei tuoi soldi. Ne ha già più di quanti possa spenderne.»

L'ultima lite, la settimana precedente, era stata la peggiore. Ruth aveva letto sul *Post* che Ethel aveva appena firmato un contratto per un libro e che le era stato versato un anticipo di mezzo milione di dollari. Venivano riportate le parole di Ethel secondo cui il libro-rivelazione sarebbe stato un «candelotto di dinamite gettato nel mondo della moda».

Per Ruth quella era stata l'ultima goccia. Insieme, naturalmente, con l'assegno scoperto. «Vai da quella, da quella...» Ruth non imprecava mai, ma fu come se il sanguinoso insulto che aveva in mente l'avesse gridato ad alta voce. «Dille che hai intenzione di andare da quei giornalisti e di raccontare come ti sta cavando il sangue. Dodicimila dollari l'anno, da più di venti!» A ogni sillaba la sua voce si faceva più stridula. «Voglio lasciare il lavoro, ho sessantadue anni ormai. Tra poco ci sarà da pensare anche ai matrimoni delle ragazze. Finiremo nella tomba con un laccio al collo. Tu dici sempre che lei fa notizia! Non credi che quelle sue patinate riviste potrebbero non gradire una collaboratrice notoriamente femminista che ricatta l'ex marito?»

«Nòn si tratta di ricatto, ma di alimenti.» Seamus si sforzava di parlare in tono ragionevole. «Comunque va bene, la vedrò.»

Ruth sarebbe tornata nel tardo pomeriggio di domenica, e verso mezzogiorno Seamus si riscosse dallo stato letargico in cui era caduto e cominciò a riordinare l'appartamento. Due anni prima avevano rinunciato alla donna che veniva a fare le pulizie una volta alla settimana e ora si dividevano i compiti, cosa di cui Ruth non mancava mai di lamentarsi. «Proprio quello di cui ho bisogno, dopo essermi fatta sballottare tutte le mattine dalla metropolitana della Settima Avenue, trascorrere il sabato a passare l'aspirapolvere.» La settimana precedente era improvvisamente scoppiata in lacrime. «Sono così maledettamente stanca.»

Alle quattro la casa aveva assunto un aspetto decente, ma le pareti denunciavano l'urgente necessità di una bella rinfrescata e il linoleum della cucina era logoro. Di recente il palazzo era stato trasformato in un condominio, ma i Lambston non erano stati in grado di acquistare l'appartamento che occupavano. Vent'anni, e nulla da mostrare per rivendicarlo se non le ricevute dell'affitto.

Seamus posò formaggio e vino sul tavolo da cocktail del soggiorno. I mobili erano malconci e vecchiotti, ma nella luce morbida del tardo pomeriggio non sembravano poi così male. Ancora tre anni e Jenny avrebbe finito l'università. Marcy era all'ultimo anno delle superiori e Linda al primo. Il tempo vola, pensò.

Più si avvicinava l'ora del ritorno di Ruth, più le mani gli tremavano. Si sarebbe accorta che c'era qualcosa di diverso in *lui*?

Lei arrivò alle cinque e un quarto. «C'era un traffico atroce», annunciò con voce querula.

«Hai consegnato l'assegno nuovo e spiegato tutto riguardo all'altro?» domandò lui, cercando di ignorare quel suo tono da: «Sbrighiamo questa faccenda una volta per tutte».

«Puoi giurarci. E se vuoi saperlo, il tesoriere è rimasto di sasso quando gli ho raccontato di come tu continui a pagare gli alimenti a Ethel. La tua preziosa ex moglie ha partecipato a un convegno del college sei mesi fa e ha sparato a zero sulla discriminazione sessuale, sostenendo che gli stipendi delle donne devono essere equiparati a quelli dei colleghi di sesso maschile.» Accettò il bicchiere di vino che lui le porgeva e ne bevve un lungo sorso.

Con un sussulto Seamus notò che a un certo momento, nel corso di quegli anni, lei aveva preso l'abitudine di leccarsi le labbra dopo avere pronunciato una frase amara. Proprio come faceva Ethel. Era dunque vero che si finiva sempre con lo sposare la stessa persona? Quel pensiero gli fece venir voglia di scoppiare in una risata isterica.

«Bene allora, vediamo di chiarire la faccenda. L'hai vista?» sbottò in quel momento Ruth.

Una grande debolezza invase Seamus. Il ricordo di quell'ultima scena. «Sì, l'ho vista.»

«E...»

Lui scelse le parole con cura. «Avevi ragione tu. Non vuole che si venga a sapere che per tutti questi anni ha ricevuto gli alimenti da me. Ha deciso di lasciarmi libero.»

Trasfigurata in volto, Ruth posò il bicchiere. «Non riesco a crederci. Come hai fatto a convincerla?»

La risata sarcastica, beffarda di Ethel davanti alle sue minacce e alle sue suppliche. L'impeto di rabbia accecante che lo aveva sopraffatto, l'espressione terrorizzata negli occhi di lei... poi la sua ultima minaccia... Oh, Dio...

«Ora finalmente, quando Ethel comprerà i suoi costosissimi abiti di Neeve Kearny e si abbofferà, non sarai *tu* a pagare.» Il grido trionfante di Ruth gli si conficcò nel cervello, ma impiegò qualche istante ad assimilare il significato delle sue parole.

Seamus posò il bicchiere. «Perché hai detto questo?» chiese con voce tranquilla alla moglie.

Il sabato mattina non nevicava più e le strade erano più o meno percorribili. Neeve riportò in negozio tutti gli abiti di Ethel.

«Non dirmelo», esclamò Betty precipitandosi ad aiutarla, «non le piace *niente*?»

«E come faccio a saperlo? Non l'ho trovata a casa. Sul serio, Betty, quando penso a tutto il da fare che ci ha procurato, mi viene voglia di passarle ogni singolo punto di cucito intorno al collo!»

Fu una giornata piena. Avevano fatto pubblicare sul *Times* un piccolo annuncio che pubblicizzava gli impermeabili e gli abiti stampati, e la risposta fu entusiastica. Gli occhi di Neeve splendevano mentre guardava le commesse compilare conti formidabili, e ancora una volta benedì tra sé Sal per averle dato manforte, sei anni prima.

Alle due Eugenia, una ex modella di colore che adesso era il suo braccio destro, le ricordò che non aveva ancora mangiato nulla. «Ho un po' di yogurt in frigorifero», le offrì.

Neeve, che aveva appena finito di aiutare una delle sue clienti personali a scegliere un abito da quattromila dollari da indossare al matrimonio della figlia, sorrise. «Sai che detesto lo yogurt. Fammi mandare un sandwich al tonno e una Diet Coke, ti spiace?»

Dieci minuti dopo, quando l'ordinazione le fu recapitata in ufficio, si rese conto di essere affamatissima. «La migliore insalata di tonno di tutta New York, Denny», disse sorridendo al garzone del bar.

«Se lo dice lei, signorina Kearny.» E il viso pallido dell'uomo si raggrinzì in un sorriso accattivante.

Mentre mangiava, Neeve compose il numero telefonico di Ethel, ma ancora una volta non ebbe risposta. Per tutto il pomeriggio la centralinista continuò a tentare, e a sera Neeve disse a Betty: «Ho deciso di riportarmi a casa tutta la sua roba. Non mi andrebbe affatto di dovermi precipitare qui di domenica solo perché Ethel ha improvvisamente stabilito di prendere un aereo e vuole tutti i suoi vestiti nel giro di dieci minuti».

«Conoscendola, sarebbe perfino capace di farsi passare a

34

prendere a casa dall'aereo», rincarò l'altra.

Risero, ma poi Betty aggiunse: «Sai quelle strane sensazioni che ti prendono di tanto in tanto? Giurerei che sono contagiose. Per quanto Ethel sia una gran rompiscatole, non è da lei comportarsi così».

Sabato sera Neeve e Myles andarono al Metropolitan ad ascoltare Pavarotti. «Dovresti uscire con qualche amico della tua età», si lamentò lui mentre il cameriere del *Ginger Man* porgeva loro i menu.

Neeve gli lanciò un'occhiata. «Senti, Myles, esco tantissimo, e tu lo sai. Quando arriverà qualcuno di veramente importante lo riconoscerò subito, proprio come è successo a te e alla mamma. E ora perché non ordiniamo? Gamberetti, per me.»

Di solito, la domenica Myles andava alla messa di buon'ora, mentre Neeve, che amava dormire fino a tardi, preferiva quella solenne alla cattedrale. Per questo fu sorpresa di trovare Myles in cucina e ancora in accappatoio quando si alzò. «Hai improvvisamente perso la fede?» indagò.

«No. Ma pensavo di venire con te, oggi.»

«Qualcosa a che vedere con il rilascio di Nicky Sepetti?» Neeve sospirò. «No, non preoccuparti di rispondere.»

Dopo la funzione decisero di fermarsi per il brunch al *Café des Artistes,* poi andarono a vedere un film in uno dei cinema del quartiere. Quando tornarono a casa Neeve telefonò di nuovo a Ethel Lambston e lasciò squillare il telefono una mezza dozzina di volte, prima di rinunciare e ingaggiare con Myles la gara settimanale su chi completava per primo il puzzle del *Times.*

«Una giornata simpatica», sospirò più tardi, chinandosi a baciare Myles sulla testa, dopo aver ascoltato il notiziario delle undici. Poi colse l'espressione sul suo viso. «Non dirlo», lo ammonì.

Myles serrò le labbra. Sua figlia lo conosceva bene; aveva

intuito che era sul punto di dire: «Anche se domani il tempo dovesse migliorare, vorrei che tu non andassi a fare jogging da sola».

L'insistente squillo del telefono nell'appartamento di Ethel Lambston non passò inosservato.

Douglas Brown, il nipote ventottenne, vi si era trasferito il venerdì pomeriggio. Aveva esitato prima di correre quel rischio, e a convincerlo era stata la consapevolezza di poter dimostrare di essere temporaneamente senza casa: proprio quel giorno era stato costretto a lasciare l'appartamentino che aveva preso illegalmente in subaffitto.

«Avevo semplicemente bisogno di un posto dove stare finché non avessi trovato un nuovo alloggio.» Sarebbe stata questa la sua spiegazione.

Si era detto che era preferibile non rispondere al telefono. Quelle telefonate frequenti lo irritavano, ma non voleva rivelare la sua presenza in quella casa. E a Ethel, comunque, non avrebbe fatto piacere. «Le chiamate che ricevo non devono interessarti», gli aveva detto una volta, e certo non era la sola a pensarla così.

Era anche convinto di aver fatto bene a non aprire la porta il venerdì sera, dato che il biglietto fatto scivolare all'interno si riferiva soltanto al ritiro di certi vestiti ordinati da Ethel.

Doug ebbe un sorriso sgradevole. Con tutta probabilità era quella la commissione che sua zia aveva pensato di affidargli.

La domenica mattina, Denny Adler aspettava con impazienza, nel vento freddo che soffiava a raffiche. Alle undici in punto vide avvicinarsi una *Chevy* nera e allora si allontanò a lunghi passi dal suo relativo riparo nel Bryant Park per andarle incontro. Era appena salito che già la *Chevy* si era rimessa in moto.

Dai tempi di Attica, Big Charley si era fatto molto più grigio e molto più grasso; il volante gli scavava un solco tra le pieghe dello stomaco. «Salve», lo salutò Denny, senza aspettarsi una risposta. Big Charley si limitò a un cenno del capo.

L'auto risalì velocemente la Henry Hudson Parkway e si diresse verso il ponte George Washington. Lì, Charley imboccò la Palisades Interstate Parkway, e Denny ebbe modo di notare che mentre la neve di New York era già sporca e fangosa, quella accumulatasi sui bordi della statale aveva conservato il suo candore. New Jersey, lo Stato Giardino, pensò con sarcasmo.

Subito dopo l'uscita tre, c'era un belvedere dove la gente che secondo Denny non aveva niente di meglio da fare si fermava ad ammirare il paesaggio newyorkese al di là del fiume Hudson. Non fu sorpreso quando Charley entrò nel parcheggio, a quell'ora deserto. Era lì che avevano discusso i suoi precedenti incarichi.

Charley spense il motore e si appoggiò all'indietro sul sedile, grugnendo per lo sforzo. Da un sacchetto di carta estrasse un paio di lattine di birra. «La tua marca preferita.»

Denny ne fu compiaciuto. «Carino da parte tua ricordarlo, Charley.» Aprì la lattina di Coors.

Charley mandò giù buona parte della sua prima di rispondere: «Io non dimentico niente». Dalla tasca interna della giacca estrasse una busta. «Sono diecimila. Ne avrai altrettanti a lavoro finito.»

Denny prese la busta; la sua pesantezza gli diede un piacere quasi sensuale. «Chi?»

«Le porti il pranzo un paio di volte la settimana. Vive nella Schwab House, quel grande edificio sulla Settantaquattresima, tra il West End e Riverside Drive. Una o due volte alla settimana va e torna dal lavoro a piedi, tagliando per Central Park. Strappale la borsetta e falla fuori, poi vuota il portafogli e butta via la borsa. Deve sembrare un banalissimo scippo, il lavoro di qualche balordo. Se non riesci a inchiodarla nel parco, ripiega sul quartiere della moda. Ci va tutti i lunedì pomeriggio. Quelle strade sono sempre piene di gente che ha fretta; furgoni parcheggiati in doppia fila e così via. Accostati a lei e spingila davanti a un camion o qualcosa del genere. Ma fa' con calma, deve sembrare un incidente, al massimo un'aggressione a scopo di rapina. Per i pedinamenti andranno benissimo i tuoi soliti travestimenti.» La voce di Big Charley era rauca e gutturale, come se i rotoli di grasso intorno al collo gli schiacciassero le corde vocali.

Per lui quello era stato un lungo discorso. Bevve un altro lungo sorso di birra.

Denny cominciava a sentirsi a disagio. *«Chi?»*

«Neeve Kearny.»

Denny sporse la busta verso Charley come se contenesse una bomba a orologeria. «La figlia del comandante della polizia? Ma sei pazzo?»

«La figlia dell'*ex* comandante.»

Denny sentì la fronte imperlarglisi di sudore. «Kearny è rimasto in carica per sedici anni e in città non c'è un solo sbirro che non rischierebbe la vita per lui. Quando gli hanno ammazzato la moglie la polizia ha scatenato l'inferno, mettevano sotto torchio anche i poveracci che avevano rubato una mela da qualche carretto. No, niente da fare.»

Il cambiamento nell'espressione di Big Charley fu quasi impercettibile, ma la sua voce rimase la stessa, gutturale e monotona. «Denny, ti ho già detto che io non dimentico mai niente. Ricordi quelle notti ad Attica, quando ti vantavi dei lavoretti che avevi sbrigato senza mai farti beccare e dei tuoi sistemi infallibili? Mi basterebbe una telefonata anonima ai poliziotti e non potrai più consegnare neppure un panino alla mortadella. Vuoi proprio farmi diventare uno di quei probi cittadini che lottano contro il crimine?»

Ricordando le vanterie di un tempo, Denny maledì la sua boccaccia. Saggiò ancora una volta lo spessore della busta e pensò a Neeve Kearny. Ormai effettuava le consegne alla sua boutique da quasi un anno; all'inizio consegnava il sacchetto alla centralinista, ma da qualche tempo entrava direttamente nell'ufficio privato, e anche se era al telefono, la Kearny non mancava mai di fargli un cenno di saluto o di sorridergli, un sorriso vero, non uno di quei risolini snob che gli dedicava la maggior parte dei suoi clienti. E gli diceva sempre come fossero buoni i sandwich.

E poi era una bambola con i fiocchi.

Con una scrollata di spalle si liberò di quell'attimo di sentimentalismo. Non poteva rifiutare il lavoro. Charley non lo avrebbe mai denunciato ai poliziotti, lo sapevano entrambi. Il fatto che fosse a conoscenza del contratto lo rendeva troppo pericoloso, e rifiutarlo per lui avrebbe significato non ripercorrere il ponte George Washington.

Intascò il denaro.

«Così va meglio», approvò Charley. «Qual è il tuo orario di lavoro al negozio?»

«Dalle nove alle sei. Il lunedì è la mia giornata libera.»

«Lei esce per andare al lavoro tra le otto e trenta e le nove. Comincia con il dare un'occhiata alla casa. La boutique chiude alle sei e mezzo. E ricorda, fa' con calma. *Non deve sembrare un'aggressione deliberata.*»

Big Charley avviò il motore e durante il viaggio di ritorno sprofondò di nuovo nel silenzio, interrotto soltanto dall'ansito del suo respiro. Denny intanto era consumato da una curiosità feroce e quando Charley svoltò sulla West Side Highway e imboccò la Cinquantasettesima Strada, gli chiese: «Hai idea di chi abbia ordinato il lavoro? Lei non mi sembra il tipo da mettere i bastoni tra le ruote a qualcuno. Sepetti è stato rilasciato. Forse anche lui ha buona memoria».

L'occhiata irosa dell'altro gli fece capire di aver commesso un errore. Ora la voce gutturale di Charley si era fatta chiarissima e le parole caddero con la violenza di una grandinata di pietre. «Stai diventando imprudente, Denny. Io non so chi vuole liquidarla, e non lo sa il tizio che mi ha contattato. Non lo sa il tizio che ha contattato *lui*. È così che funziona, e non si fanno domande. Tu non sei che un teppistello dalla mente ristretta e di nessun conto, Denny, e certe cose non devono riguardarti. Ora *fuori.*»

L'auto si fermò bruscamente all'angolo tra l'Ottantesima Avenue e la Cinquantasettesima Strada.

Esitante, Denny aprì la portiera. «Charley, mi dispiace», tentò. «È solo che...»

Il vento entrava a folate nell'abitacolo. «Tu pensa a tenere la bocca chiusa e a fare il tuo lavoro.»

Pochi istanti dopo Denny guardava la coda della *Chevy* di Charley scomparire lungo la Cinquantasettesima. Si avviò a piedi verso Columbus Circle, fermandosi a una bancarella per comperare un hot dog e una Coca-Cola. Quando ebbe finito, si pulì la bocca con il dorso della mano. Cominciava a sentirsi più calmo. Con le dita accarezzò la busta gonfia che aveva infilato nella tasca interna della giacca.

«Tanto vale che cominci a guadagnarmi i miei soldi», borbottò tra sé, risalendo Broadway verso la Settantaquattresima e la West End Avenue.

Raggiunta la Schwab House, gironzolò con aria indifferente intorno all'isolato, prendendo nota dell'ingresso su Riverside Drive. Nessuna possibilità che lei lo usasse. Quello sulla West End Avenue era molto più comodo.

Soddisfatto, attraversò la strada e si appoggiò al muro del palazzo di fronte. Sarebbe stato un ottimo punto d'osservazione, decise. Il portone dietro di lui si aprì e ne emerse un gruppo di inquilini. Non volendo essere notato, Denny si spostò di qualche metro, riflettendo che il travestimento da ubriacone gli avrebbe consentito di confondersi fra la gente, mentre pedinava Neeve Kearny.

Alle due e mezzo, mentre si dirigeva verso l'East Side, superò una fila di persone che stazionava davanti a un cinema e sussultò sbalordito, perché più o meno a metà della coda c'era Neeve Kearny, in compagnia di un uomo dai capelli bianchi che lui riconobbe subito. Suo padre. Accelerò il passo, tenendo la testa incassata tra le spalle. E non la stavo neppure cercando, pensò. Questo sarà il colpo più facile della mia vita.

4

IL lunedì mattina Neeve era nell'atrio, con le braccia cariche degli abiti di Ethel, quando Tse-Tse, un'attrice ventitreenne, uscì senza fiato dall'ascensore. Aveva i ricciuti capelli biondi pettinati alla Phyllis Diller prima maniera e gli occhi truccati in violente tonalità porpora. La bocca piccola e graziosa era stata dipinta come quella di una bambola Kewpie. Tse-Tse, nata Mary Margaret McBride, «Indovina in onore di chi?» come aveva detto a Neeve, non recitava altro che in spettacoli off-off-Broadway, ben pochi dei quali restavano in cartellone più di una settimana.

Neeve era andata a vederla parecchie volte ed era rimasta stupefatta nel constatare quanto fosse brava. A Tse-Tse bastava muovere una spalla, abbassare una palpebra, modificare la postura, per trasformarsi in una persona completamente diversa. Aveva un orecchio eccellente per gli accenti e i registri della sua voce andavano dall'intensità acuta di una Butterfly McQueen alla tonalità rauca di una Lauren Bacall. Alla Schwab House divideva un monolocale con un'altra aspirante attrice e rimpolpava il piccolo assegno che la famiglia le inviava con manifesta riluttanza accettando i lavori più strani. Di recente aveva smesso di fare la cameriera e l'accompagnatrice di cani per dedicarsi alle pulizie degli appartamenti.

«Cinquanta bigliettoni per quattro ore e senza dover armeg-

41

giare di continuo con quella maledetta paletta», aveva spiegato a Neeve.

Era stata proprio Neeve a proporla a Ethel Lambston, e ora la sua giovane amica riordinava l'appartamento della scrittrice parecchie volte al mese. Mentre aspettava il taxi, spiegò a Tse-Tse il suo problema.

«Dovrei andarci domani», brontolò la ragazza. «Per essere sincera, Neeve, quella casa mi fa venir voglia di ricominciare a portare a passeggio i cani. Per quanto la lasci in perfetto ordine, la volta successiva è sempre un macello.»

«L'ho vista.» Neeve rifletté qualche istante. «Se Ethel non si fa viva con me entro domani, potremmo andare insieme da lei in mattinata e sistemare i vestiti nell'armadio. Tu hai la chiave, immagino.»

«Me l'ha data circa sei mesi fa. Fammi sapere qualcosa, d'accordo? Ci vediamo.» Tse-Tse le mandò un bacio e si allontanò a passi frettolosi, un fenicottero con i capelli d'oro gonfiati dalla permanente e un trucco folle, in giacca di lana color porpora, calze rosse e scarpe da tennis gialle.

In negozio, Betty aiutò ancora una volta Neeve ad appendere gli acquisti di Ethel a una delle rastrelliere della sala di cucito. «Questo è troppo perfino per quella testa vuota della Lambston», dichiarò con un cipiglio che accentuava le rughe sulla fronte. «E se avesse avuto un incidente? Forse dovremmo denunciarne la scomparsa.»

Neeve impilava le scatole degli accessori accanto alla rastrelliera. «Potrei chiedere a Myles di controllare», replicò, «ma è troppo presto per darla per scomparsa.»

Di colpo Betty sogghignò. «Forse si è finalmente trovata un uomo ed è partita per un fine settimana di sogno.»

Neeve lanciò un'occhiata alla porta che dava nel reparto vendite. Era arrivata la prima cliente e una delle nuove commesse le stava mostrando degli abiti assolutamente inadatti a lei. Si morse il labbro, infastidita. Sapeva di avere ereditato almeno in parte il focoso temperamento di Renata e stava attenta a non lavorare troppo di lingua. «Lo spero per il bene di Ethel», commentò, mentre si avviava verso la cliente con un sorriso di benvenuto. «Marian, perché non ci porti l'abito di chiffon verde di Della Rosa?»

Fu una mattinata piuttosto intensa. La centralinista continuò a tentare di mettersi in contatto con Ethel e quando ribadì di non aver ricevuto risposta, Neeve pensò fugacemente che se Ethel aveva davvero incontrato un uomo ed era fuggita con lui, nessuno se ne sarebbe rallegrato più del suo ex marito, che da ventidue anni le pagava ogni mese gli alimenti.

Il lunedì era la giornata libera di Denny Adler e lui aveva progettato di sfruttarla pedinando Neeve Kearny, ma la domenica sera arrivò una chiamata per lui al telefono collocato nell'atrio del suo albergo.

Era il gestore del negozio che lo informava che la sua presenza era necessaria sul lavoro il giorno dopo. Il barman era stato licenziato. «Stavo esaminando i registri e ho scoperto che quel figlio di puttana attingeva dalla cassa. Ho bisogno di te.»

Denny imprecò silenziosamente. Ma rifiutare sarebbe stato sciocco.

«Ci sarò», borbottò imbronciato, e mentre riappendeva pensò a Neeve Kearny, al sorriso che lei gli aveva regalato il giorno prima, quando era andato a portarle il pranzo, al modo in cui i capelli nerissimi le incorniciavano il viso, a come i suoi seni riempivano gli stravaganti maglioni che indossava. Big Charley aveva detto che lei andava sempre nella Settima Avenue il lunedì pomeriggio, il che significava che sarebbe stato tempo sprecato cercare di intercettarla dopo il lavoro.

Forse era meglio così. Aveva già progettato di trascorrere la serata di lunedì con la cameriera del bar di fronte all'albergo e non voleva mandare all'aria l'appuntamento.

Mentre attraversava l'atrio umido e puzzolente di urina per tornare in camera sua, pensò: Non diventerai un'altra figlia del lunedì, Kearny.

Figlio di lune, splendente come un lume. Ma non dopo qualche settimana al cimitero.

A Neeve piacevano i lunedì pomeriggio nella Settima Avenue. Amava l'allegra confusione del quartiere, i marciapiedi affollati, i furgoncini addetti alle consegne parcheggiati in doppia fila lungo le strade anguste, i fattorini che zigzagavano nel traffico spingendo carrelli carichi di abiti, la divertiva l'atmosfera di fretta e di frenetica attività che vi si respirava.

Aveva cominciato ad andarci con Renata quando aveva circa otto anni; superando le divertite obiezioni di Myles, Renata aveva trovato un lavoro part-time in un negozio di abbigliamento sulla Settantaduesima, a soli due isolati da casa loro. Nel giro di poco tempo l'anziana proprietaria aveva deciso di incaricarla degli acquisti per il negozio; Neeve vedeva ancora la madre che scuoteva la testa in segno di diniego mentre uno stilista troppo zelante cercava di persuaderla a cambiare idea su un vestito.

«Basta sedersi per vedere che fa difetto sulla schiena», rispondeva lei. Quando si infervorava, tornava ad affiorare il suo accento italiano. «Mentre una donna dovrebbe potersi vestire, controllare allo specchio di non avere smagliature o un orlo scucito e poi dimenticarsi di quello che ha addosso. I vestiti dovrebbero essere per lei una seconda pelle.» Renata pronunciava «peelle».

Renata aveva un fiuto speciale nello scoprire nuovi talenti; Neeve conservava ancora la spilla a cammeo che un giovane stilista aveva donato a sua madre. Era stata lei la prima a presentare la sua collezione. «Tua madre mi ha dato l'opportunità di sfondare», le diceva spesso Jacob Gold. «Una splendida signora, e che di moda se ne intendeva. Come te.» Per lui, era il complimento più grande.

Quel giorno, mentre si dirigeva verso la Settima Avenue, Neeve si rese conto di essere vagamente turbata. Qualcosa non andava in lei, come un dente cariato nella sua fantasia. Ancora un po', borbottò tra sé, e diventerai come uno di quei maniaci irlandesi pieni di superstizioni e di «presentimenti» sui guai che li aspettano dietro l'angolo.

Da Artless Sportswear ordinò dei blazer di lino con bermuda in tinta. «Mi piacciono i colori pastello», mormorò, «ma hanno bisogno di un accostamento che li ravvivi.»

«Noi suggeriamo di completare l'insieme con quella camicetta.» Il commesso, blocco delle ordinazioni alla mano, indicò delle bluse di pallido nylon con i bottoni bianchi.

«Uh-uh. Roba per scolarette.» Neeve girellò per lo showroom fino a quando non individuò una variopinta camiciola senza maniche di seta. «Ecco che cosa cercavo.» Ne prese parecchie in fantasie diverse e le accostò ai completi. «Questo motivo per l'insieme pesca e quest'altro per il malva Adesso sì che funziona.»

Da Victor Costa, mentre sceglieva dei romantici abiti di chiffon con la scollatura a barchetta, il ricordo di Renata tornò a visitarla. Renata con un modello di Costa in velluto nero che andava con Myles a una festa di Capodanno. Al collo portava il regalo di compleanno del marito, un girocollo di perle con un fermaglio tempestato di piccoli brillanti.

«Sembri una principessa, mammina», le aveva detto Neeve. Quel momento era rimasto stampato nella sua memoria. Come si era sentita orgogliosa di loro! Myles, alto ed elegante con i capelli prematuramente bianchi; Renata, così snella e sottile, i capelli nerissimi raccolti in uno chignon.

Il Capodanno successivo erano venute da loro alcune persone. Padre Devin Stanton, che adesso era vescovo, e lo zio Sal, che lottava ancora per farsi un nome come stilista. Il vicecomandante di Myles, Herb Schwartz, e sua moglie. Renata era morta da sette settimane..

Di colpo Neeve si rese conto che il commesso le stava accanto, e aspettava pazientemente. «Mi ero distratta», si scusò. «E questo non è esattamente il periodo giusto per perdersi nelle fantasticherie, non crede?»

Terminò l'ordine, visitò rapidamente le altre tre case di moda che aveva sull'elenco poi, mentre già scendeva il buio, si diresse a fare la consueta visita allo zio Sal.

Gli show-room di Anthony della Salva erano ormai sparsi

per tutto il quartiere della moda. Quello della collezione sportiva era sulla Trentasettesima Ovest, gli accessori erano esposti sulla Trentacinquesima Ovest, mentre la sede amministrativa si trovava sulla Sesta Avenue, ma Neeve sapeva che lo avrebbe trovato nel suo ufficio principale sulla Trentaseiesima Ovest. Era da lì che aveva cominciato, in un minuscolo, soffocante bilocale del palazzo di cui ora occupava tre piani splendidamente attrezzati. Anthony della Salva, nato Salvatore Esposito, del Bronx, era ormai uno stilista non meno famoso di Bill Blass, Calvin Klein e Oscar de la Renta.

Mentre attraversava la Trentasettesima, Neeve si trovò con grande sgomento a faccia a faccia con Gordon Steuber. Impeccabile nella giacca avana di cashmere sul pullover scozzese marrone e beige, pantaloni scuri e mocassini Gucci, i folti capelli castani e ricciuti, il viso sottile dai tratti regolari, le spalle ampie e la vita stretta, Gordon Steuber non avrebbe avuto difficoltà a diventare un modello famoso. Invece, poco più che quarantenne, era un brillante uomo d'affari, abilissimo nello scoprire e assumere giovani stilisti sconosciuti e sfruttarli finché non potevano permettersi di lasciarlo.

Grazie a questi giovani collaboratori, le sue collezioni di abiti femminili erano sempre originali e piene di spunti interessanti. Sarebbe ricco anche senza imbrogliare la manodopera clandestina, pensò Neeve mentre lo scrutava freddamente. E se, stando a quanto diceva lo zio Sal, si trovava nei guai con le tasse, ben gli stava!

Si separarono senza parlare, ma a Neeve sembrò quasi che dalla sua persona emanasse rabbia. Ricordò di aver sentito dire che le persone emanavano una specie di aura intorno a loro. Non mi piacerebbe vedere il colore della sua aura in questo momento, pensò, mentre si affrettava a entrare nell'ufficio di Sal.

Non appena la vide, la receptionist si mise immediatamente in contatto con l'ufficio privato di Sal e un istante dopo Anthony della Salva, «zio Sal», comparve sulla porta. Il suo viso da cherubino era raggiante mentre si precipitava ad abbracciare la nipote.

Neeve sorrise notando il suo abbigliamento: certo Sal

faceva un'ottima pubblicità alla sua nuova collezione prima-verile. La sua personalissima versione di un completo da safari era un incrocio fra una tuta da paracadutista e Jungle Jim al suo meglio. «Adorabile. Tutta East Hampton lo por-terà il mese prossimo», osservò lei in tono di approvazione mentre lo baciava.

«Lo porta già, tesoro. Addirittura furoreggia a Iowa City, e devo ammettere che questo mi spaventa un po'. Forse sto scadendo. Vieni, andiamocene di qui.» La pilotò verso il suo ufficio, fermandosi a salutare alcuni acquirenti di fuori città. «Tutto bene? Susan si prende buona cura di voi? Fantastico. Susan, fai vedere ai signori la linea destinata al tempo libero. Sarà un successo senza precedenti, ve l'assicuro.»

«Non vuoi per caso occuparti di loro personalmente, zio Sal?» chiese Neeve mentre attraversavano lo show-room.

«Proprio no. Faranno perdere a Susan ore e ore e finiran-no per comprare solo due o tre dei capi più economici.» Con un sospiro di sollievo chiuse la porta dell'ufficio privato. «È stata una giornata pazzesca. Ma dove trova tanti soldi, la gente? Ho aumentato di nuovo i prezzi, ormai sono vergo-gnosi, eppure i miei clienti si prendono a pugni per riuscire a piazzare un ordine.»

Parlando, sorrideva con aria beata. Nel corso degli anni il suo viso rotondo si era fatto quasi gonfio e aveva preso l'abitudine di strizzare gli occhi fino a farli sparire sotto le palpebre pesanti. Lui, Myles e il vescovo erano cresciuti nello stesso quartiere nel Bronx, avevano giocato a baseball insieme e insieme avevano frequentato il liceo Christopher Columbus. Difficile credere che ormai anche lui aveva ses-santotto anni.

Sulla scrivania erano accatastati mucchi di campioni di tessuto. «Riesci a crederci? Ci hanno affidato l'incarico di disegnare l'interno di una *Mercedes* in miniatura destinata ai bambini intorno ai tre anni. Quando *io* avevo tre anni, dovevo accontentarmi di un carrettino rosso comperato di seconda mano da cui saltavano sempre via le ruote. E ogni volta mio padre mi picchiava perché non mi prendevo abba-stanza cura dei miei giocattoli migliori.»

Neeve cominciava a sentirsi meglio. «Parola d'onore, zio Sal, vorrei poter registrare quello che dici. Diventerei ricca ricattandoti.»

«Non lo faresti mai, hai il cuore troppo tenero. Ma siediti, prendi una tazza di caffè. È fresco, te lo garantisco.»

«So che hai molto da fare, zio Sal. Ti ruberò solo cinque minuti.» Parlando, Neeve si sbottonò la giacca.

«Lascia perdere lo 'zio', vuoi? Sto diventando troppo vecchio per essere trattato con rispetto.» Sal la occhieggiava con aria critica. «Ti trovo bene. Come sempre, d'altronde. Gli affari?»

«Magnificamente.»

«E Myles come sta? Ho saputo che Nicky Sepetti è stato rilasciato venerdì. Immagino che si starà rodendo il fegato.»

«È stato piuttosto inquieto venerdì e per tutto il fine settimana, ma adesso mi sembra più tranquillo.»

«Invitami a cena, uno dei prossimi giorni. Dopotutto non lo vedo da un mese.»

«Affare fatto.» Neeve lo osservò versare il caffè dal termos. Si guardò intorno. «Mi piace questa stanza.»

La parete dietro la scrivania era ricoperta da un dipinto murale che riproduceva il motivo del Pacific Reef, il design che aveva reso famoso Sal.

Lui le aveva raccontato spesso come gli era nata l'idea per quella linea. «Stavo visitando l'acquario di Chicago, nel 1972. Quell'anno la moda era una gran confusione. Tutti erano stufi della minigonna e tutti avevano paura di suggerire qualcosa di nuovo. Gli stilisti più in voga proponevano tailleur dal taglio maschile, bermuda, abiti essenziali e sfoderati. Colori tenui, oppure decisamente scuri. Camicette con i fronzoli adatte solo alle liceali. Niente che spingesse una donna a dire: 'È così che voglio essere'. Stavo gironzolando per l'acquario e mi sono trovato per caso sul piano che esponeva gli esemplari della flora e della fauna del Pacific Reef. Neeve, era come camminare sott'acqua. C'erano vasche alte fino al soffitto piene di centinaia di pesci esotici e di piante e di coralli e di conchiglie. E i colori... avresti detto che era stato Michelangelo a inventarli! I disegni poi! Ce

n'erano dozzine, e ognuno era unico. Argento che si stempe-
rava nell'azzurro; corallo e rosso mescolati insieme. C'era
un pesce giallo, il giallo del sole di prima mattina, punteggia-
to di nero. E la fluidità, la grazia del movimento. Ricordo
che pensai: Se solo potessi riprodurre tutto questo sul tessuto! Cominciai a buttare giù uno schizzo dopo l'altro e quasi
subito capii di essere sulla strada giusta. Quell'anno vinsi il
Coty Award. Ho sconvolto l'industria della moda. Le vendite salirono alle stelle. E poi, naturalmente, le varie licenze
per la grande distribuzione e gli accessori. E tutto perché ero
stato abbastanza intelligente da copiare madre natura.»
   Seguì lo sguardo di lei. «Quel motivo. Fantastico, eh?
Allegro. Elegante. Pieno di grazia. È ancora la cosa migliore
che abbia mai fatto, ma non dirlo in giro. Non se ne sono
ancora accorti. La settimana prossima ti mostrerò in anteprima la mia collezione autunnale. La seconda miglior cosa
che abbia mai fatto. Sensazionale. E la tua vita sentimentale?»
   «Non esiste.»
   «Che cosa mi dici di quel tizio che era a cena da te un paio
di mesi fa? Era pazzo di te.»
   «Il fatto che non te ne ricordi neppure il nome la dice
lunga. Sta ancora a Wall Street ad accumulare soldi su soldi.
Ha appena comprato un *Cessna* e un condominio a Vail. Ma
dimenticatelo, aveva la personalità di uno spaghetto scotto.
Quello che continuo a ripetere a Myles e che vorrei fai
capire anche a te è: Quando Mister Giusto arriverà, lo
capirò.»
   «Sì, ma non aspettare troppo a lungo, Neeve. Il fatto è che
sei cresciuta avendo sotto gli occhi la favola d'amore di tua
madre e di tuo padre.» Sal buttò giù l'ultima sorsata di caffè.
«Ma per la maggior parte di noi le cose non vanno così.»
   Divertita, Neeve notò che quando Sal si trovava con vecchi amici o si preparava a sfoggiare la sua eloquenza, il dolce
accento italiano spariva per lasciare il posto alla tipica ca-
denza del Bronx.
   «La maggioranza di noi si incontra», continuò Sal. «Prova
un certo interesse per l'altro, interesse che col tempo va

scemando sempre di più. Ma continua a frequentarsi e alla fine, gradualmente, qualcosa accade. Niente magia, forse soltanto amicizia. Ma ci si accontenta. Forse l'opera non ci piace, ma andiamo ugualmente a teatro. Magari detestiamo l'esercizio fisico, ma cominciamo a giocare a tennis o a fare jogging. E poi subentra l'amore. È così per il novanta per cento degli abitanti del mondo, Neeve. Credimi.»

«Ed è stato così anche per te?» chiese lei con dolcezza.

«Quattro volte.» Sal era raggiante. «E non fare la sfacciata. Io sono un ottimista.»

Neeve finì il caffè e si alzò; si sentiva di umore molto migliore. «Credo di esserlo anch'io, ma tu mi aiuti a non dimenticarlo. A cena giovedì?»

«Benissimo. Ricordati, io non seguo la dieta di Myles e non venirmi a dire che invece dovrei farlo.»

Mentre attraversava lo showroom, Neeve valutò con occhio esperto i capi in esposizione. Niente di eccezionale, ma tutto molto buono. Un uso accurato del colore e linee pulite, originali senza essere troppo audaci. Si sarebbero venduti bene. Chissà se la collezione autunnale di Sal era davvero valida come lui sosteneva.

Arrivò in negozio giusto in tempo per discutere della nuova disposizione delle vetrine con l'arredatore e alle sei e trenta si preparò a tornare a casa, portando ancora una volta con sé gli acquisti di Ethel Lambston. La scrittrice non si era fatta viva e gli svariati messaggi che Neeve aveva lasciato alla sua segreteria erano rimasti senza risposta. Ma almeno aveva trovato la soluzione, si disse; l'indomani mattina avrebbe accompagnato Tse-Tse nell'appartamento di Ethel e avrebbe lasciato lì tutto quanto.

Quel pensiero le riportò alla mente una strofa della suggestiva poesia di Eugene Field *Little Boy Blue*: «Li ha baciati e li ha lasciati là».

Mentre stringeva tra le braccia le grosse borse di plastica, Neeve ricordò che Little Boy Blue non aveva mai fatto ritorno ai suoi graziosi giocattoli.

5

La mattina dopo Tse-Tse si incontrò con lei nell'atrio alle otto e trenta in punto. Quel giorno la ragazza si era raccolta i capelli in due grosse trecce fermate sopra le orecchie; sotto il mantello di velluto nero che la copriva dalle spalle alle caviglie portava un'uniforme nera con un grembiulino bianco. «Ho appena trovato una parte come cameriera d'albergo in una nuova commedia», raccontò mentre la liberava di qualche scatolone, «e ho pensato di esercitarmi un po'. Se Ethel è in casa, morirà vedendomi in costume di scena.» Il suo accento svedese era eccellente.

I loro vigorosi scampanellii non ebbero risposta e alla fine fu Tse-Tse ad aprire servendosi della sua chiave. Si fece da parte per lasciare entrare prima Neeve che, con un sospiro di sollievo, lasciò cadere gli abiti sul divano. «Allora un Dio c'è», mormorò, prima che la voce le morisse in gola.

Un giovane robusto stava in piedi sulla porta dell'anticamera che portava alla stanza da letto e al bagno. Evidentemente lo avevano sorpreso mentre stava vestendosi, perché aveva in mano una cravatta e la camicia candida non era completamente abbottonata. Gli occhi verde chiaro, incastonati in un viso che, con un'espressione diversa, sarebbe forse apparso attraente, riflettevano una certa irritazione e i capelli spettinati gli ricadevano sulla fronte in una massa di riccioli. Alle sue spalle, Neeve sentì Tse-Tse trattenere il fiato.

51

«Chi è lei?» domandò allora. «E perché non ha aperto la porta?»

«Credo piuttosto che tocchi a me chiedere chi siete.» Il tono del giovane era sarcastico. «E apro la porta solo quando decido di farlo.»

«Lei è il nipote della signorina Lambston», interloquì a quel punto Tse-Tse. «Ho visto la sua foto.» Non aveva abbandonato l'accento svedese. «Si chiama Douglas Brown.»

«So benissimo come mi chiamo. Ma vi spiacerebbe dirmi come vi chiamate *voi*?» Il tono sarcastico non mutò.

Neeve sentì montarle la collera. «Sono Neeve Kearny», si presentò. «E lei è Tse-Tse. Pulisce l'appartamento per conto della signorina Lambston. Le spiacerebbe dirmi dov'è? Mi aveva detto che questi vestiti le servivano per venerdì e da allora non ho fatto altro che portarli avanti e indietro.»

«Così, lei è Neeve Kearny.» Ora il sorriso del giovane si era fatto insolente. «Il paio di scarpe numero tre va con il completo beige. Da portare con la borsa numero tre e i gioielli della scatola A. Si dà sempre tanto da fare?»

Neeve sentì la mascella irrigidirsi. «La signorina Lambston è una delle mie migliori clienti e una donna molto occupata. *Anch'io* sono una donna molto occupata. È qui? In caso contrario, quando torna?»

Douglas Brown si strinse nelle spalle. Sembrava avere perso buona parte della sua animosità. «Non ho idea di dove si trovi mia zia. Mi aveva chiesto di passare qui venerdì pomeriggio; aveva una commissione da affidarmi.»

«Venerdì pomeriggio?» ripeté Neeve.

«Sì, ma quando sono arrivato lei non c'era. Ho una chiave, così sono entrato. Ma da allora non si è vista e io mi sono provvisoriamente sistemato sul suo divano. Ho dovuto lasciare l'appartamento che avevo in subaffitto e l'ostello della gioventù non fa esattamente al caso mio.»

Una spiegazione plausibile e fornita con disinvoltura, forse troppa. Neeve si guardò intorno: accanto agli abiti che aveva posato sul divano c'erano una coperta e un cuscino e pile di giornali erano accatastate sul pavimento lì di fronte.

52

In occasione delle sue visite precedenti, i cuscini erano sempre coperti di cartelle e riviste al punto da rendere impossibile vederne il rivestimento. Ritagli di giornali stavano buttati alla rinfusa sul tavolo della zona pranzo; le finestre dotate di sbarre, indispensabili in un appartamento a pianoterra, fungevano da archivi improvvisati. Alle pareti erano disposte a casaccio fotografie di Ethel, perlopiù ritagliate da quotidiani e riviste: Ethel che riceveva il Magazine Award dell'anno dalla Società americana di autori e giornalisti, premio ottenuto grazie a un bruciante articolo sugli ospizi e le case popolari; Ethel a fianco di Lyndon e Lady Bird Johnson (aveva lavorato per il presidente durante la campagna del '64); Ethel sul palco del *Waldorf* con il sindaco durante la serata offerta in suo onore da *Contemporary Woman.*

Un pensiero improvviso la colpì. «Sono passata di qui, venerdì nel tardo pomeriggio», disse. «A che ora dice di essere arrivato?»

«Verso le tre. Ma non rispondo mai al telefono. A Ethel non piace che sia qualcun altro a ricevere le sue chiamate quando non è in casa.»

«È vero», confermò Tse-Tse, dimenticando per un momento il suo accento svedese, ma recuperandolo subito. «Yah, yah, è proprio così.»

Douglas Brown si passò la cravatta intorno al collo. «Devo andare al lavoro, adesso. Lasci pure qui i vestiti di Ethel, signorina Kearny.» Si voltò verso Tse-Tse. «E se lei conosce il modo di mettere un po' di ordine in questo caos, è la benvenuta. Ammucchierò la mia roba dove non può dare fastidio, nell'eventualità che Ethel decida di favorirci della sua presenza.» Ora sembrava avere fretta di andarsene. Si voltò e andò verso la camera da letto.

«Ancora un minuto», lo fermò Neeve. «Dice di essere venuto verso le tre di venerdì, dunque era già qui quando ho cercato di consegnare questi vestiti. Le spiacerebbe spiegarmi perché non ha aperto la porta, quella sera? Avrebbe potuto essere Ethel che aveva dimenticato la chiave, non crede?»

«A che ora è passata?»

«Verso le sette.»

«Ero uscito a mangiare qualcosa, mi dispiace.» Questa volta Douglas Brown sparì in camera da letto e chiuse la porta dietro di sé.

Neeve e Tse-Tse si guardarono, poi la ragazza si strinse nelle spalle. «Tanto vale che mi metta al lavoro.» Assunse un tono cantilenante.

«*Yumpin'Yimminy,* sarebbe più facile pulire tutta Stoccolma di questo posto, con tutta la robaccia che c'è.» Poi, riassumendo la sua voce di sempre: «Per caso non crederai che sia successo qualcosa a Ethel, vero?»

«Avevo pensato di chiedere a Myles di far controllare i verbali degli incidenti», rispose Neeve. «Anche se devo ammettere che l'affettuoso nipotino non sembra esattamente fuori di sé per la preoccupazione. Appena se ne sarà andato appenderò queste cose nell'armadio di Ethel.»

Douglas Brown emerse dalla camera pochi istanti dopo. Con indosso un abito blu scuro, un impermeabile sul braccio e i capelli pettinati in larghe onde, aveva un aspetto imbronciato e attraente. Parve stupito e per nulla soddisfatto di trovare Neeve ancora lì.

«Mi sembrava di aver capito che è una persona molto occupata», commentò. «Ha intenzione di dare una mano nelle pulizie?»

Le labbra di Neeve si serrarono minacciose. «Ho intenzione di appendere questi abiti nell'armadio di sua zia, così non avrà difficoltà a trovarli quando ne avrà bisogno; dopodiché me ne andrò.» Gli gettò il suo biglietto da visita. «La prego di informarmi, non appena avrà sue notizie. Per quanto mi riguarda, *io* sto cominciando a preoccuparmi.»

Douglas Brown lanciò un'occhiata al biglietto e se lo infilò in tasca. «Non ne vedo il motivo. Nei due anni che ho passato a New York ho visto la zia Ethel recitare la commedia dell'improvvisa sparizione almeno tre volte, di solito con il risultato di bloccarmi in un ristorante o qui a girare i pollici. Spesso penso che sia completamente pazza.»

«Conta di restare nell'appartamento fino al suo ritorno?»

54

«Non vedo proprio come la cosa possa riguardarla, signorina Kearny, ma probabilmente sì.»

«Ha un indirizzo dove è possibile raggiungerla durante le ore d'ufficio?» Neeve si sentiva sempre più irritata.

«Sfortunatamente, al Cosmic Oil Building non forniscono ai receptionist biglietti da visita. Sono uno scrittore, proprio come la mia cara zia, ma sfortunatamente, a differenza di lei, non sono stato ancora scoperto dal mondo dell'editoria, e per non morire di fame devo starmene seduto dietro a una scrivania nell'atrio della Cosmic a confermare gli appuntamenti dei visitatori. Non precisamente il lavoro adatto a una mente brillante, ma d'altra parte mi risulta che anche Herman Melville abbia lavorato come impiegato a Ellis Island.»

«E lei si considera un nuovo Herman Melville?» Neeve non si sforzò di nascondere il suo sarcasmo.

«No, io scrivo libri di tutt'altro genere. L'ultimo è intitolato *La vita spirituale di Hugh Hefner*. Ma finora nessun editore ha mostrato di capire lo scherzo.»

Un istante dopo se n'era andato. Rimaste sole, Neeve e Tse-Tse si scambiarono un'occhiata perplessa. «Che razza di verme», dichiarò la giovane attrice. «E pensare che è l'unico parente della povera Ethel.»

Neeve frugò nella sua memoria. «Non mi sembra di avergelio mai sentito nominare.»

«Due settimane fa, quando ero qui, stava parlando al telefono con lui ed era realmente fuori di sé. Ethel ha l'abitudine di nascondere soldi in giro per l'appartamento ed era convinta che ne mancasse una parte. Praticamente ha accusato il nipote di averli rubati.»

Di colpo, l'appartamento strapieno e polveroso diede a Neeve una spiacevole sensazione di claustrofobia. Voleva andarsene. «Vediamo di mettere via questi vestiti», sospirò.

Se Douglas Brown aveva dormito sul divano la prima notte, era chiaro che nei giorni successivi aveva preferito la camera di Ethel. Sul comodino c'era un portacenere pieno di mozziconi e Ethel non fumava. I mobili bianco avorio, di gusto un po' provinciale, sembravano costosi ma, come il resto della casa, smarriti in un disordine caotico. Sul cassettone erano sparpagliati bottiglie di profumo, cosmetici e un completo di spazzola, pettine e specchio in argento brunito, mentre nella cornice dorata della grande specchiera Ethel aveva infilato dei bigliettini di promemoria. Parecchi indumenti maschili, perlopiù giacche e pantaloni sportivi, erano ripiegati su una poltrona rivestita di damasco rosa e sotto di essa era stata spinta una valigia.

«Almeno non è stato così impudente da mischiare le sue cose a quelle di Ethel», brontolò Neeve. Un'intera parete della grande camera era occupata da un enorme armadio. Quattro anni prima, quando Ethel le aveva chiesto per la prima volta di occuparsi del suo guardaroba, Neeve aveva osservato che non c'era da meravigliarsi se le riusciva tanto difficile abbinare correttamente i vari capi. Aveva bisogno di più spazio. Tre settimane dopo, Ethel l'aveva invitata di nuovo a casa e, condottala in camera, le aveva mostrato con aria orgogliosa il suo nuovo acquisto, un armadio costruito su misura che le era costato diecimila dollari. Il mobile era attrezzato di tutto punto, con sbarre corte per le camicette e lunghe per i vestiti da sera, e diviso in appositi scomparti destinati ad accogliere separatamente soprabiti e cappotti, abiti, tailleur e completi. C'erano poi gli scaffali per i maglioni e le borse, e in basso vari ripiani per le scarpe; un elemento componibile per i gioielli con delle aggiunte a forma di rami per appendervi collane e braccialetti e due mani di plastica un po' spettrali, con le dita ben distanziate fra di loro, per infilarvi gli anelli.

Ethel gliele aveva indicate. «Non sembrano sul punto di strangolare qualcuno?» aveva osservato con fare ilare. «Sono per gli anelli, naturalmente. Ho spiegato al tizio del mobilificio che li tengo tutti in scatole contrassegnate, ma lui ha insistito per aggiungervi anche quelle. In caso contrario un giorno me ne sarei pentita, ha detto.»

In contrasto con il resto dell'appartamento, l'armadio era perfettamente in ordine. Gli abiti erano appesi alle grucce rivestite di satin, le cerniere delle gonne erano tirate su e le giacche perfettamente abbottonate. «Da quando hai cominciato a vestirla tu, la gente presta molta attenzione agli abiti di Ethel», disse Tse-Tse. «E lei ne è enormemente lusinga ta.» All'interno delle ante la scrittrice aveva incollato le liste fornitele da Neeve, su cui erano indicati gli accessori da abbinare alle varie mise.

«Abbiamo riesaminato tutto il suo guardaroba il mese scorso», mormorò Neeve. «E abbiamo preparato un po' di spazio per gli abiti nuovi.» Posò gli indumenti sul letto e cominciò a liberarli dai teli di plastica. «Be', farò esattamente quello che farei se anche lei fosse qui. Mettere questi a posto e aggiornare gli elenchi.»

Mentre divideva e appendeva i nuovi capi, Neeve ne approfittò per esaminare il contenuto dell'armadio. Il cappotto color sabbia di Ethel. La giacca di martora. Lo spolverino di cashmere rosso. Il Burberry. Il mantello di tessuto spinato. Quello con il collo di caracul. Il soprabito di pelle. Poi i vestiti. I Donna Karan, i Been e gli Ultrasuede, i... Neeve s'interruppe, con in mano le grucce da cui pendevano due degli abiti nuovi.

«Un minuto», esclamò, sollevandosi a sbirciare sullo scaffale più in alto. Sapeva che Ethel disponeva di un set da viaggio di Vuitton formato da quattro pezzi con un motivo ad arazzo. Una grossa borsa per gli abiti con le tasche a cerniera, un'altra da portare come bagaglio a mano, una valigia grande e una media. Le due borse e una delle valigie mancavano. «E brava la nostra Ethel», borbottò allora. «È partita. Il completo beige con il collo di visone non c'è e...» Cominciò a rovistare tra le stampelle. «Sono spariti anche l'abito di lana bianca, quello verde di maglia e quello in tessuto stampato bianco e nero. Ha fatto i bagagli e se n'è andata. Senza neppure prendersi la briga di avvertire! Giuro che potrei strangolarla con le mie mani.» Si allontanò una ciocca di capelli dalla fronte. «Guarda», aggiunse, indicando uno dei suoi elenchi e poi degli spazi vuoti sugli scaffali. «Ha preso anche gli accessori. Probabilmente, vedendo che il tempo era così brutto, ha deciso di non portarsi dietro niente di più leggero. Be', ovunque sia, spero che abbia trovato almeno trenta gradi! *Quella noiosa! Le auguro di liquefarsi sotto un sole tropicale...*» continuò, in italiano.

«Calma, Neeve», la ammonì scherzosa Tse-Tse. «Ogni volta che attacchi con l'italiano significa che stai per perdere il controllo.»

Neeve si strinse nelle spalle. «Oh, al diavolo. Manderò il conto al suo amministratore, *lui*, almeno, ha la testa a posto. Non dimentica di pagare puntualmente.» Guardò Tse-Tse. «E *tu*? Contavi di essere pagata oggi?»

La ragazza scosse la testa.

«La volta scorsa mi ha pagata in anticipo. Per quanto mi riguarda, sono a posto.»

Alla boutique, Neeve raccontò a Betty quello che era accaduto.

«Dovresti farle pagare anche le corse in taxi e la tua assistenza personale», dichiarò la sarta. «Quella donna è insopportabile.»

A mezzogiorno, quando parlò con Myles al telefono, Neeve gli riferì quanto era successo. «E pensare che stavo per chiederti di controllare i verbali degli incidenti», concluse Neeve.

«Senti, se un treno vedesse quella donna sui binari, deraglierebbe pur di evitarla», fu la risposta del padre.

Ma, per qualche ragione, la collera di Neeve non durò, mentre continuò ad accompagnarla la fastidiosa, persistente sensazione che ci fosse qualcosa di strano nell'improvvisa partenza di Ethel. Ne era ancora tormentata quando alle sei e mezzo chiuse la boutique e si precipitò al cocktail party offerto da *Women's Wear Daily* al *St. Regis*. Tra la folla elegante e strepitosamente alla moda, riuscì a individuare Toni Mendell, l'attraente caporedattrice di *Contemporary Woman*, e le si avvicinò.

«Per caso non sai quanto tempo resterà via Ethel?» Neeve fu costretta ad alzare fastidiosamente la voce per farsi udire al di sopra del frastuono.

«Mi sorprende che non sia qui», fu la risposta di Toni. «Aveva detto che sarebbe venuta, ma sappiamo tutti com'è fatta Ethel.»

«Per quando è prevista la pubblicazione del suo articolo sul mondo della moda?»

«L'ha consegnato giovedì mattina, ma ho voluto farlo esaminare dai nostri legali, tanto per essere sicuri che non contenesse spunti per eventuali denunce. Abbiamo dovuto tagliare qualcosa qua e là, ma è ancora una bomba. Hai sentito del grosso contratto che ha stipulato con la Givvons and Marks?»

«Non ne so niente.»

Arrivò un cameriere con un vassoio di canapé, salmone affumicato e caviale su sottili triangoli di pan carré. Neeve ne prese uno, ma Toni scosse con aria desolata la testa. «Ora che è tornata di moda la vita stretta, non posso permettermi neanche un'oliva.» Toni era una taglia quarantaquattro. «Comunque, l'articolo è imperniato sui grandi stili della moda degli ultimi cinquant'anni e i loro creatori. Diciamocelo francamente, l'argomento è trito e ritrito, ma tu conosci Ethel. Riesce a rendere divertenti e piccanti i soggetti più noiosi. Poi, due settimane fa è diventata di colpo terribilmente misteriosa. Da quanto sono riuscita a capire, il giorno dopo è piombata nell'ufficio di Jack Campbell e lo ha convinto a firmare un contratto per un libro sulla moda e a versarle un anticipo di sei cifre. Probabilmente si è nascosta da qualche parte a dar sfogo al suo estro creativo.»

«Tesoro, sei divina!» esclamò in quel momento una voce alle spalle di Neeve.

Il sorriso di Toni mise in mostra due file di denti candidi e perfettamente incapsulati. «Carmen, ti avrò lasciato una dozzina di messaggi. Dove ti eri nascosta?»

Poi, vedendo che Neeve faceva per ritirarsi, la fermò. «Tesoro, ho appena visto entrare Jack Campbell... quel tizio alto in grigio. Forse lui potrà dirti dove rintracciare Ethel.»

Ma non era facile farsi largo tra la ressa, e quando Neeve riuscì a raggiungere il suo obiettivo, Jack Campbell era già attorniato da una piccola folla. Attese un po' in disparte, ascoltando le congratulazioni che venivano porte all'editore, e dai brani di conversazione che riuscì a cogliere, seppe che era appena stato nominato presidente della Givvons and

Marks, che aveva acquistato un appartamento sulla Cinquantaduesima Est e che certo avrebbe apprezzato moltissimo la vita a New York.

Non doveva avere ancora quarant'anni, calcolò lei, giovane per la posizione che occupava. Aveva i capelli castano scuro tagliati corti che, sospettò Neeve, tenuti un po' più lunghi sarebbero stati ricci. Il corpo snello e solido rivelava lo sportivo, il viso era sottile e gli occhi dello stesso colore dei capelli. Quando sorrideva, e il suo sembrava un sorriso genuino, gli comparivano minuscole rughe agli angoli degli occhi, e lei decise che le piaceva il modo in cui si chinava in avanti per ascoltare l'anziano caporedattore con cui stava parlando, per poi voltarsi verso qualcun altro senza tuttavia apparire scortese.

Una capacità, pensò Neeve, che è di solito naturale nei politici, ma poco frequente negli uomini d'affari.

Fortunatamente le era possibile continuare a osservarlo senza che la cosa apparisse intenzionale. C'era in Jack Campbell qualcosa di stranamente familiare. Doveva averlo già incontrato in precedenza, ma dove?

Accettò da un cameriere di passaggio un altro bicchiere di vino. Era già il secondo e sarebbe stato anche l'ultimo, ma almeno le dava la possibilità di tenere occupate le mani.

«Lei è Neeve, non è vero?»

Proprio nel momento in cui gli aveva voltato le spalle, Jack Campbell le si era avvicinato. Si presentò. «Chicago, sei anni fa. Lei tornava da una vacanza in montagna e io ero in viaggio di lavoro. Abbiamo cominciato a chiacchierare cinque minuti prima che l'aereo atterrasse, e ricordo che lei era tutta eccitata dalla prospettiva di aprire un negozio di abbigliamento. Com'è andata a finire?»

«Bene.» Neeve ricordava solo vagamente quella conversazione, ma rammentava di essere scesa in tutta fretta dall'aereo per prendere la coincidenza. «Lei non aveva appena cominciato a lavorare per un nuovo editore?»

«Infatti.»

«Ovviamente, è stata una buona mossa.»

«Jack, c'è della gente che vorrebbe conoscerti.» Il direttore di *W* si era avvicinato e lo stava tirando per la manica.

«Non voglio trattenerla, Jack», si affrettò a dire Neeve. «Ma avrei una domanda da farle. Mi risulta che Ethel Lambston stia scrivendo un libro per lei. Saprebbe dirmi dove rintracciarla?»

«Ho il suo numero di casa. Può esserle utile?»

«Grazie, ma ce l'ho anch'io.» Neeve sollevò la mano in un gesto di scusa e sorrise. «Ma le ho già fatto perdere troppo tempo...» Si voltò e si dileguò tra la folla, improvvisamente stanca della babele di voci e sentendo tutto il peso della giornata che era stata lunga e faticosa.

Sul marciapiede di fronte al *St. Regis* c'era la solita folla in attesa dei taxi, e con una scrollata di spalle Neeve s'incamminò a piedi lungo la Quinta Avenue. Di sera era una passeggiata piacevole e forse avrebbe potuto tagliare per il parco. Sì, quattro passi le avrebbero schiarito la mente e magari attenuato la stanchezza. Ma a Central Park sud un taxi depositò il suo cliente proprio davanti a lei, e dopo una breve esitazione Neeve si decise a salire al suo posto. L'idea di percorrere altri due chilometri con i tacchi alti le era parsa improvvisamente poco allettante.

Non vide l'espressione frustrata che si dipinse sul viso di Denny. Dopo una lunga, paziente attesa fuori del *St. Regis*, lui l'aveva seguita lungo la Quinta Avenue, e vedendola dirigersi verso il parco aveva pensato che fosse finalmente arrivata l'occasione giusta.

Alle due del mattino, Neeve si svegliò da un sonno profondo. Aveva sognato, e nel sogno era in piedi davanti all'armadio di Ethel, intenta a compilare una lista.

Una lista.

«Spero che si sciolga per il caldo, ovunque si trovi.»

Ecco di cosa si trattava. I cappotti. La giacca di pelliccia. Il mantello. Il Burberry. La cappa. Lo spolverino. Erano tutti là.

Ethel aveva consegnato il suo articolo il giovedì, e il venerdì nessuno l'aveva vista. Erano state entrambe giornate ventose e terribilmente fredde, e il venerdì aveva addirittura nevicato. Ma tutti i capi invernali di Ethel erano ancora al loro posto, nel suo armadio...

Nicky Sepetti rabbrividì nel cardigan che sua moglie aveva lavorato a maglia per lui l'anno in cui era stato arrestato. Sulle spalle gli andava ancora bene, ma gli pendeva miseramente intorno al corpo. In carcere aveva perso più di tredici chili.

La sua casa distava solo un isolato dal lungomare. Scuotendo la testa con fare impaziente in risposta alle esortazioni della moglie: «Prendi almeno la sciarpa, Nicky. Hai dimenticato com'è forte il vento che viene dall'oceano?» spalancò la porta d'ingresso e uscì. L'aria frizzante, salmastra, gli riempì le narici, e lui inspirò profondamente, rianimato. Era cresciuto a Brooklyn e quando era bambino sua madre soleva portarlo a Rockaway Beach in autobus. Poi, trent'anni prima, aveva comperato la casa a Belle Harbor, perché Marie e i ragazzi vi trascorressero le vacanze. Dopo la sentenza, sua moglie vi si era trasferita in pianta stabile.

Diciassette lunghissimi anni, che si erano conclusi il venerdì della settimana precedente! Il primo respiro fuori delle mura del carcere gli aveva provocato ondate di acuto dolore al petto. «Eviti il freddo», gli avevano raccomandato i medici.

Marie aveva preparato una cena sontuosa, una specie di «Benvenuto a casa, Nicky», ma a metà pasto lui si era sentito talmente stremato che era andato di filato a letto. I ragazzi, Nick Junior e Tessa, avevano telefonato. «Papà, ti vogliamo bene», gli avevano detto.

Lui non aveva mai voluto che andassero a trovarlo in prigione. Tessa, che all'epoca del suo arresto si era appena iscritta all'università, ora aveva trentacinque anni, due figli e viveva in Arizona. Suo marito la chiamava Theresa. Nick Junior aveva preferito adottare il cognome da nubile della madre, Damiano, e adesso Nicholas Damiano, un contabile professionista, abitava nel Connecticut.

62

«Non venite subito», li aveva avvisati Nicky. «Aspettate che la stampa si sia stancata di starmi addosso.»

Lui e Marie avevano trascorso l'intero fine settimana a casa, in silenzio come due sconosciuti, mentre fuori le telecamere aspettavano che lui uscisse.

Ma quella mattina se n'erano andati tutti. Notizia vecchia, ormai. Ecco quello che era. Un ex detenuto malato, una notizia vecchia. Nicky inspirò l'aria salata e la sentì scendere nei polmoni.

Un tizio calvo con addosso una di quelle assurde tute da ginnastica avanzava trotterellando lungo il marciapiede. Gli si fermò davanti. «È davvero un piacere rivederla, signor Sepetti. Ha un aspetto splendido.»

Nicky si accigliò. Non aveva voglia di ascoltare stupide balle. Sapeva benissimo che aspetto aveva. Dopo avere fatto la doccia, solo mezz'ora prima, si era studiato a lungo e con attenzione nello specchio del bagno. Non aveva quasi più capelli sulla sommità della testa, ma sui lati le ciocche erano ancora folte. Quando era entrato in carcere erano nerissimi con appena qualche tocco d'argento; pepe e sale, li definiva il barbiere. Ora avevano una sfumatura grigiastra, o forse bianco sporco, a seconda dei punti di vista. Niente di quello che aveva visto nello specchio lo aveva rallegrato. Occhi sporgenti che lo avevano sempre infastidito, anche quando era più giovane e un uomo decisamente attraente. Adesso sporgevano come biglie. Una leggera cicatrice sulla guancia, il cui colore rossastro spiccava contro il pallore della pelle, e i chili perduti non l'avevano reso snello, ma flaccido, come un cuscino che ha perso metà delle piume. Un uomo che si avviava verso la sessantina. Ne aveva quarantadue quando era finito dentro.

«Già, splendido...» borbottò. «Grazie.» Sapeva che il tizio che gli bloccava il passaggio, con un nervoso sorriso tutto denti, era uno dei suoi vicini di casa, ma non riusciva a ricordarne il nome.

Il suo viso doveva rivelare un certo fastidio, perché l'altro parve di colpo a disagio. «Bene, allora. Contentissimo che sia tornato.» Ora sorrideva con un certo sforzo. «Giornata fantastica, eh? Fa ancora fresco, ma si sente già la primavera nell'aria.»

Se voglio ascoltare il bollettino meteorologico, accendo la radio, pensò Nicky, sollevando la mano in un gesto di saluto. «Proprio così, infatti», biascicò, e si allontanò in fretta, senza rallentare il passo finché non fu sulla passeggiata.

L'oceano era una massa ribollente di schiuma. Appoggiato alla ringhiera, Nicky ripensò a quando, da ragazzino, si divertiva a cavalcare le onde. Sua madre lo ammoniva di continuo: «Non andare così lontano. Affogherai. Devi stare attento».

Inquieto, si raddrizzò e s'incamminò per la Novantottesima Strada sul lungomare. Avrebbe proseguito fino ad arrivare in vista delle montagne russe, poi sarebbe tornato indietro. Tra poco i ragazzi sarebbero venuti a prenderlo per andare prima al club, e poi a pranzo in Mulberry Street, per festeggiare il suo ritorno. Un segno di rispetto nei suoi confronti, ma Nicky non si faceva illusioni. Diciassette anni erano troppi per restare fuori circolazione e adesso i ragazzi erano impelagati in affari che lui non avrebbe permesso loro di toccare neppure con un dito. Era stata fatta circolare la voce che Nicky Sepetti era ammalato. Avrebbero portato a termine quello che avevano iniziato in quegli ultimi anni. Lo avrebbero tagliato fuori. Prendere o lasciare.

Joey era stato condannato con lui, e alla stessa pena. Ma Joey era uscito dopo sei anni. Era Joey a comandare, ora.

Myles Kearny. Poteva ringraziare lui per quegli undici anni in più

Nicky chinò la testa per proteggersi dal vento, ma c'erano altre pillole amare da mandar giù. I suoi figli potevano anche sostenere di amarlo, ma la sua esistenza li imbarazzava. E Marie, quando andava a trovarli, raccontava ai loro amici di essere vedova.

Tessa. Dio, da bambina era pazza di lui, e forse aveva fatto male a non permetterle di andarlo a trovare in quegli anni. Marie, che andava regolarmente a far visita alla figlia, in Arizona, e anche nel Connecticut, si faceva chiamare signora Damiano. Nicky voleva vedere i figli di Tessa. Ma il

64

marito di lei era dell'avviso che fosse meglio aspettare.

Marie. Nicky era consapevole del risentimento della moglie per essere stata costretta ad aspettare tutti quegli anni. E non si trattava solo di risentimento, c'era qualcosa di peggio. Lei si sforzava di sembrare felice di averlo di nuovo a casa, ma i suoi occhi erano freddi e imperscrutabili, e lui leggeva con chiarezza nei suoi pensieri: «Per quello che hai fatto, Nicky, siamo stati respinti perfino dai nostri amici». Marie aveva solo cinquantaquattro anni e ne dimostrava dieci di più. Era impiegata presso l'ufficio del personale dell'ospedale; non che ne avesse la necessità, ma quando aveva accettato il lavoro gli aveva spiegato: «Non posso restarmene sempre a casa a guardare quelle quattro mura».

Marie. Nick Junior, no, *Nicholas,* Tessa, no, *Theresa.* Per tutti loro sarebbe stato davvero un dolore se un attacco cardiaco lo avesse stroncato in carcere? Forse, se fosse uscito dopo sei anni, come Joey, non sarebbe stato ancora troppo tardi. Troppo tardi per qualunque cosa. Gli anni in più che aveva scontato a causa di Myles Kearny... e sarebbe stato ancora dentro se fossero riusciti a trovare il modo per tenercelo.

Aveva già oltrepassato l'Ottantanovesima prima di rendersi conto di non avere visto la pesante struttura delle vecchie montagne russe, e stupefatto constatò che erano state smantellate. Allora si voltò, ripercorrendo a ritroso i suoi passi, con le mani gelate ficcate in tasca, le spalle curve contro il vento. Il gusto amaro della bile che aveva in bocca copriva l'aroma fresco e salmastro del mare sulle sue labbra...

L'auto lo stava già aspettando quando arrivò a casa. Al volante c'era Louie. Louie, l'unico a cui potesse voltare le spalle senza timori. Louie che non dimenticava i favori ricevuti. «Quando siete pronto, Don Sepetti», lo salutò. «Fa piacere poterglielo dire di nuovo.» E parlava sul serio.

Nicky colse l'ombra di imbronciata rassegnazione negli occhi di Marie quando entrò in casa per sostituire il cardigan con una giacca. Ripensò a quando, durante il liceo, aveva scritto un racconto breve. Nicky aveva scelto la storia di un tizio che scompare lasciando la moglie convinta della sua morte e «comodamente adattata alla sua nuova vita di vedova».

Anche Marie si era comodamente adattata a una vita dove non c'era posto per lui. Doveva guardare in faccia la realtà. Lei non lo rivoleva. Per i suoi figli sarebbe stato un sollievo se fosse scomparso, alla maniera di Jimmy Hoffa. Ancora di più avrebbero apprezzato una morte naturale, pulita e senza ombre, una morte che non richiedesse macchinose spiegazioni ai loro figli, negli anni a venire. Se solo avessero saputo quante probabilità c'erano che i loro desideri si avverassero.

«Pensi che vorrai cenare al tuo ritorno?» domandò Marie. «Voglio dire, oggi ho il turno da mezzogiorno alle nove. Vuoi che ti prepari qualcosa e lo lasci in frigo?»

«Lascia stare.»

Rimase in silenzio durante il tragitto lungo la Fort Hamilton Parkway, attraverso il Brooklyn-Battery Tunnel, fin nella parte bassa di Manhattan. Al circolo non era cambiato niente. La facciata era malandata come sempre; all'interno, c'era il solito tavolo da gioco con intorno le sedie disposte per la prossima partita; l'enorme, annerita macchina per il caffè espresso; il telefono a pagamento che tutti sapevano essere sotto controllo.

La sola differenza era l'atteggiamento dei componenti della famiglia. Oh, certo, gli si erano riuniti intorno porgendogli i loro rispetti, con falsi sorrisi di benvenuto. Ma lui sapeva.

Fu contento quando giunse il momento di andare a Mulberry Street. Almeno Mario, il proprietario del ristorante, sembrò genuinamente felice di vederlo. La sala privata era già pronta per loro e vennero serviti gli antipasti e la pasta che lui aveva preferito, prima di andare in prigione. Nicky sentì che cominciava a rilassarsi, che un po' dell'antica forza fluiva dentro di lui.

Aspettò che venisse portato il dessert, cannoli siciliani accompagnati da caffè denso e nero, prima di guardare a uno a uno i dieci uomini seduti ai due lati del tavolo, come due file di soldatini di latta. Fece un cenno a quelli alla sua

66

destra, poi a quelli alla sinistra. Due della facce erano nuove per lui. Dei due tizi, uno era a posto, l'altro gli fu presentato come Carmen Machado.

Nicky lo studiò con attenzione. Sulla trentina, capelli scuri e sopracciglia folte e scure, naso grosso, un tipo scheletrico ma duro. Bazzicava con loro da tre, quattro anni, gli dissero; Alfie l'aveva conosciuto al fresco, dove si trovava per un furto d'auto. L'istinto diceva a Nicky di non fidarsi di lui. Avrebbe chiesto a Joey di riferirgli tutte le informazioni riguardanti il loro nuovo acquisto.

I suoi occhi si posarono su Joey. Joey che se l'era cavata con una condanna a sei anni, e che aveva assunto il comando mentre lui, Nicky, era dietro le sbarre. Il suo viso rotondo era raggrinzito in quello che nelle intenzioni avrebbe dovuto essere un sorriso, ma la sua espressione era quella di un gatto che ha appena mangiato il canarino.

Nicky avvertì un improvviso bruciore al petto e di colpo gli parve di avere tutto il peso del pranzo sullo stomaco. «D'accordo, forza», ordinò a Joey. «Che cosa hai in mente?»

L'altro continuò a sorridere. «Ho grandi notizie per te. Noi tutti sappiamo quello che provi per quel figlio di puttana di Kearny, ma aspetta di sentire quello che ho da dirti. C'è un contratto per fare fuori sua figlia. *E non è opera nostra.* È Steuber che vuole liquidarla. Quasi una specie di regalo per te.»

Nicky balzò in piedi e batté con forza il pugno sul tavolo, pazzo di rabbia. «Stupidi bastardi!» sbraitò. «Fetenti, stupidi bastardi! Fatelo annullare.» Intravide in quel momento il viso di Carmen Machado e di colpo capì che stava guardando in faccia un poliziotto. «Fatelo annullare. Vi dico che dovete farlo annullare, mi avete capito?»

Da spaventata, l'espressione di Joey si fece pietosa. «Nicky, dovresti sapere che è impossibile. Nessuno può annullare un contratto. È troppo tardi.»

Quindici minuti dopo, a fianco di un Louie taciturno, Nicky tornava a Belle Harbor. Acute fitte di dolore gli trapassavano il petto e a nulla serviva la nitroglicerina che teneva sotto la lingua. Morta la figlia di Kearny, i poliziotti non avrebbero avuto pace finché non avessero accollato a lui l'omicidio, e Joey lo sapeva.

Cupamente si rese conto di essere stato uno sciocco a mettere sull'avviso Joey sul conto di Machado. «Quel tizio non ha mai lavorato per la famiglia Palino, in Florida», gli aveva detto. «Eri troppo ottuso per controllare a fondo i suoi precedenti, non è così? Tu, stupido bastardo, ogni volta che apri quella boccaccia, racconti i fatti tuoi a un poliziotto.»

Il martedì mattina Seamus Lambston si svegliò dopo quattro ore di sonno tormentato da sogni inquieti. Alle due e trenta aveva chiuso il bar, era tornato a casa dove per un po' aveva letto il giornale, quindi si era silenziosamente infilato nel letto, cercando di non disturbare Ruth.

Quando le ragazze erano piccole riusciva a dormire fino a tardi, andare al bar a mezzogiorno, tornare a casa per cenare in famiglia e infine riprendere il lavoro fino all'orario di chiusura. Ma in quegli ultimi anni, a mano a mano che gli affari scivolavano in una fiacca routine spietatamente immutabile e l'affitto continuava ad aumentare, si era liberato di barman e cameriere e aveva ridotto sempre più la scelta dei piatti, fino a servire soltanto sandwich. Si occupava da solo della spesa, arrivava al bar per le otto, otto e mezzo e, fatta eccezione per una cena frettolosa, ci restava fino alla chiusura. E tuttavia non riusciva a cavarsi dagli impicci.

Era stato il viso di Ethel a ossessionare i suoi sogni. Il modo in cui strabuzzava gli occhi quando si arrabbiava. Il sorriso sardonico che lui le aveva estirpato dal viso.

Quando era arrivato a casa sua il giovedì pomeriggio, le aveva mostrato un'istantanea delle figlie. «Ethel», l'aveva supplicata, «guardale. Hanno bisogno del denaro che io passo a te. Dammi un attimo di respiro.»

Lei aveva preso la foto e l'aveva guardata con attenzione. «Avrebbero dovuto essere mie», aveva risposto restituendogliela.

Adesso Seamus avvertì una stretta di apprensione alla bocca dello stomaco. Era tenuto a versare la cifra degli alimenti il cinque di ogni mese, vale a dire il giorno successivo. Avrebbe avuto il coraggio di non compilare l'assegno?

Erano le sette e mezzo e Ruth era già in piedi. Seamus sentiva lo scroscio dell'acqua della doccia. Si alzò a sua volta e passò nella stanza adibita a sala da pranzo e soggiorno, già vividamente illuminata dai raggi del sole del primo mattino. Sedette allo scrittoio con la serranda avvolgibile che apparteneva alla sua famiglia da tre generazioni. Ruth lo detestava. Avrebbe voluto poter sostituire tutti i loro vecchi mobili con pezzi moderni dai colori leggeri, ariosi. «In tutti questi anni non ho mai comprato neppure una sedia», amava ricordargli. «Hai lasciato a Ethel tutti i tuoi bei mobili quando vi siete separati, e io sono stata costretta a vivere in mezzo alla robaccia di tua madre. Gli unici mobili nuovi che ho mai avuto sono stati le culle e i letti per le ragazze, e non erano mai quelli che avrei desiderato.»

Seamus rimandò l'agonia di decidere a proposito dell'assegno di Ethel cominciando a compilarne altri. Quello per l'azienda del gas e dell'elettricità, quello dell'affitto e del telefono. Sei mesi prima avevano rinunciato alla televisione via cavo. Così risparmiavano ventidue dollari al mese.

Dalla cucina gli arrivò il fischio della caffettiera posata sul fuoco e pochi minuti dopo Ruth entrò nella stanza con un bicchiere di succo d'arancia e una tazza di caffè fumante su un piccolo vassoio. Sorrideva, e, per un istante, a lui parve di rivedere la donna quietamente graziosa che aveva sposato tre mesi dopo il divorzio da Ethel. Ruth non era portata ai gesti affettuosi, ma quando posò il vassoio sulla scrivania si chinò a baciarlo sulla testa.

«Vederti compilare gli assegni mensili mi fa rendere pienamente conto del cambiamento», affermò. «Niente più soldi a Ethel. Oh, Dio, Seamus, potremo finalmente cominciare a respirare. Festeggiamo, stasera. Trova qualcuno che ti sostituisca al lavoro. Sono mesi che non usciamo a cena.»

Seamus sentì i muscoli dello stomaco contrarsi e di colpo l'aroma denso del caffè gli diede la nausea. «Tesoro, spero solo che lei non cambi idea», balbettò quasi. «Voglio dire non ho nulla di scritto. Non credi che sarebbe più prudente mandarle l'assegno come al solito, e lasciare che sia lei a restituirlo? Forse sarebbe la cosa migliore; avremmo qualcosa di legale in mano, una prova che lei ha effettivamente acconsentito alla sospensione dei pagamenti.»

Quell'ultima frase si spense in un singulto quando uno schiaffo secco lo colpì con violenza sulla guancia sinistra. Sollevò gli occhi e trasalì vedendo l'espressione furente e oltraggiata sul viso di Ruth. Era la stessa che aveva colto pochi giorni prima su un altro viso.

Poi l'espressione di Ruth si dissolse in due chiazze rosso vivo sulle guance e in un fiotto di lacrime amare. «Mi spiace, Seamus. Mi sono saltati i nervi», disse con voce rotta.

Si morse il labbro inferiore e raddrizzò le spalle. «Ma *basta con gli assegni.* Che si provi a rimangiarsi la parola data La uccido con le mie mani, piuttosto che permetterti di passarle un altro centesimo.»

6

IL mercoledì mattina, Neeve esternò a Myles la sua preoccupazione per Ethel. Con la fronte aggrottata mentre spalmava di crema di formaggio un *bagel* tostato, diede voce ai pensieri che l'avevano tenuta sveglia per buona parte della notte. «Ethel è abbastanza sventata da partire senza i suoi vestiti nuovi, ma venerdì scorso aveva fissato un appuntamento con il nipote.»

«Così dice lui», obiettò Myles.

«Proprio così. Ma so per certo che giovedì ha consegnato in redazione l'articolo sulla moda. Era una giornata freddissima e sul tardi ha cominciato a nevicare. Venerdì, poi, sembrava di essere in pieno inverno.»

«Ti stai trasformando in un meteorologo», osservò suo padre.

«Oh, dai, Myles. Io credo che ci sia qualcosa che non va. Tutti gli abiti pesanti di Ethel sono ancora nel suo armadio.»

«Neeve, quella donna è in grado di sopravvivere a qualsiasi cosa. Già mi sembra di vedere Dio e il diavolo che litigano tra loro: 'Prenditela, è tutta tua'.» Sorrise, divertito dal proprio scherzo.

Neeve reagì con una smorfia di disappunto. Il fatto che lui non prendesse sul serio le sue ansie la esasperava, ma gli era grata per il tono bonariamente ironico. Dalla finestra socchiusa della cucina entrava una brezza leggera che veniva

71

dall'Hudson, un leggero odore salmastro che riusciva in qualche modo a coprire le inevitabili esalazioni dei gas di scarico delle migliaia di auto che percorrevano la Henry Hudson Parkway. La neve si stava sciogliendo con la stessa rapidità con cui si era accumulata, la primavera era nell'aria e forse, pensò Neeve, era questo a sollevare il morale di Myles. O si trattava di qualcos'altro?

Neeve si alzò, si diresse al fornello e presa la caffettiera riempì di nuovo le tazze. «Mi sembri in gran forma oggi», commentò. «Significa che hai smesso di preoccuparti per Nicky Sepetti?»

«Ho fatto una chiacchierata con Herb che mi ha tranquillizzato notevolmente; pare che Nicky non sia più neppure in grado di lavarsi i denti senza che ci sia uno dei nostri ragazzi a controllargli le carie.»

«Capisco.» Neeve la sapeva troppo lunga per indagare oltre. «Be', finché non ricominci a tormentare me...» Guardò l'orologio. «Devo scappare, adesso.» Ma sulla porta esitò. «Myles, conosco il guardaroba di Ethel come le mie mani. È scomparsa giovedì o venerdì con un tempo orribile senza portar via neanche un cappotto. Come lo spieghi?»

Myles, che aveva cominciato a leggere il *Times,* posò pazientemente il giornale. «Giochiamo a fare finta», suggerì. «Facciamo finta che Ethel abbia visto un cappotto che le piaceva nella vetrina di qualche altro negozio e abbia deciso, per una volta, di tradirti.»

Il gioco del "fare finta" era nato un giorno di molti anni prima, quando Neeve, che all'epoca ne aveva quattro, si era impadronita di una lattina di Coca, a lei severamente proibita. Quando aveva sollevato gli occhi dal frigorifero, dopo aver ingordamente bevuto tutta la bibita, aveva visto Myles che la scrutava con aria severa. «Mi è venuta un'idea, papà», si era precipitata a dire allora. «Giochiamo a fare finta. Facciamo finta che la Coca sia succo di mela.»

Di colpo Neeve si sentì terribilmente sciocca. «Ecco perché tu fai il poliziotto e io gestisco una boutique», sospirò.

Ma il tempo di fare la doccia e vestirsi, con una comoda giacca di cashmere color cacao con i polsini rovesciati e una

72

morbida gonna di lana nera che le arrivava a metà polpaccio, le fu sufficiente per individuare la lacuna nella teoria di Myles. Già da molto tempo la Coca-Cola non era più succo di mela, e, al momento, lei era pronta a scommettere qualunque cosa che Ethel non aveva comperato un cappotto presso un altro negozio.

Il mercoledì mattina, Douglas Brown si svegliò presto e cominciò a espandere la sua area di influenza nell'appartamento di Ethel. La sera prima, tornando dal lavoro, era stato piacevolmente sorpreso nel trovare la casa splendente di pulizia e ordinatissima, per quanto era possibile considerata la massiccia quantità di carta che Ethel si ostinava a conservare. Nel freezer aveva scovato dei piatti surgelati già pronti e aspettando che le lasagne si scaldassero aveva sorseggiato una birra fresca. Il televisore di Ethel era uno di quei massicci apparecchi a quarantun pollici, e lui aveva mangiato in soggiorno, su un vassoio.

Ora, adagiato tra le lenzuola di seta del sontuoso letto a colonne, esaminò il contenuto della stanza. La sua valigia era ancora sulla poltrona e i suoi abiti appoggiati sulla spalliera. Che diavolo. Non sarebbe stato carino utilizzare il prezioso armadio di zietta, ma perché non avrebbe dovuto adoperare l'altro?

Il secondo armadio che Ethel teneva in camera era chiaramente una specie di raccoglitutto, e solo a fatica Doug riuscì a sistemare gli album di fotografie e le pile di cataloghi e di riviste in modo da poter usufruire di un po' di spazio per la sua roba.

Mentre il caffè bolliva fece la doccia, soddisfatto delle piastrelle bianche scintillanti di pulizia e del fatto che l'assortimento di bottiglie di profumo e di creme che Ethel disseminava un po' dappertutto fosse ora ordinatamente disposto su un ripiano di vetro a destra della porta. Perfino gli asciugamani erano stati piegati e messi in ordine nell'armadietto del bagno, e fu quella vista a far nascere in lui una nuova preoccupazione. Il denaro. Possibile che quella ragazzetta svedese che faceva le pulizie l'avesse trovato?

Quel pensiero lo fece saltare fuori della doccia, e dopo essersi frizionato vigorosamente il corpo snello ed essersi legato un asciugamano intorno alla vita, si precipitò in soggiorno. Aveva lasciato un biglietto da cento dollari sotto il tappeto, vicino alla sedia a dondolo. C'era ancora. La svedesina era onesta dunque, oppure non l'aveva notato.

Ethel era una tale rimbambita, si disse. Ogni volta che le arrivava l'assegno mensile dal suo ex, lei insisteva per incassarlo tutto in banconote da cento dollari. «I soldi per le mie follie», aveva spiegato a Doug. Era con quel denaro che a volte si divertiva a offrirgli la cena in qualche ristorante di lusso. «Loro mangiano fagioli e noi caviale», gli aveva detto una sera, ridendo. «Spesso mi capita di spenderlo tutto in un mese. A volte si accumula. Di tanto in tanto do una controllatina in giro per casa e spedisco le banconote che trovo al mio amministratore...in previsione di acquisti di abiti nuovi. Ristoranti e vestiti. Ecco che cosa mi ha pagato quell'idiota in tutti questi anni.»

Doug aveva riso con lei e insieme avevano brindato a Seamus il verme, ma in quella occasione lui aveva realizzato che Ethel non sapeva mai con certezza quanto contante aveva nascosto in casa, e che di conseguenza non si sarebbe accorta della sparizione di un paio di biglietti da cento ogni mese. Così, nel corso di quei due anni, di tanto in tanto si era servito del piccolo fondo casalingo. Un paio di volte lei aveva avuto qualche sospetto, ma alle sue rimostranze Doug aveva reagito con indignazione e alla fine Ethel si era sempre affrettata a fare marcia indietro.

«Se solo tu annotassi quello che spendi, *vedresti* dove va a finire il denaro», aveva gridato lui, in una di quelle occasioni. «Mi spiace», si era scusata Ethel. «Sai come sono fatta. Quando mi ficco qualcosa in testa comincio subito a sparare a zero.»

Doug, tuttavia, preferiva non ricordare la loro ultima conversazione, durante la quale lei aveva preteso che il venerdì sbrigasse una commissione per suo conto, aggiungendo che non doveva aspettarsi mance. «Ho seguito il tuo consiglio e ho tenuto il conto di quello che ho speso.»

Lui si era precipitato a casa sua, sicurissimo di poterla calmare anche questa volta, perché se l'avesse scaricato non avrebbe avuto più nessuno a cui sbraitare ordini...

Appena il caffè fu pronto, Doug se ne versò una tazza e tornò in camera per vestirsi. Mentre si annodava la cravatta, si esaminò con aria critica nello specchio. Aveva un ottimo aspetto. I massaggi facciali pagati con il denaro sottratto a Ethel gli avevano schiarito la carnagione, e aveva anche trovato un barbiere decente. I due vestiti che si era comprato recentemente gli stavano alla perfezione e la nuova receptionist della Cosmic aveva cominciato a fargli gli occhi dolci. Subito, lui si era premurato di farle sapere che, se si accontentava di quello squallido lavoro, era solo perché stava scrivendo una commedia. Lei conosceva Ethel di fama. «E così anche tu sei uno scrittore», aveva sospirato guardandolo con un nuovo rispetto. A Doug non sarebbe dispiaciuto portare lì Linda. Ma doveva stare attento, almeno per un po'...

Con in mano una seconda tazza di caffè, Doug cominciò a esaminare metodicamente le carte accatastate sulla scrivania di Ethel. Una grossa cartella di cartone spesso portava la scritta «Importante», e mentre ne esaminava il contenuto impallidì. Quel vecchio trombone di Ethel possedeva azioni di prima qualità! Proprietà in Florida! E una polizza assicurativa di un milione di dollari.

Nell'ultimo scomparto della cartella c'era una copia del testamento. Doug quasi non riusciva a credere a quello che leggeva.

Tutto. Aveva lasciato tutto a lui fino all'ultimo soldo. E di soldi ce n'erano parecchi.

Sarebbe arrivato tardi al lavoro, ma non importava. Doug tolse i suoi vestiti dall'armadio e tornò a posarli sulla poltrona, rifece accuratamente il letto, vuotò il portacenere, depose sul divano una trapunta, un paio di lenzuola e un cuscino per dare l'idea che avesse dormito lì, e poi si sedette a scrivere un biglietto: «Cara zia Ethel. Suppongo che tu sia partita per uno dei tuoi viaggi a sorpresa. Sapevo che non avresti avuto nulla in contrario a che io mi accampassi provvisoriamente sul divano fino a che non sarà pronto il mio nuovo appartamento. Spero ti sia divertita. Con affetto, tuo nipote Doug».

Ed ecco stabilita la natura del nostro rapporto, pensò mentre salutava militarmente il ritratto di Ethel appeso alla parete vicino alla porta d'ingresso.

Alle tre del mercoledì pomeriggio, Neeve lasciò un messaggio alla segreteria telefonica di Tse-Tse e un'ora dopo la ragazza la richiamò. «Abbiamo appena terminato la prova generale e la commedia è fantastica», esclamò in tono esultante. «Io non devo fare altro che passare il tacchino e dire: 'Yah', ma non si sa mai. Tra il pubblico potrebbe esserci Joseph Papp.»

«Diventerai una stella», dichiarò Neeve, e lo pensava davvero. «Non vedo l'ora che arrivi il momento in cui nei salotti potrò vantarmi e dire: 'La conoscevo già quando...'. Tse-Tse, devo tornare nell'appartamento di Ethel. Hai ancora la chiave?»

«Questo significa che ancora non hai avuto sue notizie?» La voce di Tse-Tse si fece più sobria. «Neeve, sta succedendo qualcosa di strano. Quel suo nipote balordo. Dorme nel suo letto e fuma nella sua stanza. O non prevede il suo ritorno, oppure la prospettiva di farsi buttare fuori a calci non lo spaventa minimamente.»

Neeve si alzò. Improvvisamente si sentiva in trappola dietro la scrivania, e i campioni di abiti, gioielli e scarpe disseminati per l'ufficio non le sembravano più tanto importanti. Si era cambiata, e ora indossava un abito a due pezzi disegnato da uno stilista che aveva scoperto di recente. Era di lana grigio pallido con una cintura d'argento che si posava sui fianchi. La gonna a tulipano le sfiorava le ginocchia; al collo portava una sciarpa di seta nelle tonalità del grigio, dell'argento e del pesca. Quando l'avevano vista nel reparto vendite, due clienti avevano subito ordinato un insieme identico.

«Tse-Tse, credi che potresti fare un salto da Ethel domattina? Se c'è, nessun problema. Le spiegherai che eri preoccupata. E se ti imbatti nel nipote, puoi sempre trovare una scusa...per esempio, che Ethel ti aveva chiesto di sbrigare qualche lavoretto extra, riordinare gli armadietti della cucina o qualcosa del genere.»

«Certo», assentì Tse-Tse. «Ne sarò felice. Questo è off-off-Broadway, non dimenticarlo. Niente stipendi, solo prestigio. Ma è bene che ti avverta che a Ethel non interessa affatto lo stato dei suoi armadietti.»

«Se dovesse arrivare mentre sei lì e non volesse pagarti, lo farò io», la rassicurò Neeve. «Il fatto è che voglio venire con te. So che sulla scrivania tiene un'agenda degli appuntamenti e non mi dispiacerebbe scoprire qualcosa sugli eventuali progetti che forse ha fatto prima di sparire.»

Stabilirono di trovarsi il mattino dopo alle otto e trenta nell'atrio. Giunta l'ora di chiusura, Neeve chiuse l'ingresso che dava su Madison Avenue e tornò nel suo ufficio per sbrigare tranquillamente il lavoro rimasto. Alle sette telefonò alla residenza del cardinale in Madison Avenue e si fece passare il vescovo Devin Stanton.

«Ho ricevuto il tuo messaggio», la salutò lui. «E sarò felicissimo di venire a cena domani sera, Neeve. C'è anche Sal? Bene. Di questi tempi non capita spesso che i Tre Moschettieri del Bronx si ritrovino insieme. È da Natale che non vedo Sal. A proposito, si è risposato?»

Prima di riattaccare, il prelato le ricordò che il suo piatto preferito era la pasta con il pesto. «L'unica in grado di farlo meglio di te era tua madre, che riposi in pace», dichiarò.

Di solito, al telefono, Devin Stanton non faceva mai riferimento a Renata, e Neeve ebbe l'improvviso sospetto che avesse discusso con Myles del recente rilascio di Nicky Sepetti, ma prima che avesse il tempo di chiederglielo lui aveva già riattaccato. Avrai il tuo pesto, zio Dev, pensò... ma in cambio ti costringerò ad ascoltarmi. Non posso permettere che Myles mi stia addosso per il resto della mia vita.

Poco prima di lasciare la boutique telefonò a Sal. Come sempre, lo stilista traboccava di buonumore. «Certo che non ho dimenticato l'appuntamento di domani sera. Che cosa preparerai? Io porto il vino. Tuo padre è convinto di intendersene, ma si sbaglia di grosso.»

Ridendo, Neeve riagganciò, spense le luci e uscì. Il capriccioso tempo di aprile si era di nuovo messo al brutto, ma lei sentiva il bisogno di fare una lunga passeggiata. Per non turbare Myles, aveva rinunciato al jogging per quasi una settimana e cominciava a sentirsi i muscoli irrigiditi.

Camminò rapidamente da Madison Avenue alla Quinta e decise di tagliare per il parco all'altezza della Settantanovesima Strada. Cercava sempre di evitare la zona dietro il museo, dove era stato trovato il cadavere di Renata.

Aveva lasciato Madison Avenue ancora brulicante di auto e di pedoni. Sulla Quinta, taxi, limousine e auto dalla carrozzeria lucida passavano veloci, ma sul lato occidentale della strada, quello che costeggiava il parco, la gente era poca. Scrollando la testa mentre si avvicinava alla Settantanovesima, Neeve rifiutò di lasciarsi intimorire.

Stava entrando nel parco quando un'autopattuglia le si fermò accanto. «Signorina Kearny.» Un sergente le sorrise abbassando il finestrino. «È un piacere rivederla. Come se la cava il comandante?»

Neeve lo riconobbe: per un certo periodo era stato l'autista di Myles. E si attardò a scambiare due chiacchiere con lui.

A pochi passi di distanza, Denny si fermò di colpo. Quel giorno portava un cappotto lungo e del tutto anonimo. Il bavero alzato e il berretto di lana che si era calcato in testa gli nascondevano quasi completamente il viso, ma percepì ugualmente lo sguardo attento del poliziotto seduto dalla parte del passeggero nell'autopattuglia. Gli sbirri avevano ottima memoria per le facce, a volte erano capaci di riconoscere un pregiudicato solo scorgendone di sfuggita il profilo, e Denny lo sapeva. Riprese quindi a camminare, ignorando Neeve e i poliziotti, ma spiacevolmente conscio degli occhi attenti che lo seguivano. C'era una fermata d'autobus proprio lì davanti e quando ne arrivò uno, lui si unì alla piccola folla in attesa e salì. Pagò il biglietto, sentendo il sudore che gli imperlava la fronte. Ancora qualche secondo e forse quel poliziotto l'avrebbe riconosciuto.

Con aria imbronciata si sedette. Quel lavoro valeva più di quanto gli era stato pagato, decise. Non appena Neeve Kearny fosse stata liquidata, quarantamila poliziotti di New York si sarebbero buttati in una vera caccia all'uomo.

Mentre entrava nel parco, Neeve si chiese se il suo incontro con il sergente Collins fosse stato davvero una semplice coincidenza. Oppure, ipotizzò mentre percorreva a passi rapidi il sentiero, Myles mi ha procurato gli angeli custodi più in gamba della città?

C'era parecchia gente intorno a lei, gente che faceva jogging, ciclisti, qualche pedone e un numero tragicamente alto di vagabondi senza casa che riposavano sulle panchine, proteggendosi con strati di giornali o vecchie coperte. Quei poveretti avrebbero potuto morire lì senza che nessuno se ne accorgesse, pensò mentre i suoi morbidi stivali italiani avanzavano senza rumore lungo i viottoli. Con una certa irritazione, Neeve si scoprì a guardarsi continuamente alle spalle. Dopo la morte della madre, un giorno era andata in biblioteca per guardare le foto del cadavere pubblicate dai giornali, e ora, mentre affrettava sempre di più il passo, le parve quasi di averle di nuovo davanti agli occhi. Ma questa volta era il suo viso, non quello di Renata, a campeggiare sulla prima pagina del *Daily News* sopra la brevissima dida scalia: «Assassinata».

Kitty Conway si era iscritta al corso di equitazione al Morrison State Park per una sola ragione. Aveva bisogno di tenersi occupata. A cinquantotto anni, era ancora una donna molto graziosa, con i capelli rosso tiziano e occhi grigi che venivano quasi esaltati dalle sottili linee che li circondavano. C'era stato un tempo in cui quegli occhi brillavano sempre di una luce divertita e un po' maliziosa. Quando aveva compiuto cinquant'anni, Kitty aveva protestato con Michael: «Perché non me ne sento più di ventidue?»

«Perché ne *hai* ventidue.»

Michael era morto da quasi tre anni. Mentre si issava sulla giumenta color castagna, Kitty pensò a tutte le attività a cui si era dedicata da quando era rimasta vedova. Adesso aveva una licenza di agente immobiliare e a vendere se la cavava benissimo. Aveva riarredato di sana pianta la casa di Ridgewood, nel New Jersey, che lei e Michael avevano comprato solo un anno prima della morte di lui. Collaborava alla Literacy Volunteers e una volta la settimana prestava la sua opera di volontaria al museo. Era andata due volte in Giappone, dove Mike Junior, suo unico figlio e ufficiale di carriera nell'esercito, era di stanza, e dove aveva trascorso momenti deliziosi con la nipotina per metà giapponese. Senza troppo entusiasmo, aveva anche ripreso le lezioni di piano, due volte al mese accompagnava pazienti invalidi ai controlli medici e la sua iniziativa più recente era appunto l'equitazione.

Ma per quanto si tenesse occupata, e sebbene avesse molti amici, la solitudine non cessava mai di tormentarla. Anche in quel momento, mentre si metteva coraggiosamente in fila dietro l'istruttore, insieme con una dozzina di altri allievi, l'alone di luce che circondava gli alberi, il chiarore rossastro che era una promessa di primavera, riuscì soltanto a riempirla di tristezza.

«Oh, Michael», bisbigliò, «vorrei che le cose andassero meglio. Ci sto provando con tutta me stessa.»

«Come va, Kitty?» le urlò l'istruttore.

«Bene», gridò lei di rimando.

«Devi tenere le redini corte. Falle capire che sei tu il padrone. E tieni giù quei talloni, mi raccomando.»

«Okay.» Va' all'inferno, pensò Kitty. Questo maledetto ronzino è il peggiore del branco. Avrei dovuto avere Charley, ma naturalmente tu hai preferito darlo a quella ragazza nuova con l'aria sexy.

Il sentiero aveva una pendenza piuttosto marcata e la

giumenta si fermava di continuo a brucare l'erba. A uno a uno, tutti gli altri del gruppo la superarono e Kitty si disse che non aveva nessuna voglia di ritrovarsi sola. «Muoviti, maledizione», mormorò, affondando i talloni nei fianchi del cavallo.

Con un movimento improvviso quanto violento, la giumenta gettò indietro la testa e poi arretrò. Colta di sorpresa, Kitty tirò furiosamente le redini mentre l'animale deviava giù per un sentiero laterale. Freneticamente, ricordò a se stessa che non doveva chinarsi in avanti. L'istruttore ripeteva di continuo che bisognava sedersi *all'indietro* quando ci si trovava nei guai. Sentì i ciottoli scivolare via sotto gli zoccoli. Poi il trotto sostenuto si tramutò in galoppo e la giumenta si slanciò giù per il pendio. Santo cielo, se cadeva, lei sarebbe stata schiacciata da quella montagna di carne! Kitty cercò di far scivolare all'indietro gli stivali in modo da tenerne solo le punte nelle staffe; in caso di caduta non sarebbe rimasta intrappolata sotto il cavallo.

Udì alle sue spalle l'istruttore che urlava: «Non tirare le redini!» Sentì la cavalla incespicare, quando un sasso cedette sotto una delle zampe posteriori, cadere in avanti e poi riprendere l'equilibrio. Un brandello di plastica nera fendette l'aria, sfiorò la guancia di Kitty, e abbassando gli occhi lei ebbe la fugace impressione di una mano che spuntava da un polsino blu. Una frazione di secondo, e l'immagine scomparve.

La cavalla arrivò in fondo al pendio roccioso e, ormai imbizzarrita, galoppò a ventre basso verso le scuderie. Kitty riuscì a restare in sella fin quasi all'ultimo, ma quando la giumenta si fermò di colpo davanti all'abbeveratoio, volò a terra.

Sentì rimbalzare sgradevolmente tutte le ossa del corpo, ma riuscì ugualmente a rimettersi in piedi. Grazie a Dio, non doveva essersi rotta niente, si consolò, palpandosi con cautela braccia e gambe.

L'istruttore arrivò al galoppo. «Ti avevo detto di tenerla sotto *controllo*. Sei tu il capo. Stai bene?»

«Mai stata meglio», replicò Kitty.

Gli voltò le spalle e marciò dritta verso la sua auto.

«Ci vediamo il prossimo millennio.»

Mezz'ora dopo, felicemente allungata nella Jacuzzi piena di acqua fumante, cominciò a ridere. Così, non sono fatta per cavalcare, si disse. E questo sistema una volta per tutte lo sport dei re. Mi limiterò a fare un po' di jogging come ogni individuo ragionevole, d'ora in poi. Mentalmente, rivisse la penosa esperienza. Probabilmente non era durata più di due minuti, calcolò. Il momento peggiore era stato quando quell'odioso ronzino era scivolato... L'immagine del brandello di plastica volante che le sfiorava il viso tornò, e con essa l'immagine di una mano che spuntava da una manica blu. Ridicolaggini. Eppure lei *l'aveva* vista. Oppure no?

Chiuse gli occhi, godendosi l'effetto rilassante dell'acqua, il profumo e la morbidezza dell'olio da bagno.

Dimenticatene, si disse.

La sera era fredda e nell'edificio era stato acceso il riscaldamento, ma Seamus si sentiva ugualmente gelato fino alle ossa. Dopo aver giocherellato per un po' con l'hamburger, rinunciò a fingere di mangiare. Era anche troppo consapevole degli occhi di Ruth che lo fissavano dall'altra parte del tavolo. «L'hai fatto?» gli chiese lei alla fine.

«No.»

«Perché?»

«Perché forse è meglio lasciar perdere.»

«Ti avevo detto di metterlo per iscritto. Ringraziala per aver capito che tu hai bisogno di soldi e lei no.» La voce di Ruth salì di qualche tono. «Dille che in questi ventidue anni le hai passato quasi un quarto di milione di dollari e che sarebbe indecente pretendere di più per un matrimonio durato meno di sei anni. Congratulati con lei per il favoloso contratto ottenuto per il suo nuovo libro e dille che sei lieto che non abbia bisogno di soldi, mentre per le tue figlie sono d'importanza vitale. Poi firma la lettera e lasciala nella sua cassetta della posta. Ne terremo una copia per noi. E se anche si mette a starnazzare, non c'è persona al mondo che non sappia che razza di avida imbrogliona sia. Mi piacerebbe proprio vedere quanti college la coprirebbero ancora di lauree ad honorem se si rimangiasse la promessa fatta.»

«Ethel nelle minacce ci sguazza», bisbigliò Seamus. «Non esiterebbe a fare circolare la lettera e trasformerebbe la questione degli alimenti in una sorta di vittoria per il sesso femminile. No, sarebbe un errore.»

Ruth scostò violentemente il piatto. «Scrivile!»

Nel tinello tenevano una vecchia Xerox. Furono necessari tre tentativi prima di avere una copia decente della lettera. Allora, Ruth tese a Seamus il cappotto. «Adesso vai a casa sua e infilala nella cassetta delle lettere.»

Seamus decise di percorrere a piedi i nove isolati. Con la testa affondata nel collo, le mani ficcate nelle tasche, tastava di continuo le due buste che aveva con sé. Una conteneva un assegno che aveva staccato dal fondo del libretto e compilato all'insaputa di Ruth. Nella seconda c'era la lettera. Quale busta avrebbe infilato nella cassetta di Ethel? Vedeva con sconcertante nitidezza come si sarebbe alterato il viso della sua ex moglie davanti alla lettera, e con uguale chiarezza sapeva che cosa avrebbe fatto Ruth, se avesse lasciato invece l'assegno.

Girò l'angolo della West End Avenue e imboccò l'Ottantaduesima Strada. C'era ancora parecchia gente in giro. Giovani coppie che facevano la spesa di ritorno dal lavoro, le braccia cariche di sacchetti. Altre, più anziane e ben vestite, che salivano sui taxi che le avrebbero condotte in ristoranti costosi e a teatro. E poi vagabondi accovacciati contro i muri dei palazzi.

Un brivido lo attraversò quando fu davanti alla casa di Ethel. Le cassette della posta erano nell'atrio, oltre la porta d'ingresso in cima alle scale. In precedenza aveva sempre suonato il campanello del custode per poter entrare e lasciare l'assegno nella cassetta di Ethel, ma quel giorno non fu necessario. Una ragazzina che conosceva di vista, abitava al quarto piano, gli passò accanto e si avviò verso le scale.

D'impulso lui l'afferrò per il braccio. Lei si voltò di scatto, spaventata; era una ragazzetta ossuta, con il viso sottile e i lineamenti marcati, e dimostrava circa quattordici anni. Non assomigliava alle sue figlie, pensò Seamus. Grazie a qualche misteriosa legge ereditaria, loro erano così fortunate da avere visi graziosi e sorrisi pieni di calore.

Una sensazione di rimpianto lo invase mentre estraeva di tasca una delle buste. «Ti spiace se entro con te? Devo lasciare qualcosa nella cassetta della signorina Lambston.»

L'espressione cauta della bambina svanì. «Sicuro. So chi è, l'ho già visto. È il suo ex marito. Oggi dev'essere il cinque. Lei dice sempre che questo è il giorno in cui viene a pagare il riscatto.» Rise, rivelando i denti radi.

Senza parole, Seamus aspettò che lei aprisse la porta. Di nuovo si sentiva sopraffatto da una furia omicida. Così, Ethel aveva fatto di lui lo zimbello di tutto il palazzo!

Le cassette erano proprio dietro la porta esterna; quella di Ethel traboccava di posta. Lui ancora non sapeva che cosa fare. Doveva lasciare l'assegno o la lettera? La ragazzina aspettava accanto alla seconda porta, e lo guardava. «È arrivato appena in tempo», disse. «Ethel ha detto a mia madre che l'avrebbe trascinato dritto in tribunale se l'assegno fosse arrivato in ritardo anche una solta volta.»

Il panico lo assalì. Doveva essere l'assegno, allora. Afferrò la busta e cercò di infilarla a forza nella stretta fenditura della cassetta.

Tornato a casa, rispose con un assenso alle domande irose di Ruth. Ancora non se la sentiva di affrontare l'inevitabile esplosione che la verità avrebbe provocato. Appena lei ebbe lasciato la stanza, si tolse il cappotto e sfilò dalla tasca la seconda busta. La aprì. Era vuota.

Seamus cadde con un tonfo sulla sedia, tremando da capo a piedi, in bocca il sapore amaro della bile, e si prese la testa tra le mani. Era riuscito a combinare uno dei suoi soliti pasticci. Aveva infilato assegno e lettera nella stessa busta e ora si trovavano entrambi nella cassetta della posta di Ethel.

Nicky Sepetti passò il mercoledì mattina a letto. Dalla sera precedente il bruciore al petto era peggiorato ancora. Marie continuava a entrare e a uscire dalla camera; gli aveva portato un vassoio con del succo d'arancia, caffè, pane fresco italiano spalmato di marmellata e continuava a tormentarlo perché le permettesse di chiamare un medico.

Quando Louie arrivò, a mezzogiorno, lei era uscita per andare al lavoro. «Con tutto il rispetto, Don Nicky, avete proprio un brutto aspetto», disse.

Nicky gli disse di andare di sotto a vedere la televisione. Glielo avrebbe fatto sapere, quando fosse stato pronto per andare a New York.

«Avevate ragione sul conto di Machado», sussurrò Louie. «L'hanno beccato.» Sorrise e ammiccò.

La sera presto Nicky si alzò e cominciò a vestirsi. Doveva andare a Mulberry Street e non era il caso di far capire agli altri quanto fosse ammalato. Lo sforzo di prendere la giacca lo fiaccò; madido di sudore, si appoggiò al pilastro del letto, ma dopo qualche istante fu costretto a sdraiarsi di nuovo e ad allentare il nodo della cravatta. Nelle ore successive il dolore al petto continuò a crescere e poi a ritirarsi, come un'onda gigantesca. La bocca cominciava a bruciargli a causa delle pastiglie di nitroglicerina che ingoiava di continuo. Non servivano ad alleviare la sofferenza, tuttavia, solo a procurargli una breve, intensa e ormai familiare emicrania mentre si scioglievano.

Volti conosciuti cominciarono a sfilargli davanti. Quello di sua madre: «Nicky, non andare in giro con quei tipi. Nicky, tu sei un bravo ragazzo, non metterti nei guai». La necessità di dare prova delle proprie capacità alla malavita. Nessun lavoro era troppo grosso o troppo piccolo. Ma mai delle donne. Quella stupida minaccia lanciata nell'aula del tribunale. Tessa. Gli sarebbe piaciuto rivederla ancora una volta. Nicki Junior. No, *Nicholas. Theresa e Nicholas.* Per loro sarebbe stato un sollievo sapere che era morto nel suo letto, come un gentiluomo.

Da molto lontano sentì la porta d'ingresso aprirsi e poi richiudersi. Era tornata Marie. Poi lo squillo del campanello, un suono stridulo ed esigente. La voce irosa di sua moglie: «Non so se è in casa. Che cosa volete?»

Sono a casa, pensò Nicky. Sì. Sono a casa. La porta della stanza da letto si spalancò. Attraverso gli occhi già velati vide lo choc sul viso di Marie; udì il suo grido: «Chiamate un medico». Altre facce. Poliziotti. Non era necessario che fossero in uniforme. Lui riusciva a sentirne l'odore anche in punto di morte. Poi comprese perché erano lì. Quello sbirro infiltrato, quello che avevano fatto fuori. E naturalmente i poliziotti erano andati subito da lui!

«Marie», disse, e la sua voce fu poco più di un bisbiglio.

Marie si chinò su di lui, gli accostò l'orecchio alle labbra, gli accarezzò la fronte. «Nicky!» Stava piangendo.

«Sulla... tomba... di... mia madre... non ho... ordinato... l'uccisione della moglie di Kearny.» Avrebbe voluto aggiungere che intendeva fare il possibile per cancellare il contratto sulla figlia di Kearny, ma tutto quello che riuscì a dire fu: «Mamma», prima che un'ultima, accecante ondata di dolore gli attraversasse il petto e ogni cosa scomparisse alla sua vista. La testa gli crollò sul cuscino mentre il suo rauco ansimare riempiva la casa e poi, di colpo, cessava.

A quanta gente quella chiacchierona di Ethel aveva rivelato che lo sospettava di servirsi del denaro nascosto qua e là nell'appartamento? Era questo l'interrogativo che ossessionava Doug quando, il mercoledì mattina, approdò alla sua scrivania nell'atrio della Cosmic Oil Building. Automaticamente, prese a verificare appuntamenti, a prendere nota di nomi, a distribuire le targhette di plastica per i visitatori e a ritirarle quando questi se ne andavano. Più volte Linda, la receptionist del settimo piano, si fermò a scambiare due chiacchiere con lui, e parve intrigata nel trovarlo un po' più freddo del solito. Che cosa avrebbe pensato Linda, se avesse saputo che stava per ereditare un mucchio di soldi? E come aveva fatto Ethel ad arricchirsi tanto?

C'era solo una risposta. Ethel gli aveva raccontato di come avesse preso Seamus per la gola quando lui aveva voluto la separazione. Oltre agli alimenti, era riuscita a farsi assegnare anche una sostanziosa liquidazione, e probabilmente era stata abbastanza furba da investirla con profitto. Poi c'era il libro che aveva scritto cinque o sei anni prima e che si era venduto bene. Ethel, nonostante le sue pose da sventata, possedeva una mente acuta, ed era proprio questa considerazione a far sentire Doug profondamente a disagio. Lei aveva scoperto che lui le sottraeva il denaro. *A quanta gente l'aveva detto?*

Ci rimuginò sopra fino a mezzogiorno, poi prese una decisione. Sul suo conto corrente dovevano esserci fondi sufficienti a permettergli di prelevare quattrocento dollari. In coda davanti allo sportello della banca, attese paziente il suo turno e ritirò il denaro in banconote da cento. Le avrebbe distribuite tra alcuni dei nascondigli di Ethel, quelli utilizzati solo di rado. In questo modo, se qualcuno si fosse preso la briga di perquisire la casa, li avrebbe trovati con facilità. Rassicurato, si fermò a comprare un hot dog lungo la strada e tornò al lavoro.

Alle sei e mezzo, mentre voltava l'angolo tra Broadway e l'Ottantaduesima Strada, Doug vide Seamus che scendeva di corsa gli scalini della casa di Ethel. Quasi scoppiò a ridere forte. Ma certo! Era il cinque del mese, e Seamus il buono a nulla era arrivato con il suo assegno, puntuale come un orologio. Che figura patetica era, insaccato in quel suo cappottaccio! Con una punta di rimpianto, Doug si rese conto che sarebbe dovuto passare del tempo prima che lui stesso potesse permettersi degli abiti nuovi. Da quel momento avrebbe dovuto essere molto, molto cauto.

Aveva preso l'abitudine di ritirare ogni giorno la posta usando la chiave che Ethel teneva in una scatola sulla scrivania. Dato che la cassetta era già piena, la busta di Seamus sporgeva un po' all'esterno, ma era l'unica importante, in un mare di circolari e opuscoli pubblicitari. I conti di Ethel venivano spediti direttamente al suo amministratore. Doug passò rapidamente in rassegna le buste, poi le lasciò cadere sulla scrivania. Tutte, tranne quella priva di francobolli, il contributo mensile di Seamus. Non era stata chiusa bene;

all'interno c'era un biglietto, e si intravedeva la forma rettangolare di un assegno.

Sarebbe stato facilissimo aprirla e poi richiuderla senza lasciare tracce visibili. La mano di Doug indugiò sul lembo della busta, quindi, attento a non lacerarla, la aprì. L'assegno cadde a terra. Ragazzi, gli sarebbe piaciuto fare analizzare la calligrafia di Seamus. Se mai uno stato di tensione si fosse rivelato chiaro e leggibile come una cartina stradale, di sicuro quello era il caso dello scarabocchio scomposto e inclinato che era la scrittura di Seamus.

Doug prese il biglietto, lo lesse, poi lo rilesse una seconda volta, un'espressione attonita sul viso. Ma che diavolo... Con cura tornò a infilarlo nella busta insieme con l'assegno, leccò il bordo adesivo e la richiuse con fermezza. L'immagine di Seamus che attraversava la strada quasi correndo, con le nani ficcate in tasca, si affacciò nella sua mente e lì si fermò, come congelata. Seamus stava tramando qualcosa. Che razza di imbroglio voleva mettere in piedi, scrivendo quel biglietto da cui risultava che Ethel aveva acconsentito a non ricevere più gli alimenti e poi accludendovi l'assegno?

Col cavolo che la vecchia strega ti lascerà andare, pensò Doug. Poi un brivido freddo gli attraversò la schiena. E se il biglietto fosse stato scritto perché *lui*, e non Ethel, lo leggesse?

Quando arrivò a casa, Neeve scoprì deliziata che Myles aveva provveduto a fare una grossa spesa. «Sei andato perfino da Zabar's», osservò tutta felice. «E dire che io stavo pensando a come lasciare il negozio in anticipo, domani. Ma grazie a te, posso cominciare a preparare tutto stasera stessa.»

Al mattino aveva informato il padre che si sarebbe trattenuta alla Bottega di Neeve oltre l'orario di chiusura per sbrigare del lavoro arretrato, e notando che lui non si preoccupava di chiederle come fosse tornata a casa, recitò tra sé una breve preghiera di ringraziamento.

Myles aveva cotto un cosciotto di agnello, fagiolini verdi

freschi e preparato un'insalata vinaigrette di pomodori e cipolle. Sul tavolo apparecchiato nel soggiorno-studio c'era una bottiglia già aperta di Borgogna. Neeve si precipitò a infilarsi un maglione e un paio di pantaloni poi, con un sospiro di sollievo, sedette e allungò la mano per prendere il vino. «Un'idea molto carina, comandante», osservò.

«Be', dato che domani sera sarai tu a nutrire i vecchi Moschettieri del Bronx, mi sono detto che avrei potuto darti una mano oggi.» E Myles cominciò a tagliare l'arrosto.

Neeve lo osservava in silenzio; aveva un bel colorito e nei suoi occhi non c'era più quell'espressione remota e sofferente. «Detesto farti dei complimenti, ma certo ti sarai reso conto tu stesso di essere in ottima forma», commentò.

«Mi sento bene.» Myles le mise sul piatto qualche fetta di agnello; erano dello spessore giusto. «Spero di non avere messo troppo aglio.»

Neeve assaggiò la carne. «Fantastica. Devi proprio sentirti meglio per cucinare così bene.»

Myles sorseggiava il Borgogna. «Un ottimo vino, se posso essere io a dirlo.» Ma già il suo sguardo si era rannuvolato.

Avrebbe certamente sofferto di depressioni, aveva detto il dottore a Neeve. «L'attacco di cuore, l'aver dovuto rinunciare al lavoro, l'intervento di bypass...»

«E il fatto che si preoccupa continuamente per me», aveva rincarato lei.

«Già. Si preoccupa per te perché non riesce a perdonarsi di non essersi preoccupato abbastanza per tua madre.»

«Ma come fare perché non si tormenti tanto?»

«Tenendo Nicky Sepetti in galera. E se non dovesse essere possibile, in primavera dovrai sollecitarlo a dedicarsi a qualcosa. In questo momento è a pezzi, Neeve. Senza di te sarebbe perduto, ma detesta l'idea di dipendere emotivamente dalla figlia. È un uomo orgoglioso. E anche qualcosa di più. Smettila di trattarlo come un bambino.»

Quella conversazione risaliva a sei mesi prima, e adesso era primavera. Neeve sapeva di avere fatto il possibile per comportarsi con il padre con la naturalezza di un tempo. Discutevano animatamente di tutto, dal prestito che lei aveva accettato da Sal fino alle più complesse questioni politiche. «Sei il primo membro della famiglia Kearny a votare repubblicano da novant'anni a questa parte», aveva tuonato Myles una volta.

«Non è esattamente come perdere la fede.»

«Ma gli va molto vicino.»

E ora, proprio mentre è sulla strada della guarigione, interviene il rilascio di Nicky Sepetti a turbarlo di nuovo, si disse. Una situazione che potrebbe trascinarsi per chissà quanto tempo.

Scuotendo la testa, Neeve si guardò intorno e come sempre decise che quella era la stanza che amava di più. Le piaceva il vecchio tappeto orientale col suo sbiadito motivo rosso e blu, e il divano e le poltrone di pelle avevano una bella linea e un aspetto invitante. Le pareti erano coperte di fotografie. Myles con il sindaco, con il governatore, con il presidente *repubblicano*.

Le finestre davano sull'Hudson e le tende erano ancora quelle appese da Renata. Tipicamente vittoriane, erano di un caldo azzurro con una sottile riga cremisi il cui riflesso baluginava nelle gocce di cristallo delle applique. Lì accanto erano appese le foto di Renata.

La prima era quella scattata da Myles quando lei, a dieci anni, gli aveva salvato la vita: nella fotografia Renata guardava con aria adorante il ferito disteso sul letto con la testa bendata. Poi altre istantanee che la ritraevano in compagnia di una Neeve piccolissima. E ancora, Renata e Neeve e Myles con maschera e boccaglio nelle acque al largo di Maui. Quella era stata scattata l'anno prima della morte di Renata.

Myles si informò sul menu della cena del giorno dopo. «Non sapendo che cosa volevi, ho comprato un po' di tutto», disse.

«Sal non vuol saperne della tua dieta. E il vescovo ha voglia di pasta col pesto.»

Myles si lasciò sfuggire un grugnito. «Ricordo ancora quando Sal pensava che un sandwich di pane italiano fosse una prelibatezza rara, e quando la madre di Devin mandava quella peste a comprare un nichelino di crocchette di pesce e una scatola di spaghetti.»

Neeve bevve il caffè in cucina mentre organizzava mentalmente la cena. I libri di cucina di Renata erano allineati ordinatamente sullo scaffale sopra il lavello e lei scelse il suo preferito, un vecchio cimelio di famiglia che illustrava ricette dell'Italia settentrionale.

Dopo la morte della moglie, Myles aveva voluto che Neeve prendesse lezioni private di italiano, in modo da conservare la padronanza della lingua. Più tardi, lei aveva preso a trascorrere ogni estate un mese presso i nonni materni, a Venezia, e per un anno aveva frequentato l'università per stranieri di Perugia. Per molto tempo, tuttavia, si era rifiutata di prendere in mano i libri di cucina, pieni di annotazioni che sua madre aveva aggiunto a margine. «Più pepe. Infornare solo per venti minuti. Mano leggera con l'olio.» A Neeve sembrava ancora di vedere Renata che canticchiava tra sé mentre cucinava, lasciandole mescolare gli impasti o preparare gli ingredienti ed esplodendo di tanto in tanto in un: «Cara, qui c'è un errore di stampa oppure lo chef era ubriaco. Com'è possibile mettere tanto olio in questo condimento? Tanto varrebbe bere il Mar Morto».

A volte Renata si era divertita a tracciare rapidi schizzi della figlioletta sui bordi delle pagine, schizzi che erano in realtà delle splendide miniature: Neeve seduta al tavolo, vestita come una principessina; Neeve china su un'enorme zuppiera; Neeve vestita da Gibson Girl che assaggiava un dolce. Dozzine di piccoli ritratti, ciascuno dei quali evocava una profonda sensazione di perdita. Anche quella sera Neeve si arrischiò appena a sbirciarli di sfuggita, tanto dolorosi erano i ricordi. Sentì che gli occhi le si inumidivano.

«Le dicevo sempre che avrebbe dovuto prendere lezioni di disegno», disse Myles in quel momento.

Lei non si era accorta dell'ingresso del padre in cucina. «Alla mamma piaceva il suo lavoro.»

«Vendere vestiti a donne annoiate.»

Neeve trattenne a fatica la risposta aspra che le era salita alle labbra.

«Immagino che penserai lo stesso anche del *mio* lavoro.»

«Oh, tesoro, mi dispiace», si affrettò a scusarsi Myles. «È che sono nervoso, lo confesso.»

«Sarai nervoso, ma parlavi sul serio. E ora fuori dalla mia cucina.»

Neeve si fece un dovere di sbattere con forza pentole e casseruole mentre misurava, versava, tagliava, portava a ebollizione e infornava. Guarda in faccia la realtà, si diceva. Myles era il maschio più sciovinista del mondo. Se Renata si fosse dedicata all'arte, se fosse diventata una mediocre pittrice di acquerelli, lui avrebbe considerato la sua attività come un raffinato hobby femminile. Proprio non era in grado di capire che aiutare le donne a scegliere gli abiti più adatti poteva significare moltissimo per la loro vita sociale e professionale.

Hanno scritto di me su *Vogue, Town and Country, The New York Times* e Dio sa su quanti altri giornali, pensò, ma per lui questo non significa assolutamente nulla. Per lui è come se depredassi le clienti quando vendo loro vestiti troppo costosi.

Ricordò come era apparso infastidito Myles quando, durante il party natalizio, aveva sorpreso Ethel Lambston in cucina che curiosava tra i libri di Renata. «Le piace cucinare?» le aveva chiesto con voce gelida.

Ovviamente Ethel non si era accorta della sua irritazione. «Per niente», aveva risposto gaiamente. «Ma so leggere l'italiano e per caso ho notato i vostri testi di cucina. Questi disegni sono stupendi.»

Myles le aveva preso di mano il libro su cui Renata si era divertita a buttare giù i suoi schizzi. «Mia moglie era italiana. Ma io non parlo la lingua.»

Era stato in quel momento che Ethel aveva realizzato che Myles era vedovo, e senza legami; gli era rimasta attaccata per il resto della serata.

Finalmente tutto era pronto. Neeve infilò i piatti nel frigo, riordinò la cucina e apparecchiò la tavola in sala da pranzo, ignorando intenzionalmente Myles che guardava la televisione in soggiorno. Era l'ora del notiziario delle undici quando finì di sistemare i piatti di portata sulla credenza.

Myles le tese un bicchiere di brandy. «Anche tua madre faceva un gran chiasso con pentole e tegami quando era arrabbiata con me.» Sorrideva con aria impacciata, un po' fanciullesca, e Neeve capì che si stava scusando.

Accettò il brandy. «Peccato che non avesse l'abitudine di scaraventarteli addosso.»

Stavano ancora ridendo quando squillò il telefono. Fu Myles a rispondere e il suo cordiale «Pronto» fu subito seguito da un fuoco di fila di domande. Quando riappese, disse con voce piatta: «Era Herb Schwartz. Uno dei nostri ragazzi si era infiltrato tra i fedelissimi di Nicky Sepetti. L'hanno appena ritrovato in una discarica di rifiuti. È ancora vivo e non escludono che riesca a farcela.»

Neeve si sentì la bocca secca. L'espressione di Myles era turbata, ma si accorse di non riuscire a leggere i suoi pensieri.

«Si chiama Tony Vitale», continuò lui. «Ha trentun anni. Loro lo conoscevano come Carmen Machado. Gli hanno sparato quattro volte. Dovrebbe essere morto, ma chissà come, ha tenuto duro. C'era qualcosa che voleva farci sapere.»

«Che cosa?» bisbigliò lei.

«Herb era con lui al pronto soccorso e Tony gli ha detto: 'Nessun contratto, Nicky, Neeve Kearny'.» Di colpo Myles si coprì il viso con le mani.

Neeve lo fissava. «Certo non avrai davvero creduto che ce ne fosse uno.»

«Oh sì, invece. Sì che lo avevo creduto. E ora, per la prima volta dopo diciassette anni, potrò finalmente dormire in pace.» Le posò le mani sulle spalle. «Neeve, sono andati a casa di Nicky per interrogarlo. I nostri ragazzi. E sono arrivati giusto in tempo per vederlo morire. Quel fottuto figlio di puttana ha avuto un attacco di cuore. È morto. Neeve, Nicky Sepetti è morto!»

Le passò le braccia intorno alla vita e lei sentì il battito selvaggio del suo cuore.

«Allora lascia che la sua morte liberi anche te, papà», lo

supplicò. D'istinto gli prese il viso tra le mani, un gesto che, ricordava, Renata faceva spesso. Deliberatamente imitò l'accento della madre. «Milo, caro, ascoltami.»

Riuscirono entrambi ad abbozzare un sorriso esitante mentre Myles mormorava: «Ci proverò. Te lo prometto».

L'agente infiltrato, Anthony Vitale, noto alla famiglia Sepetti come Carmen Machado, era ricoverato nel centro di rianimazione del St. Vincent Hospital. I proiettili gli si erano piantati nel polmone, trapassando le costole che proteggevano la cavità toracica e fracassandogli la spalla sinistra. Ma, miracolosamente, era ancora vivo. Al suo corpo era fissata un'infinità di tubicini che gli iniettavano antibiotici e glucosio nelle vene e il letto era coperto da una tenda a ossigeno.

Quando, di tanto in tanto, riemergeva dall'incoscienza, Tony scorgeva vagamente i visi stravolti dei suoi genitori. Sono duro, tenterò di farcela, avrebbe voluto assicurar loro.

Se solo fosse riuscito a parlare. Aveva fatto in tempo a dire tutto, quando l'avevano trovato? Si era sforzato di parlare del contratto, ma le parole che gli erano uscite di bocca non erano esattamente quelle che avrebbe voluto pronunciare.

Nicky Sepetti e la sua banda non avevano ordinato la morte di Neeve Kearny. Ma qualcun altro sì. Tony sapeva di essere stato ferito la notte di martedì. Da quanto tempo era in ospedale? Ricordava solo frammenti di quello che Joey aveva detto a Nicky a proposito del contratto: Non puoi cancellarlo. Per l'ex comandante della polizia c'è in programma un altro funerale.

Tony tentò di mettersi a sedere. Doveva avvertirli.

«Calma, calma», mormorò una voce dolce.

Sentì una lieve puntura nel braccio e nel giro di pochi istanti sprofondò in un sonno tranquillo, senza sogni.

7

GIOVEDÌ mattina alle otto, Neeve e Tse-Tse aspettavano a bordo di un taxi parcheggiato davanti alla casa di Ethel Lambston, sull'altro lato della strada. Due giorni prima, martedì, il nipote di Ethel era uscito per andare al lavoro alle otto e venti e loro non volevano correre il rischio di incontrarlo di nuovo. Le proteste del tassista: «Ad aspettare non divento ricco», erano state tacitate dalla promessa di dieci dollari di mancia fattagli da Neeve.

Fu Tse-Tse ad avvistare Doug, alle otto e un quarto. «Eccolo lì!»

Neeve seguì con gli occhi il giovane che, dopo aver chiuso la porta, si dirigeva verso Broadway. La mattina era fresca, e lui indossava un impermeabile allacciato in vita. «Un Burberry autentico», notò lei. «Quel suo lavoro di receptionist deve essere terribilmente ben pagato.»

Nell'appartamento di Ethel regnava un ordine sorprendente. Un paio di lenzuola e una trapunta erano impilati sotto un cuscino a un capo del divano; la federa del cuscino era spiegazzata. Non si vedevano portacenere sporchi, ma Neeve sentì un debole aroma di sigaretta nell'aria. «Ha fumato, ma non vuole che si sappia», osservò. «Mi chiedo perché.»

Anche la camera era un modello di pulizia. Il letto era stato rifatto e la valigia di Doug stava sulla poltrona; su di essa erano posate delle grucce da cui pendevano abiti, pantaloni e giacche. Il biglietto che Doug aveva scritto alla zia era infilato nello specchio del tavolo da toilette.

«Ma chi vuole imbrogliare?» proruppe Tse-Tse, dopo averlo letto. «Che cosa diavolo l'ha spinto a scriverlo e perché ha smesso di usare la camera?»

Neeve sapeva che l'amica aveva un occhio eccellente per i particolari. «Cominciamo con il biglietto», decise. «È capitato in passato che gliene lasciasse altri?»

Quel giorno Tse-Tse indossava il suo costume da cameriera svedese e la corona di trecce sobbalzò vigorosamente quando rispose: «Mai».

Neeve andò all'armadio e lo aprì. Con estrema cura esaminò il guardaroba di Ethel, nell'eventualità che le fosse sfuggito qualcosa, ma tutti gli indumenti invernali erano lì: la giacca di martora, il cashmere, la mantella, il Burberry, il soprabito di pelle.

Cogliendo lo sguardo perplesso di Tse-Tse, le spiegò quello che stava facendo e la ragazza non poté che confermare i suoi sospetti. «Ethel mi dice sempre che da quando ti sei assunta l'incarico di vestirla ha smesso completamente di comperare altrove. Hai ragione, non può esserci un altro cappotto.»

Neeve richiuse l'armadio. «Non mi piace ficcare il naso negli affari altrui, ma devo farlo. Ethel porta sempre un'agenda nella borsa, ma sono sicurissima che ne ha anche un'altra, da scrivania.»

«Sì che ce l'ha», confermò Tse-Tse. «È proprio lì, infatti.»

L'agenda era accanto a una pila di lettere. Neeve l'aprì. Era un'agenda giornaliera, e comprendeva anche il dicembre dell'anno precedente. Neeve la aprì al 31 marzo. Ethel vi aveva scritto: «Mandare Doug a ritirare i vestiti alla Bottega di Neeve». Intorno alla riga corrispondente alle ore quindici era stato tracciato un cerchio e l'annotazione successiva diceva: «Doug da me.»

«Almeno su questo punto non ha mentito», osservò Tse-Tse, che leggeva stando alle sue spalle. Rabbrividì quando il vivido sole del mattino che inondava la stanza scomparve improvvisamente dietro una nuvola. «Dio santo, Neeve, questo posto sta cominciando a farmi paura.»

Senza rispondere, Neeve passò a esaminare il mese di aprile. Qua e là erano segnati appuntamenti, cocktail party, colazioni, ma su tutte le pagine era stata tracciata una croce. Il primo aprile Ethel aveva scritto «Lavoro di ricerca/Stesura del libro».

«Ha cancellato tutti i suoi impegni. Progettava di andarsene, o comunque di rintanarsi da qualche parte a scrivere», mormorò.

«Non potrebbe essere semplicemente partita con un giorno d'anticipo?» suggerì Tse-Tse.

«È possibile.» Neeve tornò indietro di qualche pagina. Quelle dell'ultima settimana di marzo traboccavano dei nomi di stilisti famosi: Nina Cochran; Gordon Steuber, Victor Costa, Ronald Altern, Regina Mavis, Anthony della Salva, Kara Potter. Scosse la testa. «È impossibile che abbia visto tutta questa gente. Molto probabimente si è limitata a telefonare per verificare qualche dichiarazione, prima di consegnare il suo articolo.» Indicò un'annotazione del giovedì 30 marzo: «Ultima scadenza per l'articolo di *Contemporary Woman*».

Esaminò poi rapidamente i primi tre mesi dell'anno, notando che a fianco di ogni appunto Ethel aveva scarabocchiato cifre evidentemente relative a corse in taxi e a mance, e brevi osservazioni di natura professionale e mondana: «Intervista buona, ma si irrita se lo si fa aspettare... Carlos nuovo capocameriere a *Le Cygne*... Non usare il servizio di limousine Valet ... l'auto puzzava come una fabbrica di deodoranti per ambienti...»

Erano appunti frettolosi, e le cifre spesso cancellate o corrette. Era chiaro inoltre che Ethel aveva la mania degli scarabocchi: i bordi delle pagine erano coperti di triangoli, cuori, spirali e disegnini.

D'impulso Neeve cercò la pagina del 22 dicembre, il giorno del party natalizio organizzato da lei e Myles. Evidentemente Ethel lo aveva giudicato un avvenimento di una certa importanza; l'indirizzo della Schwab House e il nome di Neeve erano scritti a lettere maiuscole e sottolineati. Ghirigori di ogni genere circondavano il commento della scrittrice: «Padre di Neeve, libero e affascinante». Sul retro della pagina Ethel aveva tracciato una rozza imitazione di uno degli schizzi visti sul libro di cucina di Renata.

«Myles inorridirebbe se vedesse questa roba», osservò. «Ricordo che a Ethel ho dovuto dire che era ancora troppo malato per avere una vita sociale. Voleva invitarlo a non so quale cena di Capodanno. Per un momento ho pensato che a mio padre sarebbe venuto un colpo!»

Tornò all'ultima settimana di marzo e cominciò a copiare i nomi che Ethel vi aveva elencato. «Perlomeno abbiamo qualcosa da cui partire», disse. A colpirla furono soprattutto due nomi. Il primo era quello di Toni Mendell, la redattrice di *Contemporary Woman*. Certo il cocktail party non era stato il luogo giusto per chiederle se ricordava eventuali osservazioni da parte di Ethel sulla sua intenzione di ritirarsi da qualche parte a scrivere.

L'altro era quello di Jack Campbell. Ovviamente il contratto per il nuovo libro era stato di grande importanza per Ethel. Forse, parlando dei suoi progetti a Campbell, aveva detto più di quanto lui non ricordasse.

Neeve richiuse il suo blocco per appunti e lo infilò nella valigetta. «Meglio andarcene di qui», disse, riannodandosi intorno al collo la sciarpa rossa e blu. Aveva alzato il bavero del cappotto e raccolto i capelli neri in uno chignon.

«Sei magnifica», osservò Tse-Tse, guardandola ammirata. «Stamattina sull'ascensore ho sentito il tizio che abita all'undici C domandare chi eri.»

Neeve si infilò i guanti. «Il classico principe azzurro, immagino.»

«Non direi», rise l'altra. «Impossibile capire se è sulla quarantina o sul punto di morire di vecchiaia. E ha una pelle orribile.»

«In questo caso è tutto tuo. Bene, ricapitoliamo: se Ethel dovesse farsi viva, oppure se il suo affettuoso nipote rientra in anticipo, racconta la storia che abbiamo escogitato. Metti un po' d'ordine negli armadietti della cucina, lava i bicchieri dello scaffale più alto. Insomma, cerca di dare l'impressione di essere stata molto indaffarata, ma tieni gli occhi aperti.» Lanciò un'occhiata alla posta. «Da' una controllatina anche a quella. Forse Ethel ha ricevuto una lettera che le ha fatto cambiare idea. Dio, non sopporto l'idea di aspettare senza fare nulla. Sappiamo tutt'e due che c'è qualcosa di strano, ma non possiamo continuare a entrare e uscire da questo appartamento per l'eternità.»

Prima di uscire, Neeve si guardò intorno ancora una volta. «Perlomeno sei riuscita a renderlo vivibile», commentò. «Sai, in un certo senso mi ricorda Ethel. Di solito, la prima cosa che si nota entrando qui dentro è il disordine superficiale, ed è questo a mettere fuori strada. Anche per Ethel è così: si comporta sempre in modo così sventato che si tende a dimenticare quanto invece sia acuta e osservatrice .»

Con la mano già sulla maniglia, Neeve si attardò a studiare le numerosissime fotografie appese alla parete. Erano tutte di Ethel, e in gran parte di esse sembrava che la scrittrice fosse stata ripresa nel bel mezzo di una frase, con la bocca semiaperta, gli occhi irradianti energia e i muscoli del viso in movimento.

Un'istantanea attirò l'attenzione di Neeve, forse perché in essa Ethel aveva un'espressione tranquilla e gli occhi tristi. Che cosa le aveva confidato una volta? «Sono nata il giorno di San Valentino. Facile da ricordare, vero? Ma sai quanti anni sono passati da quando qualcuno mi ha mandato un biglietto d'auguri o si è preoccupato di farmi una telefonata? Finirò col cantarmi 'Buon compleanno' da sola.»

Quel giorno Neeve aveva stabilito di mandare dei fiori a Ethel e di invitarla fuori a colazione, il giorno di San Valentino, ma poi quella settimana era andata a sciare a Vail. Mi dispiace, Ethel, pensò. Mi dispiace davvero.

Ma le sembrò che gli occhi tristi dell'istantanea non volessero perdonarla.

Dopo l'applicazione del bypass Myles aveva preso l'abitudine di fare lunghe passeggiate pomeridiane. Quello che

Neeve non sapeva era che negli ultimi quattro mesi aveva frequentato regolarmente lo studio di uno psichiatra, nella Settantacinquesima Est.

«Lei soffre di depressione», gli aveva detto senza mezzi termini il cardiologo. «Capita a molta gente, dopo questo genere di intervento chirurgico. Ma ho il sospetto che nel suo caso le radici del problema siano da cercare altrove.» Poi lo aveva praticamente costretto a fissare un appuntamento con il dottor Adam Felton.

Le sedute avevano luogo il giovedì pomeriggio alle due e poiché odiava l'idea di sdraiarsi sul divano, di norma Myles si sedeva su una comoda poltrona di pelle. Con suo grande sollievo, Adam Felton si era rivelato molto diverso dallo stereotipo di psichiatra che Myles si era immaginato di incontrare.

Sui quarantacinque anni, portava i capelli tagliati cortissimi, occhiali dalla montatura piuttosto ardita e aveva un corpo snello e vigoroso. Dopo la terza o quarta seduta si era conquistato la fiducia di Myles, che ora non provava più la sgradevole sensazione di mettere a nudo la propria anima. Aveva invece la sensazione che le sue chiacchierate con Felton lo riportassero agli anni trascorsi nella polizia, quando vagliava con i suoi uomini tutti gli innumerevoli aspetti di un'indagine.

Strano, pensò adesso mentre guardava lo psichiatra giocherellare con una matita, non mi è mai passato per la testa che avrei potuto invece rivolgermi a Dev. Ma questa non era una faccenda da risolvere in confessionale. «Non credevo che gli strizzacervelli avessero diritto a tic nervosi», osservò asciutto.

Adam Felton rise e fece volteggiare di nuovo la matita che aveva in mano. «Ho tutti i diritti di coltivare qualche piccola mania, dato che sto cercando di smettere di fumare. Mi sembra piuttosto allegro, oggi.» La tipica osservazione che si può rivolgere a un conoscente incontrato a un cocktail party.

Myles gli raccontò della morte di Nicky Sepetti, e alle pressanti domande di Felton replicò: «Abbiamo già affrontato questo argomento. Per diciassette anni ho vissuto con l'incubo che a Neeve sarebbe accaduto qualcosa di brutto nell'attimo stesso in cui Sepetti fosse uscito. Sono venuto meno alle mie responsabilità nei confronti di Renata. Quante volte devo ancora ripeterglielo? *Non avevo preso sul serio la minaccia di Nicky.* Quell'uomo era un killer a sangue freddo. Lo avevano rilasciato solo da tre giorni quando il nostro agente è stato ferito, e con tutta probabilità è stato proprio Nicky a smascherarlo. Diceva sempre che i poliziotti li riconosceva a fiuto.»

«Ma ora crede che sua figlia sia finalmente al sicuro?»

«Non lo credo, lo *so*. Il nostro uomo è stato in grado di dirci che non c'è nessun contratto su di lei. È evidente che la cosa deve essere stata discussa, ma so che i compari di Nicky non tenterebbero mai una cosa del genere. Avevano comunque intenzione di escluderlo dal giro, e saranno ben felici di vederlo chiuso per sempre in un bel feretro.»

Adam Felton, che aveva ripreso a giocherellare con la matita, esitò un istante, poi la lasciò cadere con un gesto deciso nel cestino della carta straccia. «Mi sta dicendo che la morte di Sepetti l'ha sollevata da una paura che la tormentava da diciassette anni. Che significato ha tutto questo per lei? Come modificherà la sua vita?»

Quaranta minuti dopo, quando Myles lasciò lo studio dello psichiatra e riprese la passeggiata, il suo passo aveva riacquistato in parte la vivacità di un tempo. Sapeva di aver superato quasi completamente i suoi problemi psicologici, e ora che non doveva più preoccuparsi per Neeve, desiderava riprendere a lavorare. Ancora non aveva parlato alla figlia della proposta ricevuta di andare a dirigere l'Ufficio antidroga, a Washington.

Se avesse accettato, avrebbe dovuto trascorrere parecchio tempo nella capitale e trovarsi lì un appartamento, ma era convinto che a Neeve avrebbe fatto bene vivere per conto suo. Chissà che non si decidesse a stare un po' meno in casa e a frequentare di più la gente della sua età! Prima che lui si ammalasse, Neeve era solita passare le vacanze estive negli

Hamptons e d'inverno andava spesso a sciare a Vail, ma in quell'ultimo anno Myles aveva dovuto insistere per convincerla ad allontanarsi da New York anche solo per qualche giorno. Myles voleva che sua figlia si sposasse. Lui non ci sarebbe stato per sempre. E ora, grazie al tempestivo attacco cardiaco di Nicky, avrebbe potuto trasferirsi a Washington con la mente sgombra da altre preoccupazioni.

Myles ricordava ancora l'atroce sofferenza provata quando aveva avuto il suo attacco di cuore. Un po' come se un rullo compressore chiodato gli fosse passato sul petto. «Spero che anche tu abbia sperimentato qualcosa del genere, bello mio», pensò. Ma subito gli parve di vedere il viso di sua madre che lo guardava con aria severa. *Augura del male a qualcuno e il male si ritorcerà contro di te. Tutto quello che viene messo in circolazione finisce sempre per tornare.*

Attraversò Lexington Avenue, oltrepassando il ristorante *Bella Vita*. I deboli, ma deliziosi aromi della cucina italiana gli stuzzicarono le narici e pensò con piacere alla cena di quella sera. Sarebbe stato bello ritrovarsi con Dev e Sal. Dio, sembrava che fosse passata un'eternità da quando erano solo tre ragazzini della Tenbroeck Avenue. E pensare che al giorno d'oggi la gente parlava malissimo del Bronx! Invece era stato fantastico viverci. Solo sette case in un isolato intero, e spazi verdi pieni di querce e di betulle. Loro si erano costruiti delle case sugli alberi. L'orto dei genitori di Sal, ormai cancellato da Williamsbridge Road. I campi su cui lui, Sal e Devin erano andati in slitta... al loro posto adesso c'era il Centro Medico Einstein... Ma di buone zone residenziali ce n'erano ancora parecchie.

In Park Avenue, Myles aggirò una montagnola di neve fangosa. Ripensò a quando Sal aveva perso il controllo della slitta e gli era finito addosso, fratturandogli il braccio in tre punti. «Mio padre mi ucciderà», aveva cominciato a piangere Sal, e subito Dev si era offerto di assumersi la colpa. Suo padre poi era andato a scusarsi con lui. «Non voleva farti male, ma è talmente goffo!» Devin Stanton. Sua Eminenza il Vescovo. Si diceva in giro che il Vaticano avesse messo gli occhi proprio su Dev per una nuova arcidiocesi, e questo avrebbe significato per lui il cappello cardinalizio.

Arrivato sulla Quinta Avenue, Myles guardò istintivamente a destra, verso l'imponente edificio bianco che era il Metropolitan Museum of Art. Aveva sempre avuto intenzione di dare un'occhiata più approfondita al Tempio di Dendera, così percorse d'impulso i sei isolati che lo separavano dal museo, e passò l'ora successiva assorbito nella contemplazione delle preziose vestigia di una civiltà scomparsa.

Fu solo quando, consultata l'ora, decise che era tempo di tornare a casa a preparare i beveraggi per la serata, che comprese come, a spingerlo al Metropolitan, fosse stato il desiderio di rivedere il luogo in cui Renata era morta. Lascia perdere, si ammonì con severità. Ma quando fu di nuovo all'aperto, i suoi piedi lo trascinarono sul retro del museo, là dove era stato ritrovato il corpo di lei. Era un pellegrinaggio che Myles compiva ogni quattro o cinque mesi.

La foschia rossastra che circondava gli alberi di Central Park era il primo presagio dell'imminente esplosione della primavera. C'era parecchia gente nel parco. Gente che faceva jogging. Bambinaie che spingevano passeggini. Giovani madri in compagnia dei loro vivacissimi piccoli. I senzatetto, pateticamente rannicchiati sulle panchine. Un flusso ininterrotto di traffico. Carrozzelle trainate da cavalli.

Myles si fermò allo spiazzo dove era stata trovata Renata. Strano, pensò, è stata seppellita nel cimitero di Gate of Heaven, ma per me è come se il suo corpo fosse ancora qui. Rimase immobile, con la testa china, le mani infilate nelle tasche della giacca di pelle scamosciata. Se anche quel lontano giorno il tempo fosse stato bello, ci sarebbe stata gente nel parco, e qualcuno forse avrebbe visto quello che stava accadendo. Gli balzò alla mente un verso di Tennyson: *Caro come i baci rivissuti dopo la morte... Profondo come il primo amore, e carico di tutti i rimpianti. O Morte in Vita, i giorni che non sono più.*

Ma ora, per la prima volta in quel luogo, Myles comprese con sicurezza che stava guarendo. «Non grazie a me, ma adesso tua figlia è salva, mia carissima», bisbigliò. «E spero che quando Nicky Sepetti si troverà davanti al Giudice Universale, tu sarai lì a indicargli la strada per l'inferno.»

Poi si voltò e attraversò a passi frettolosi il parco. Le parole pronunciate poco prima da Adam Felton gli echeggiavano nelle orecchie: «Ebbene, ormai non deve più preoccuparsi di Nicky Sepetti. Diciassette anni fa ha vissuto un'orribile tragedia. Ma il punto è: si sente finalmente pronto a riprendere a vivere?»

E ora Myles bisbigliò di nuovo a fior di labbra la risposta che in tono deciso aveva dato ad Adam: «Sì».

Quando Neeve arrivò in negozio dopo la sosta a casa di Ethel, buona parte delle sue collaboratrici erano già arrivate. Oltre a Eugenia, la sua assistente, lavoravano per lei sette commesse e tre sarte.

Eugenia era occupata a vestire i manichini. «Sono contenta che i completi siano tornati di moda», disse mentre con gesti esperti aggiustava la giacca di un modello in seta color cannella. «Quale borsa?»

Neeve fece un passo indietro. «Fammele rivedere. La più piccola, direi. Il punto di ambra dell'altra è troppo intenso per intonarsi a questo capo.»

Da quando aveva abbandonato il suo lavoro di indossatrice, Eugenia era felicemente passata da una taglia quarantadue a una cinquanta, ma aveva conservato l'andatura aggraziata che aveva fatto di lei una delle predilette degli stilisti. Appese la borsa al braccio del manichino. «Hai ragione, come al solito», osservò poi in tono allegro. «Sarà una giornata piena, me lo sento nelle ossa.»

«E continua a sentirlo.» Ma gli sforzi di Neeve di apparire indifferente non erano troppo convincenti.

«Novità su Ethel Lambston? Non si è ancora fatta viva?»

«Silenzio totale.» Neeve si guardò intorno. «Senti, vado in ufficio a fare qualche telefonata. A meno che non sia assolutamente necessario, non lasciarti sfuggire che sono lì. Oggi non ho voglia di venire seccata dai venditori.»

La sua prima telefonata fu per Toni Mendell, alla redazione di *Contemporary Woman*. Ma Toni era a un seminario di redattori e sarebbe rimasta fuori tutto il giorno. Tentò allora con Jack Campbell. Era in riunione e Neeve lasciò un messaggio in cui lo pregava di richiamarla. «È piuttosto urgente», disse alla segretaria. Poi attaccò l'elenco degli stilisti di cui aveva trovato i nomi nell'agenda di Ethel. I primi tre con cui parlò non avevano visto la scrittrice in quell'ultima settimana. La scrittrice si era limitata a chiamarli per una conferma sulle dichiarazioni che avrebbe attribuito loro nell'articolo. Elke Pearson, che si occupava soprattutto di moda sportiva, diede voce all'irritazione che Neeve aveva intuito anche negli altri. «Non riuscirò mai a capire perché ho permesso a quella donna di intervistarmi. Mi ha martellato di domande fino a intontirmi. Praticamente ho dovuto buttarla fuori, e ho il presentimento che quel suo maledetto articolo non mi piacerà affatto.»

Il nome successivo era quello di Anthony della Salva e Neeve non se la prese quando non riuscì a mettersi in contatto con lui. Dopotutto, l'avrebbe visto a cena quella sera. Gordon Steuber. Ethel le aveva confidato di averlo crocifisso nel suo articolo, ma quando lo aveva visto l'ultima volta? Riluttante, compose il numero dell'ufficio di Steuber, che gli fu passato immediatamente.

Lo stilista non perse tempo in amenità. «Che cosa vuole?» chiese con voce dura.

Neeve non aveva difficoltà a immaginarselo, comodamente sprofondato nella sua lussuosa poltrona di pelle con le borchie d'ottone. «Mi è stato chiesto di tentare di rintracciare Ethel Lambston», rispose in tono altrettanto gelido. «È molto urgente.» Poi d'impulso aggiunse: «Dalla sua agenda risulta che vi siete incontrati, la settimana scorsa. Le ha per caso accennato alla sua destinazione?»

Lunghi secondi passarono in un silenzio totale. Sta cercando di stabilire che cosa dire, pensò Neeve. Quando Steuber finalmente parlò, il tono era neutro e distaccato. «Ethel Lambston ha cercato di intervistarmi qualche tempo fa per un articolo che stava scrivendo, ma io mi sono rifiutato di vederla. Non ho tempo per i ficcanaso. Ha telefonato di nuovo la settimana scorsa, ma non ho accettato la chiamata.»

Poi Neeve sentì il clic della comunicazione interrotta.

Stava per comporre il numero successivo dell'elenco quando il suo telefono squillò. Era Jack Campbell, e sembrava preoccupato. «La mia segretaria mi ha detto che era una questione urgente. Qualche problema, Neeve?»

Di colpo lei comprese che non poteva spiegargli per telefono che era preoccupata per Ethel Lambston solo perché la donna non era passata a ritirare i suoi abiti nuovi. In qualche modo, le sembrava ridicolo.

Disse invece: «Sono sicura che sarà occupatissimo, ma non potrebbe dedicarmi una mezz'ora del suo tempo il più presto possibile?»

«Ho un appuntamento a colazione con uno dei miei autori», rispose lui, «che cosa ne dice di incontrarci alle tre nel mio ufficio?»

La Givvons and Marks occupava gli ultimi sei piani di un grattacielo sull'angolo sudovest tra Park Avenue e la Quarantunesima Strada. L'ufficio personale di Jack Campbell era un'immensa stanza al quarantasettesimo piano con una vista stupefacente sul centro di Manhattan. La sua enorme scrivania era rifinita in lacca nera; gli scaffali sulla parete dietro di essa erano pieni di dattiloscritti e intorno a un tavolo da cocktail di vetro erano raggruppati un divano e due poltrone di pelle nera. Con una certa sorpresa, Neeve notò che la stanza era priva di qualsiasi tocco personale.

Fu come se Jack Campbell le avesse letto nel pensiero: «Il mio appartamento non è ancora pronto e al momento alloggio alla Hampshire House. Tutto quello che possiedo è ancora in deposito, ecco perché questo posto sembra la sala d'aspetto di un dentista».

La giacca del vestito che indossava era sistemata sullo schienale di una sedia e lui indossava un maglione nei toni del verde e del marrone. Gli stava bene, decise Neeve. Colori autunnali. Il viso era troppo sottile e i lineamenti troppo irregolari perché potesse essere definito bello, ma da lui emanava una forza tranquilla terribilmente attraente. I suoi occhi splendevano di buonumore quando sorrideva e Neeve si sentì improvvisamente contenta di avere indossato uno dei suoi nuovi completi primaverili, un abito di lana turchese con un'ampia giacca a tre quarti in tinta.

«Un po' di caffè?» propose Jack. «Io ne bevo troppo, ma ne prenderei volentieri ancora una tazza.»

Neeve, che aveva saltato il pranzo, aveva un leggero mal di testa. «Grazie, volentieri. Nero, per me.»

Mentre aspettavano, fece qualche commento sul panorama. «Non si sente il re della città, quassù?»

«È un mese che mi ci sono trasferito e concentrarmi sul lavoro mi riesce terribilmente difficile», rispose lui. «Sono diventato un aspirante indigeno quando avevo dieci anni, il che significa che ne ho impiegati ventisei per arrivare alla Grande Mela.»

Bevvero il caffè seduti al tavolo di vetro, Jack Campbell allungato sul divano, Neeve appollaiata sull'orlo di una poltrona. Era certa che lui avesse rimandato altri appuntamenti per poterla ricevere con un preavviso tanto breve, perciò trasse un profondo sospiro e cominciò subito a parlare di Ethel. «Mio padre crede che io sia pazza», concluse. «Ma io ho la strana sensazione che le sia accaduto qualcosa. Quello che vorrei sapere è se per caso le ha accennato alla sua intenzione di partire. Mi risulta che il libro che sta scrivendo per lei uscirà per l'autunno prossimo.»

Jack Campbell l'aveva ascoltata con lo stesso atteggiamento attento che lei aveva notato al cocktail party. «No, le cose non stanno così», disse alla fine.

Neeve sbarrò gli occhi. «Ma allora come...?»

Lui finì di bere il caffè prima di spiegarle. «Ho conosciuto Ethel un paio di anni fa alla ABA, quando lei faceva pubblicità al suo primo libro pubblicato dalla Givvons and Marks, quello sulle donne in politica. Era maledettamente buono. Divertente. Pieno di pettegolezzi simpatici. Si è venduto bene. Ecco perché quando mi ha telefonato per propormi di vederci, la cosa mi ha interessato subito. Durante il nostro incontro mi ha fatto un resoconto dettagliato dell'articolo che stava scrivendo, ha detto che forse si era imbattuta in una storia che avrebbe messo sottosopra il mondo della moda e mi ha chiesto se, nel caso in cui avesse scritto un libro su quello, io sarei stato disposto a comprarlo, e che anticipo poteva aspettarsi?

«Ovviamente le risposi che avrei dovuto saperne di più, ma che, considerando il successo del suo primo lavoro, se questo era davvero esplosivo come lei sosteneva, lo avremmo certamente comperato e con tutta probabilità le avremmo concesso un anticipo più che congruo. La settimana scorsa ho letto sulla terza pagina del *Post* che Ethel aveva firmato con noi un contratto per mezzo milione di dollari e che la pubblicazione del suo nuovo libro era prevista per l'autunno prossimo. Quel giorno il mio telefono non ha mai smesso di squillare. Non c'era casa editrice specializzata in edizioni economiche che non volesse cogliere l'opportunità di fare la sua offerta. Quando però ho chiamato l'agente di Ethel, è saltato fuori che lei non gli aveva mai accennato nulla. A quel punto ho tentato di mettermi in contatto con lei, ma inutilmente. Con la stampa non ho né confermato né negato i termini dell'accordo. Lei è bravissima a farsi pubblicità. Ma se scrive davvero quel libro, ed è buono, tutto il polverone che ha sollevato farà comodo anche a me.»

«Ethel non le ha detto nulla della famosa storia che, a parer suo, avrebbe messo a soqquadro il mondo della moda?»

«Nulla.»

Con un sospiro Neeve si alzò. «Le ho già rubato abbastanza tempo. Ma immagino di dovermi sentire rassicurata. È tipico di Ethel prendere fuoco per un progetto come questo e poi sparire per metterlo in pratica. Tanto vale che la smetta di occuparmi dei suoi affari e ricominci a pensare ai miei.» Gli tese la mano. «Grazie.»

Lui non la lasciò andare subito; il suo sorriso era pieno di calore. «I suoi congedi sono sempre così frettolosi?» volle sapere. «Sei anni fa saettò fuori da quell'aereo come una freccia e l'altra sera, al cocktail, non ho fatto in tempo a voltarmi che lei era già scomparsa.»

Neeve ritrasse la mano. «Di tanto in tanto rallento il ritmo», scherzò, «ma ora devo proprio tornare al lavoro.»

Campbell l'accompagnò alla porta. «Ho sentito dire che la Bottega di Neeve è una delle boutique più alla moda di New York. Potrei venire a dare un'occhiata?»

«Naturalmente. Le prometto che non la obbligherò a comprare niente.»

«Mia madre vive nel Nebraska e veste in modo molto funzionale.»

In ascensore, Neeve si chiese se quello non fosse per Jack Campbell un modo per dirle che non c'era una donna speciale nella sua vita. Mentre usciva nel tiepido pomeriggio di aprile e fermava un taxi, si scoprì a canticchiare fra sé.

In negozio, Neeve trovò un messaggio di Tse-Tse che la pregava di richiamarla subito a casa di Ethel. La ragazza rispose al primo squillo. «Grazie a Dio hai telefonato! Voglio andarmene di qui prima che quell'imbecille del nipote rientri. Neeve, c'è qualcosa di davvero strano. Ethel ha l'abitudine di nascondere banconote da cento dollari per tutto l'appartamento, ecco perché ha potuto pagarmi in anticipo la volta scorsa. Quando sono stata qui martedì, ho visto una di quelle banconote sotto il tappeto. Questa mattina ne ho trovata una nell'armadietto dei piatti e altre tre nascoste in giro. *Ma, Neeve, martedì quei soldi non c'erano.*»

Seamus lasciò il bar alle quattro e mezzo. Ignorando la calca dei pedoni, si affrettò lungo il marciapiede affollato di Columbus Avenue. Doveva andare a casa di Ethel e non voleva che Ruth lo sapesse. La sera prima, quando aveva scoperto di avere infilato assegno e lettera nella stessa busta, si era sentito come un animale finito in trappola, e ora gli restava una sola speranza. Non era riuscito a infilare del tutto la busta nella cassetta, riusciva ancora a vedere nel ricordo l'angolo che sporgeva dalla fessura. Forse sarebbe riuscito a recuperarla. Naturalmente, aveva una possibilità su un milione di farcela. Il buonsenso gli diceva che se nel frattempo era arrivata altra posta per Ethel, la busta era ormai irraggiungibile; nondimeno, quell'unica possibilità lo attirava, essendo l'unica via di azione di cui disponeva.

Quando arrivò all'isolato di Ethel, cominciò a scrutare con attenzione i passanti, timoroso di scorgere il viso familiare di qualche vicino della ex moglie. Intanto, il suo scoraggiamento andava crescendo a dismisura, tramutandosi in disperazione. Senza chiave, come avrebbe fatto a entrare nell'atrio? La sera precedente aveva avuto la fortuna di incontrare quell'orribile ragazzina, ma oggi sarebbe stato costretto a chiamare il custode, che certo non gli avrebbe permesso di frugare tra la corrispondenza di Ethel.

Era arrivato. L'appartamento di Ethel si trovava sulla sinistra e per arrivare all'ingresso principale c'erano una dozzina di gradini. Mentre indugiava, incerto sul da farsi, una finestra del quarto piano si aprì e comparve la testa di una donna. Alle sue spalle, Seamus intravide la ragazzina con cui aveva parlato il giorno prima.

«Non si è vista per tutta la settimana», disse la donna con voce stridula. «E tanto vale che sappia che sono stata quasi sul punto di chiamare la polizia, giovedì scorso, quando ho sentito come sbraitava contro quella povera donna.»

Seamus si voltò e corse via. Il suo respiro era un rauco ansimare mentre correva ciecamente lungo la West End Avenue, e non si fermò finché non ebbe raggiunto la sicurezza della sua casa e chiuso la porta a chiave. Solo allora si rese conto dei battiti frenetici del suo cuore, del rantolo dei polmoni che lottavano per incamerare ossigeno. Sgomento, sentì dei passi provenire dalla camera. Ruth era già a casa. In fretta si asciugò il viso con le mani, tentò di ricomporsi.

La moglie parve non notare la sua agitazione. Teneva sulle braccia il suo vestito marrone. «Vado a portarlo in lavanderia», lo informò. «Ti spiacerebbe dirmi perché, in nome di Dio, c'era una banconota da cento dollari in una delle tasche?»

Jack Campbell si trattenne in ufficio per quasi due ore dopo che Neeve se ne fu andata, ma il manoscritto che gli era stato inviato insieme con un biglietto entusiasta da un agente in cui aveva piena fiducia, proprio non riusciva ad attirare la sua attenzione. Dopo parecchi, inutili sforzi di concentrarsi, lo spinse da parte con un gesto irritato. Ma la collera era diretta contro se stesso. Non era corretto pretendere di valutare il lavoro altrui quando si aveva la mente occupata da altre cose.

Neeve Kearny. Strano il momento di rimpianto che aveva provato sei anni prima, quando lei se ne era andata senza dargli neppure il tempo di chiederle il numero di telefono. Mesi dopo, di passaggio a New York, l'aveva perfino cercato nell'elenco di Manhattan, ma c'erano pagine e pagine di Kearny e neppure una Neeve. Lei aveva detto qualcosa a proposito di una boutique, ma neppure quella tenue traccia lo aveva condotto a nulla.

Alla fine aveva rinunciato, e aveva accantonato il problema. Per quanto ne sapeva, lei probabilmente viveva con un uomo. Tuttavia non l'aveva mai dimenticata del tutto, e al cocktail party, quando lei gli si era avvicinata, l'aveva riconosciuta subito. Non era più la ragazzetta ventunenne con il grosso maglione da sci, ma una donna sofisticata, elegantissima. Eppure i capelli neri come il carbone, la pelle bianco latte, gli immensi occhi castani, lo spruzzo di lentiggini sul naso, erano ancora gli stessi.

Ora Jack si scoprì a chiedersi se lei avesse o meno una relazione sentimentale importante. Perché in caso contrario...

Alle sei fece capolino la sua assistente. «Si chiude», annunciò gaia. «Ti offendi se ti ricordo che rovinerai la piazza a noi tutti se continui a trattenerti fino a tardi?»

Jack si alzò subito. «Sto per andare anch'io», le assicurò. «Solo una domanda, Ginny. Che cosa sai di Neeve Kearny?»

Rimuginò sulla risposta lungo tutto il tragitto fino all'appartamento che aveva preso in affitto a Central Park Sud. Neeve Kearny era proprietaria di una prestigiosa boutique; Ginny acquistava da lei gli abiti per le occasioni speciali.

111

Neeve era apprezzata e rispettata da tutti, e pochi mesi prima aveva sollevato un enorme scompiglio denunciando pubblicamente uno stilista che sfruttava il lavoro minorile. Nel complesso, sembrava una combattente nata.

A Ginny aveva chiesto anche di Ethel Lambston, e a quella domanda la ragazza aveva roteato gli occhi. «Non farmi cominciare», aveva esclamato scherzosamente.

Jack si trattenne nell'appartamento il tempo sufficiente per rendersi conto che non aveva nessuna voglia di prepararsi la cena. Decise invece che un piatto di pasta da *Nicola* era proprio la cosa giusta. Il ristorante si trovava sulla Ottantaquattresima Strada, tra Lexington e la Terza, e la sua si rivelò una buona scelta. Come sempre, c'era la coda per i tavoli, ma dopo un drink bevuto al bar, il suo cameriere preferito, Lou, gli si avvicinò. «Tutto sistemato, signor Campbell.» E pochi istanti dopo Jack era comodamente seduto davanti a una mezza bottiglia di Valpolicella, linguine con frutti di mare e insalata di indivia e crescione. Con il conto chiese anche un doppio espresso.

Uscendo dal ristorante, scrollò le spalle. In fondo, per tutta la sera aveva saputo che quello che desiderava davvero era spingersi fino in Madison Avenue e dare un'occhiata alla Bottega di Neeve. Pochi minuti dopo, mentre un venticello frizzante gli ricordava che si era ancora in aprile e che in quella stagione il tempo era spesso capriccioso, era davanti alle eleganti vetrine della boutique. Gli piacque quello che vide. Morbidi abiti stampati squisitamente femminili e ombrellini in tinta. Manichini in pose aggraziate, ma con un pizzico di arroganza nella posizione della testa, appena inclinata su un lato. Chissà come, sentiva con certezza che Neeve aveva voluto dire qualcosa di preciso, creando quella combinazione di forza e morbidezza.

Ma mentre osservava con attenzione le vetrine si ricordò di qualcosa che gli era sfuggito, quando aveva riferito a Neeve quello che gli aveva detto Ethel. «C'è pettegolezzo; suspense; l'universalità della moda, insomma», gli aveva detto in quel suo modo affrettato e incalzante. «È di questo che parla il mio articolo. Ma tenga conto che posso darle parecchio di più di questo. Una bomba, della dinamite pura.»

Lui era in ritardo per un appuntamento e aveva tagliato corto. «Me ne mandi un abbozzo.»

L'insistente, ostinato rifiuto di Ethel di farsi congedare. «Quanto vale uno scandalo sensazionale?»

E lui, quasi scherzando: «Se è sufficientemente sensazionale, anche una somma di sei cifre».

Jack guardava i manichini; poi i suoi occhi si posarono sulla tenda blu e avorio su cui si leggeva in lettere svolazzanti: «La Bottega di Neeve». L'indomani avrebbe chiamato Neeve e le avrebbe ripetuto con esattezza le parole di Ethel.

Mentre scendeva lungo Madison Avenue, ancora una volta spinto dal bisogno di smaltire camminando la vaga inquietudine che lo tormentava, si disse: In realtà sto solo cercando una scusa. Se voglio vederla, perché diavolo non la invito a uscire?

E in quel momento comprese finalmente la causa della sua inquietudine. Non aveva alcuna voglia di scoprire che Neeve era impegnata con qualcun altro.

Il giovedì era sempre una giornata piena per Kitty Conway. Dalle nove a mezzogiorno accompagnava in macchina anziani pazienti dai loro medici e nel pomeriggio lavorava gratuitamente nel negozietto annesso al Garden State Museum. Piccole incombenze che le davano la sensazione di fare qualcosa di utile.

Molto tempo prima aveva studiato antropologia con la vaga idea di diventare una seconda Margaret Mead. Poi aveva incontrato Mike. Ora, mentre aiutava una sedicenne a scegliere la copia di una collana egizia, pensò che forse in estate si sarebbe iscritta a qualche spedizione antropologica.

La prospettiva era allettante. Mentre tornava a casa nella dolce serata d'aprile, Kitty prese atto della crescente insofferenza che la tormentava. Era tempo di darsi da fare con il mestiere di vivere. Lasciò Lincoln Avenue e sorrise vedendo la sua casa, un'imponente costruzione bianca in stile coloniale, appollaiata sulla curva del Grand View Circle.

Appena entrata fece il giro delle stanze a piano terra e accese le luci, poi attivò il camino a gas del salottino. Michael era stato bravissimo nell'accendere grandi fuochi allegri, impilando con mani esperte i ciocchi sopra la legna secca e alimentando regolarmente le fiamme, così che il profumo del legno si diffondeva in tutta la stanza. Ma a dispetto dei suoi tentativi, Kitty non era mai riuscita a fare altrettanto e scusandosi mentalmente con il marito, aveva fatto installare la fiamma a gas.

Salì di sopra, nella camera da letto che aveva fatto ritappezzare nelle tonalità del verde chiaro e dell'albicocca, con un motivo copiato da un arazzo del museo. Mentre si toglieva il tailleur di lana grigia, prese in considerazione la possibilità di fare subito la doccia e mettersi in pigiama e vestaglia. Brutta abitudine, si disse. Sono soltanto le sei.

Invece, tirò fuori dall'armadio una tuta azzurra e cercò le scarpe da tennis. «Tanto vale che ricominci subito con il jogging», disse a se stessa.

Seguì il percorso che faceva sempre, da Grand View fino a Lincoln Avenue, un chilometro all'interno della cerchia urbana, poi un giro intorno alla stazione degli autobus e di nuovo a casa. Sentendosi gradevolmente virtuosa, lasciò cadere tuta e biancheria nel cesto dei panni sporchi, fece la doccia, infilò un comodo pigiama e andò a mettersi davanti allo specchio. Era sempre stata snella e ancora adesso poteva considerarsi ragionevolmente in forma. Le rughe intorno agli occhi non erano poi così profonde e il colore dei capelli sembrava naturale, grazie alla parrucchiera che aveva individuato con esattezza la sua originale tonalità di rosso. Niente male, disse Kitty alla sua immagine riflessa, ma Dio santo, ancora due anni e ne avrò *sessanta*.

Era l'ora del notiziario delle sette e, ovviamente, anche di uno sherry. Era già nel vestibolo quando ricordò di avere lasciato accese le luci del bagno e, poiché non amava gli sprechi inutili, tornò sui suoi passi. Allungò la mano verso l'interruttore e si irrigidì di colpo. Una manica della tuta azzurra penzolava fuori del cesto della biancheria. La paura,

114

simile a una gelida lama di acciaio, le chiuse la gola. La bocca le si inaridì. Sentì i capelli rizzarlesi sulla nuca. Quella manica, da cui sembrava che da un momento all'altro dovesse spuntare una mano! Ieri. Quando il cavallo aveva scartato. Quel pezzo di plastica che l'aveva colpita al viso. L'immagine confusa di stoffa blu e di una mano. No, non era pazza. *Aveva visto davvero una mano.*

Kitty dimenticò completamente di accendere la televisione. Rimase seduta di fronte al fuoco, acciambellata sul divano, a sorseggiare lo sherry. Ma né il calore né l'alcol riuscirono ad attenuare il gelo che l'aveva invasa. Doveva chiamare la polizia? E se si fosse sbagliata? Avrebbe fatto la figura della sciocca.

Non mi sono sbagliata, si disse, ma aspetterò comunque fino a domani. Tornerò in macchina al parco e scenderò a piedi lungo quel terrapieno. Era una mano quella che ho visto, ma a chiunque appartenga, ormai non può più essere aiutato.

«Mi hai detto che il nipote di Ethel vive nel suo appartamento, giusto?» domandò Myles, mentre riempiva il secchiello del ghiaccio. «Evidentemente ha preso in prestito un po' di soldi e poi li ha restituiti. Cose che capitano.»

Ancora una volta il fatto che lui sapesse trovare una spiegazione ragionevole per tutto, dalla scomparsa di Ethel, agli indumenti invernali rimasti nell'armadio, fino allo strano sparire e riapparire delle banconote da cento dollari, fece sentire Neeve spiacevolmente sciocca, e fu felice di non avergli ancora parlato del suo incontro con Jack Campbell. Appena arrivata a casa si era cambiata, indossando un paio di pantaloni di seta blu e una camicetta a maniche lunghe dello stesso colore. Myles l'aveva sorpresa. Invece di commentare: «Un insieme piuttosto sofisticato per spignattare in cucina», l'aveva guardata con dolcezza, osservando: «Anche tua madre stava benissimo in blu. A mano a mano che passano gli anni le assomigli sempre di più».

Neeve prese il libro di cucina di Renata. Quella sera

115

contava di servire prosciutto e melone, pasta al pesto, sogliola farcita con gamberetti, un mélange di verdure, rucola e indivia, e per finire formaggio e pasticcini assortiti. Scartabellò tra le pagine finché non trovò quella con gli schizzi, ma ancora una volta evitò di guardarli. Si concentrò invece sulle istruzioni scarabocchiate da Renata sul tempo di cottura della sogliola.

Soddisfatta della sua organizzazione, aprì poi il frigorifero e ne estrasse un vasetto di caviale. Myles rimase a guardarla mentre sistemava i triangoli di pane su un piatto di portata. «Quell'affare non mi è mai piaciuto troppo», dichiarò. «Molto plebeo da parte mia, temo.»

«Difficilmente ti si potrebbe definire un plebeo.» Neeve cominciò a disporre il caviale sulle fette di pane. «Ma ti perdi qualcosa di speciale.» Alzò lo sguardo su di lui; quella sera indossava una giacca blu marino, pantaloni grigi, camicia azzurra e un'elegante cravatta rossa e blu che lei gli aveva regalato a Natale. Un bell'uomo, pensò e, ancora più importante, guardandolo nessuno avrebbe immaginato che era stato tanto ammalato. Glielo disse.

Myles si chinò a prendere una tartina al caviale e se la ficcò in bocca. «Continuo a sostenere che non mi piace», ribadì, e aggiunse in risposta alla sua osservazione: «Mi sento benissimo, ora, ma l'inattività sta cominciando a darmi sui nervi. Mi hanno accennato alla possibilità di andare a dirigere l'Ufficio antidroga di Washington, il che significherebbe trascorrere buona parte del mio tempo laggiù. Che cosa ne pensi?»

Con un'esclamazione Neeve gli gettò le braccia al collo. «Che è magnifico. Mi sembra un incarico fatto apposta per te.»

Canticchiava allegramente mentre portava il caviale e il brie in soggiorno. Se solo fosse stato possibile rintracciare Ethel Lambston! Si stava chiedendo quanto tempo sarebbe passato prima che Jack Campbell le telefonasse, quando il campanello della porta trillò. I due ospiti erano arrivati.

Il vescovo Devin Stanton era uno dei pochi prelati che anche nelle occasioni private sembravano più a loro agio in

116

abito talare che in giacca sportiva. Ai capelli ormai grigi si mescolava ancora qualche ciocca color bronzo; dietro gli occhiali con la montatura d'argento i miti occhi azzurri irradiavano calore e intelligenza. Quando si muoveva, il suo corpo alto e sottile ricordava l'argento vivo. Neeve aveva sempre la sconfortante impressione che Dev riuscisse a leggerle nella mente e la confortante sensazione che gli piacesse quello che vi leggeva. Lo baciò con affetto.

Come sempre, Anthony della Salva era splendido in una delle sue creazioni. Indossava un abito di seta italiana color carbone e la linea elegante mascherava alla perfezione i troppi chili che avevano cominciato ad appesantire il suo corpo già grassoccio. Neeve rammentò che a Myles Sal ricordava un gatto ben pasciuto, e in effetti, si disse, la descrizione gli si adattava perfettamente. I suoi capelli neri, senza ombra di grigio, non splendevano meno dei mocassini di Gucci che sfoggiava quella sera. Dato che era una specie di seconda natura per Neeve calcolare il costo degli abiti, stabilì che quello di Sal si vendeva al dettaglio a circa millecinquecento dollari.

Come al solito Sal scoppiava di buonumore. «Dev, Myles, Neeve, le mie tre persone preferite, senza contare la mia ragazza attuale, ma contando certamente le mie ex mogli. Dev, credi che la Madre Chiesa mi accoglierà nuovamente nel suo seno quando sarò vecchio?»

«Si suppone che il figliol prodigo torni pentito e vestito di stracci», rispose un po' seccamente il vescovo.

Ridendo, Myles passò le braccia intorno alle spalle dei due amici. «Dio, è bello ritrovarsi con voi. Mi sembra quasi di essere tornato nel Bronx. Bevete ancora vodka Absolut o avete trovato qualcosa di più raffinato?»

La serata continuò secondo un rituale ormai stabilito e che tutti trovavano rilassante e piacevole. La solita discussione sull'opportunità di un secondo martini, che terminava con una stretta di spalle e un «Perché no, non ci capita spesso di stare insieme» da parte del vescovo, un deciso «Io mi fermo qui» di Myles, e un noncurante «Ma certo» da parte di Sal. Poi la conversazione si spostò dal problema

117

politico del giorno: «C'è la possibilità che il sindaco venga rieletto?» alle nuove realtà della Chiesa: «Impossibile educare un ragazzo presso una scuola parrocchiale per meno di milleseicento dollari all'anno. Dio, ricordate quando frequentavamo il St. Francis Xavier e i nostri pagavano un dollaro al mese? La parrocchia manteneva la scuola con la tombola, passando alle lamentele di Sal sulle importazioni dall'estero: «Certo, dovremmo utilizzare sempre manodopera iscritta al sindacato, ma come ignorare che i capi cuciti in Corea e a Hong Kong ci costano un terzo? Se non diamo fuori parte del lavoro, siamo costretti ad aumentare esageratamente i prezzi. Se lo facciamo, ci accusano di stroncare il sindacato», per concludere con il secco commento di Myles: «Continuo a pensare che sappiamo ben poco del denaro mafioso che circola nella Settima Avenue».

Inevitabilmente si arrivò a parlare della morte di Nicky Sepetti.

«È stato troppo facile per lui, morire nel suo letto», commentò Sal, e dal suo viso era scomparsa l'espressione gioviale. «Dopo quello che ha fatto alla tua piccolina.»

Neeve vide Myles serrare le labbra. Molto tempo prima Sal l'aveva sentito chiamare scherzosamente Renata «la mia piccolina» e, con grande irritazione di suo padre, aveva fatto suo quel vezzeggiativo. «Come sta la piccolina?» era il suo modo abituale di salutare Renata. Neeve ricordava ancora quando, al funerale di sua madre, Sal si era inginocchiato vicino al feretro, gli occhi pieni di lacrime, e poi alzandosi aveva abbracciato Myles e gli aveva detto: «Sforzati di pensare che la tua piccola dorma».

Al che Myles aveva risposto in tono piatto: «Non sta dormendo. È morta. E, Sal, non chiamarla mai più così. Quello era il nome che io le avevo dato».

Fino a quel momento, Sal non lo aveva fatto. Ci fu un attimo di silenzio impacciato, poi lo stilista buttò giù il resto del martini e si alzò. «Torno in un attimo», disse sorridendo e avviandosi verso il bagno degli ospiti.

«Sarà uno stilista geniale», sospirò Devin, «ma ha ancora parecchio da imparare.»

118

«Comunque è stato lui a darmi la spinta iniziale», ricordò Neeve. «Non fosse stato per Sal, probabilmente ora sarei una delle tante assistenti compratrici di Bloomingdale.»

Vide l'espressione di Myles e ridendo lo ammonì: «Ora non azzardarti a dire che sarebbe stato meglio».

«Non l'ho neppure pensato.»

Quando servì la cena, Neeve accese le candele e abbassò la luce centrale, creando nella stanza una piacevole penombra. Tutte le portate vennero ampiamente lodate e Myles e il vescovo si servirono di tutto due volte. Sal tre. «Al diavolo la dieta», dichiarò. «Questa è la miglior cucina di Manhattan.»

Al dessert la conversazione si spostò inevitabilmente su Renata. «Questa è una delle sue ricette», li informò Neeve. «Preparata appositamente per voi due. Ho cominciato a studiare i suoi libri di cucina e ho scoperto che è divertente.»

Myles parlò della possibilità di andare a dirigere l'Ufficio antidroga.

«È probabile che venga anch'io a farti compagnia a Washington», disse a questo punto Devin con un sorriso, e aggiunse: «Ve lo sto comunicando in via strettamente ufficiosa, naturalmente».

Sal insistette per aiutare Neeve a sparecchiare e si offrì di preparare il caffè. Mentre armeggiava con la caffettiera, lei prese dalla credenza le splendide tazze arricchite da un motivo verde e d'oro che appartenevano alla famiglia Rossetti da generazioni.

Un tonfo e un grido di dolore li fece accorrere tutti in cucina. La caffettiera si era rovesciata e il liquido si era sparso sul piano di lavoro, macchiando il libro di Renata. Sal, bianco come un fantasma, teneva sotto il getto dell'acqua fredda la mano ustionata. «Il manico di quella maledetta caffettiera si è staccato», brontolò, sforzandosi di apparire noncurante. «Myles, stai per caso cercando di vendicarti di quella volta che ti ho rotto il braccio, da ragazzi?»

La scottatura era ampia e chiaramente dolorosa e Neeve partì alla ricerca delle foglie di eucalipto che Myles conservava per emergenze come quella. Asciugò la mano di Sal, la coprì con le foglie, poi la fasciò con un morbido tovagliolo di lino. Il vescovo rimise in piedi la caffettiera e cominciò a pulire, mentre Myles cominciava ad asciugare il libro della moglie. A Neeve non sfuggì la sua espressione mentre guardava gli schizzi di Renata, ora fradici e macchiati di scuro.

Anche Sal se ne accorse. Ritrasse di scatto la mano che Neeve gli stava fasciando. «Myles, Cristo santo, mi dispiace.»

Chino sul lavello, Myles tamponava le macchie di caffè che costellavano le pagine; poi, coperto il libro con uno strofinaccio, lo posò sul frigorifero. «Di che diavolo devi dispiacerti? Neeve, non avevo mai visto prima quel maledettissimo arnese. Dove l'hai pescato?»

Lei stava già riempiendo la vecchia caffettiera. «È un regalo», rispose un po' riluttante. «Te l'ha mandata Ethel Lambston a Natale, dopo il party.»

Devin Stenton guardò perplesso Myles, Neeve e Sal che erano scoppiati in una risata ironica.

«Ti spiegherò tutto quando ci saremo sistemati di nuovo in salotto, eminenza», andò in suo soccorso Neeve. «Mio Dio, qualunque cosa faccia, non riesco a staccarmi da Ethel neppure per il tempo di una cena.»

Davanti al caffè e alla Sambuca, Neeve raccontò l'improvvisa scomparsa della scrittrice, ma l'unico commento di Myles fu: «Finché se ne sta alla larga...»

Cercando di ignorare il dolore alla mano che si andava rapidamente riempiendo di vesciche, Sal si versò un secondo bicchierino di liquore. «Sulla Settima non c'è stilista che lei non abbia tormentato a morte per quel suo articolo. Per rispondere alla tua domanda, Neeve, mi ha telefonato la settimana scorsa insistendo per parlarmi personalmente. Eravamo nel bel mezzo di una riunione, ricordo. Mi ha sparato un paio di domande del tipo: 'È vero che era lo studente più fannullone e perditempo della sua scuola, la Christopher Columbus High School?'»

Neeve lo fissò. «Stai scherzando.»

«Per niente. Ho il sospetto che con il suo articolo Ethel

miri soprattutto a smascherare tutte le storie che i nostri esperti di pubbliche relazioni costruiscono a pagamento su di noi. Potrà anche essere materiale per un articolo, ma non dirmi che vale mezzo milione di dollari per farci un libro! Il solo pensiero mi fa tremare la mente.»

Neeve stava per spiegargli che in realtà a Ethel non era mai stato offerto quello sbalorditivo anticipo, ma si trattenne. Era chiaro che Jack Campbell preferiva che la notizia non si diffondesse.

«A proposito», riprese Sal, «si dice in giro che la tua soffiata sul lavoro nero nei laboratori di Steuber abbia portato alla luce un bel po' di porcherie. Neeve, stai lontana da quel tipo.»

«E questo che cosa vorrebbe dire?» interloquì bruscamente Myles.

Neeve non gli aveva mai riferito la voce secondo cui, per causa sua, Gordon Steuber rischiava di essere incriminato, e ora si limitò a scuotere la testa dicendo: «È uno stilista da cui ho smesso di acquistare perché non mi piace il suo modo di trattare gli affari». Si rivolse a Sal: «Continuo a dire che c'è qualcosa di sbagliato nel modo in cui Ethel è scomparsa. Sai che compera tutti i suoi vestiti da me, e dal suo armadio non manca un solo cappotto.»

Sal si strinse nelle spalle. «Cercherò di essere onesto, Neeve. Ethel è un tipo talmente bizzarro che probabilmente se l'è filata senza un cappotto e non se n'è neppure accorta. Aspetta e vedrai. Comparirà con addosso qualcosa di orrendo pescato da J.C. Penney.»

Myles rise, ma Neeve fece un deciso cenno di diniego. «Non mi sei di grande aiuto», sospirò.

Prima che si alzassero da tavola, Devin Stanton pronunciò una preghiera di ringraziamento. «Ti ringraziamo, Signore, per la nostra buona amicizia, il pasto delizioso, la bella e giovane donna che lo ha preparato per noi, e ti chiediamo di benedire la memoria di Renata, amata da tutti noi.»

«Grazie, Dev.» Myles gli sfiorò la mano, poi rise. «E se lei fosse qui, ti direbbe di andare a pulire la cucina, Sal, perché sei stato tu a combinare tutto quel pasticcio.»

Dopo che il vescovo e Sal se ne furono andati, Neeve e Myles caricarono la lavastoviglie e lavarono pentole e casseruole sprofondati in un piacevole silenzio. Poi Neeve prese in mano la caffettiera incriminata. «Sarà meglio gettarla via prima che faccia male a qualcun altro», osservò.

«No, lasciala lì» replicò Myles. «Sembra piuttosto costosa, cercherò di aggiustarla domani mentre guardo *In pericolo.*»

In pericolo. Irrazionalmente, a Neeve sembrò che quelle parole restassero sospese nell'aria, cariche di minaccia. Alla fine, irritata con se stessa, spense la luce e diede a Myles il bacio della buonanotte, poi si guardò intorno per accertarsi che tutto fosse in ordine. La luce proveniente dall'ingresso rischiarava debolmente il salottino e Neeve trasalì quando il suo sguardo si posò sulle pagine imbrattate e piene di bolle del libro di Renata, che Myles aveva posato sulla sua scrivania.

8

Il venerdì mattina, Ruth Lambston uscì di casa mentre Seamus si stava ancora radendo. Non lo salutò. Il ricordo del suo viso alterato dalla rabbia quando lei gli aveva mostrato il biglietto da cento dollari le era rimasto come stampato nella mente. In quegli ultimi anni i pagamenti mensili a Ethel avevano soffocato in lei ogni emozione nei suoi confronti, fatta eccezione per il risentimento. Ma ora si accorgeva di provare qualcosa di nuovo. Aveva paura. Di lui? Per lui? Non lo sapeva.

Con il suo lavoro di segretaria Ruth guadagnava ventiseimila dollari all'anno. Tolto il denaro per le tasse, la previdenza sociale e le sue spese per gli abiti, le colazioni e l'auto, calcolava che il guadagno netto di tre giorni a settimana andasse a finire negli alimenti di Ethel. «Lavoro come una schiava per quella vecchiaccia», era una delle sue lamentele ricorrenti.

Di solito Seamus cercava di calmarla, ma la sera prima le era sembrato letteralmente sconvolto dalla rabbia. Aveva sollevato il pugno e per un momento lei era trasalita, sicura che stesse per colpirla. Invece lui le aveva strappato di mano la banconota e l'aveva stracciata. «Vuoi sapere dove l'ho presa?» aveva urlato. «Me l'ha data quella cagna. Quando le ho chiesto di lasciarmi respirare, mi ha detto che sarebbe stata lieta di aiutarmi. Aveva avuto troppo da fare per man-

123

giare molto e dall'assegno del mese scorso le erano rimasti questi.»

«Allora non ti ha detto di sospendere gli assegni?» aveva gridato Ruth.

La collera di lui si era trasformata in odio. «Forse l'ho convinta che non c'è essere umano in grado di sopportare tanto. Forse dovresti rendertene conto anche tu.»

Quella risposta aveva provocato in Ruth una tale stizza da farle mancare il fiato. «Non osare minacciarmi», aveva urlato e poi, orripilata, aveva visto Seamus scoppiare in lacrime. Singhiozzando, lui le aveva riferito di come avesse infilato assegno e lettera nella stessa busta e di come la ragazzina che abitava nella stessa casa di Ethel gli avesse raccontato che la ex moglie definiva quei soldi il riscatto. «Sono lo zimbello di tutti gli inquilini di quel maledetto palazzo.»

Per tutta la notte Ruth era rimasta sveglia in una delle camere delle ragazze, talmente piena di disprezzo per Seamus da non riuscire neppure a sopportarne la vicinanza. Verso l'alba si era resa conto che quel disprezzo era rivolto anche a se stessa. Quella donna mi ha trasformata in un'arpia, pensò. Questa storia deve finire.

Ora aveva la bocca serrata in una linea dura mentre, invece di voltare a destra verso Broadway e la stazione della metropolitana, proseguiva per la West End Avenue. Soffiava un vento mattutino piuttosto pungente, ma le scarpe a tacco basso le consentivano di procedere speditamente.

Stava andando ad affrontare Ethel. Avrebbe dovuto farlo anni prima. Aveva letto molti dei suoi articoli e sapeva che la scrittrice si atteggiava a femminista, ma ora che aveva firmato un grosso contratto per un libro, si trovava in una posizione di estrema vulnerabilità. Al *Post* non sarebbe affatto dispiaciuto diffondere la notizia che estorceva mille dollari al mese a un uomo con tre figlie all'università. Ruth si concesse un sorriso amaro. Se Ethel non avesse rinunciato al suo diritto agli alimenti, l'avrebbe presa per la gola. Prima con il *Post*. Poi in tribunale.

Quando si era presentata all'ufficio del personale della sua ditta per un prestito di emergenza destinato a coprire le tasse scolastiche, la direttrice era rimasta sconvolta nell'apprendere la questione degli alimenti. «Una mia amica è un ottimo avvocato matrimonialista», le aveva detto. «Può benissimo permettersi un po' di lavoro gratis nell'interesse pubblico e le piacerebbe occuparsi di un caso come questo. Da quello che ho capito, non è possibile annullare un accordo irrevocabile sugli alimenti, ma sarebbe ora di mettere alla prova la legge. Se si riesce a sensibilizzare l'opinione pubblica, le cose potrebbero cambiare.»

Ruth aveva esitato. «Non voglio mettere in imbarazzo le ragazze. Sarebbe umiliante ammettere che il bar guadagna appena il necessario per tenerlo aperto. Mi dia il tempo di pensarci.»

Ora, mentre attraversava la Settantatreesima, Ruth si disse: «O Ethel rinuncia agli alimenti, o andrò da quell'avvocato».

Una giovane madre che spingeva un passeggino le si stava avvicinando a passi rapidi. Ruth si fece da parte per evitarla e andò a sbattere contro un uomo dal viso sottile quasi completamente nascosto dal berretto e con un cappotto che puzzava di vino. Arricciando il naso disgustata, afferrò saldamente la borsetta e si affrettò verso il marciapiede di fronte. C'era sempre così tanta gente in giro, pensò. Ragazzini che correvano con i libri di scuola in mano, anziani che trasformavano la quotidiana passeggiata fino all'edicola in un'occasione speciale, gente diretta al lavoro che tentava di fermare un taxi.

Ruth non aveva mai dimenticato la casa che lei e Seamus avevano quasi comperato a Westchester, vent'anni prima. Allora costava trentacinquemila dollari e certo ora doveva valere dieci volte tanto. Quando la banca aveva saputo degli alimenti da versare a Ethel, aveva rifiutato loro il prestito ipotecario.

Svoltò sull'Ottantaduesima Strada, nell'isolato dove abitava Ethel. Ruth raddrizzò le spalle e si assestò sul naso gli occhiali privi di montatura, inconsciamente preparandosi come un pugile in procinto di salire sul ring. Seamus le aveva detto che l'appartamento di Ethel era a pianterreno e dotato di ingresso privato. L'informazione le venne confermata dal nome che spiccava sul campanello: «E. Lambston».

Dall'interno le giunse la debole eco di una radio. Premette con fermezza l'indice sul campanello, ma non ebbe risposta ai primi due squilli. Ruth, tuttavia, non si sarebbe lasciata dissuadere tanto facilmente e per la terza volta pigiò il dito sul pulsante, questa volta senza staccarlo.

Lo tenne premuto per un minuto buono prima di essere ricompensata dallo scatto della serratura. La porta si spalancò e un giovane con i capelli arruffati e la camicia sbottonata la guardò con aria furiosa «Che diávolo vuole?» sbraitò. Poi, con un palese tentativo di calmarsi: «Mi scusi. È per caso un'amica di zia Ethel?»

«Sì, e devo vederla.» Ruth si fece avanti, mettendo il giovane di fronte all'alternativa di bloccarle la strada o lasciarla passare. Lui si ritrasse e un attimo dopo lei approdava in soggiorno. Si guardò rapidamente intorno. Seamus le aveva parlato spesso del disordine di Ethel, ma la stanza era impeccabile. Forse c'erano troppi giornali in giro, ma tutti ordinatamente impilati. Bei mobili antichi. Seamus le aveva parlato anche di questo, del mobilio regalato a Ethel. E io devo vivere in mezzo a quegli orrori imbottiti, pensò.

«Sono Douglas Brown.» Doug era improvvisamente pieno di apprensione. C'era qualcosa in quella donna, nel modo in cui sembrava valutare l'appartamento, che lo innervosiva. «Il nipote di Ethel», aggiunse. «Ha un appuntamento con lei?»

«No. Ma insisto per vederla immediatamente. Sono la moglie di Seamus Lambston e sono qui per riprendermi l'ultimo assegno che lui ha dato a sua zia. D'ora in poi, basta con gli alimenti.»

Sulla scrivania c'era una catasta di posta e quasi in cima alla pila lei scorse una busta bianca con il bordo marrone, una di quelle della carta da lettere regalata dalle ragazze a Seamus per il suo compleanno. «Questa la prendo io», disse.

E prima che Doug potesse fermarla, la busta era già nelle sue mani. La aprì e ne estrasse il contenuto. Stracciò l'assegno e tornò a infilarvi il biglietto.

126

Sotto gli occhi di Doug Brown, troppo stupefatto per protestare, prese dalla borsa i frammenti della banconota da cento dollari stracciata da Seamus. «Lei non c'è, a quanto vedo», disse poi.

«Lo sa che è una bella impudente?» scattò a quel punto Doug. «Potrei farla arrestare per questo.»

«Io non ci proverei», ribatté Ruth. «Ecco.» Gli fece cadere in mano i frammenti della banconota. «Dica a quella parassita di rimetterlo insieme con il nastro adesivo e di concedersi l'ultima cena di lusso a spese di mio marito. Le dica che da noi non avrà più neppure un centesimo e che se proverà a farci qualche scherzo, lo rimpiangerà a ogni respiro che tirerà ancora.»

Non diede a Doug la possibilità di risponderle. Invece, si accostò alla parete coperta di fotografie di Ethel e le studiò a lungo. «Si atteggia a fautrice di tutta una serie di cause vaghe e indefinite e va in giro ad accettare i suoi maledetti premi, eppure non si fa scrupolo di perseguitare l'unica persona che abbia mai tentato di trattarla come una donna, come un essere umano.» Si voltò a guardare Doug. «È una donna disprezzabile e so anche quello che pensa di lei. Lei mangia in ristoranti di lusso per i quali siamo noi, mio marito, io e le nostre figlie a pagare e non contento di questo lei ruba a quella donna. Ethel l'ha raccontato a mio marito. Tutto quello che posso dire è che vi meritate l'un l'altra.»

Se n'era andata. Con le labbra livide, Doug crollò sul divano. A chi altri quella boccaccia di Ethel aveva spifferato la sua abitudine di attingere dal denaro degli alimenti?

Sul marciapiede, Ruth fu chiamata da una donna che si trovava sui gradini dell'edificio. Doveva essere sulla quarantina. Ruth notò che i suoi capelli biondi erano sapientemente arruffati, il pullover e i pantaloni alla moda, e che l'espressione del suo viso poteva solo definirsi di sfrenata curiosità.

«Non volevo disturbarla», esordì la sconosciuta, «ma sono Georgette Wells, la vicina di Ethel, e sono preoccupata per lei.»

La porta dell'edificio si aprì e una ragazzina magra scese rumorosamente i gradini, andando a piazzarsi accanto alla Wells. I suoi occhi acuti presero subito nota del fatto che Ruth era in piedi davanti all'appartamento di Ethel. «È un'amica della signorina Lambston?» chiese.

Ruth era sicura che fosse quella la ragazzina che aveva preso in giro Seamus. Un'antipatia intensa quanto immediata, unita a un senso di gelido terrore la fece irrigidire. Perché quella donna era preoccupata per Ethel? Ripensò alla furia omicida che aveva letto sul viso di Seamus quando le aveva raccontato di come Ethel gli aveva ficcato in tasca la banconota da cento dollari. Ripensò all'ordinato appartamento da cui era appena uscita. Quante volte in quegli anni Seamus le aveva detto che a Ethel bastava entrare in una stanza per trasformarla in un campo di battaglia? Ethel *non era* stata in quell'appartamento di recente.

«Sì», rispose, sforzandosi di apparire affabile. «Sono rimasta sorpresa nel non trovarla, ma che motivo c'è di preoccuparsi?»

«Dana, va' a scuola», ordinò a quel punto la signora Wells alla figlia. «Arriverai di nuovo in ritardo.»

«Voglio ascoltare», ribatté la ragazzina mettendo il broncio.

«Va bene, va bene», tagliò corto impaziente la Wells. Si rivolse di nuovo a Ruth. «Sta succedendo qualcosa di strano, qui. La settimana scorsa Ethel ha ricevuto la visita del suo ex marito. Di solito lui viene il cinque del mese, a meno che non abbia spedito l'assegno degli alimenti per posta, così quando l'ho visto aggirarsi qua intorno giovedì pomeriggio mi è sembrato strano. Voglio dire, eravamo solo al trenta, perché mai avrebbe dovuto pagarla in anticipo? Be', lasci che glielo dica, hanno avuto un litigio con i fiocchi! Li sentivo urlare come se fossi stata nella stanza con loro.»

Con uno sforzo Ruth riuscì a mantenere calma la voce. «Che cosa dicevano?»

«Be', quello che intendo dire è che riuscivo a sentire le urla, ma non le parole. Ho fatto per scendere di sotto, giusto nell'eventualità che Ethel si trovasse nei guai...»

No, volevi solo ascoltare meglio, la contraddisse mentalmente Ruth.

«... ma in quel momento è squillato il telefono, era mia madre che mi chiamava da Cleveland per parlarmi del divorzio di mia sorella, ed è passata un'ora prima che si fermasse per riprendere fiato. E ormai il litigio era finito. Allora ho dato un colpo di telefono a Ethel. È molto divertente quando fa l'imitazione del suo ex marito, sa? Ma non mi ha risposto, così ho pensato che fosse uscita. Sa che tipo di persona è Ethel... sempre di fretta. Ma di solito mi avverte quando ha intenzione di restare via per più di un paio di giorni, mentre questa volta non mi aveva detto nulla. E adesso c'è suo nipote che vive nel suo appartamento, e anche questo è strano.»

Georgette Wells incrociò le braccia sul seno. «Fa freddo, eh? Che tempo pàzzo! Colpa di tutta quella lacca per capelli nell'ozono, immagino. Comunque», riprese, mentre Ruth fissava lei e Dana, timorosa di perdere anche una sola parola, «ho la *stranissima sensazione* che a Ethel sia successo qualcosa e che quell'imbranato del suo ex marito c'entri in qualche modo.»

«E non dimenticare, mamma», la interruppe Dana, «che è tornato mercoledì e che sembrava spaventato da qualcosa.»

«Ci stavo giusto arrivando. L'ho visto mercoledì. Era il cinque del mese, quindi probabilmente era venuto per consegnare l'assegno. Poi l'ho rivisto ieri. Chissà poi perché è tornato? Ma nessuno ha visto Ethel. Ora, da come la vedo io, lui potrebbe averle fatto qualcosa di male e magari essere tornato per via di qualche traccia che lo preoccupa.» Conclusa la storia, Georgette Wells sorrise trionfante. «Dato che è una buona amica di Ethel», chiese a Ruth, «mi aiuti a decidere. Devo chiamare la polizia e dire che secondo me la mia vicina può essere stata assassinata?»

Il venerdì mattina, Kitty Conway ricevette una telefonata dall'ospedale. Uno degli autisti volontari stava male. Poteva sostituirlo?

Era già tardo pomeriggio quando poté tornare a casa, infilare una tuta e un paio di scarpe da tennis e dirigere l'auto verso il Morrison State Park. Le ombre si stavano già allungando e lungo il tragitto discusse tra sé circa l'opportunità di aspettare il mattino dopo, ma alla fine decise di continuare fino al parco. Il sole dei giorni precedenti aveva seccato il fondo di macadam del parcheggio e dei sentieri che da lì si dipartivano, ma nel bosco il terreno era ancora umido sotto i piedi.

Kitty si avviò verso il maneggio, nel tentativo di ripercorrere il sentiero per arrivare fino al punto in cui il cavallo aveva scartato quarantotto ore prima, ma con un certo disappunto si accorse di non sapere assolutamente che direzione prendere. «Completamente priva di senso dell'orientamento», borbottò quando un ramo le frustò il viso. Mike aveva l'abitudine di disegnarle schizzi approssimativi di incroci e punti di riferimento ogni volta che doveva avventurarsi da sola in una zona sconosciuta.

Dopo quaranta minuti di tentativi infruttosi aveva le scarpe fradice e infangate e le gambe indolenzite. Si fermò per riposare in una radura dove gli allievi della scuderia sostavano per ricomporre il gruppo. Il sole ormai era quasi scomparso. Devo essere impazzita, pensò Kitty. Questo non è un luogo dove restare soli. Ci tornerò domani.

Si alzò, pronta a tornare indietro. Aspetta un minuto, si disse poi, era proprio oltre questo punto. Al bivio abbiamo girato a destra e abbiamo risalito il pendio, poi da qualche parte laggiù quel maledetto ronzino è andato via di testa.

Sapeva di avere ragione. Un senso di aspettativa unito al timore crescente le faceva battere furiosamente il cuore. Durante la notte passata in bianco, la sua mente si era trasformata in una specie di pendolo impossibile da controllare. Lei *aveva* visto una mano... Avrebbe *dovuto* chiamare la polizia... Ridicolo. Era la sua immaginazione. Avrebbe fatto la figura della sciocca. Però poteva restarne fuori ugualmente e cavarsela con una telefonata anonima. No. E se lei avesse avuto ragione e avessero in qualche modo rintracciato la telefonata? Alla fine tornò al piano originario. Cercare lei stessa.

Impiegò venti minuti a coprire il tragitto che a cavallo ne aveva richiesti solo cinque. «Ecco dove quell'idiota si è fermato a mangiare tutta quell'erbaccia», ricordò. «Io ho tirato le redini e lui si è voltato e si è precipitato dritto laggiù.»

«Laggiù» era un erto pendio roccioso. Nell'oscurità che si andava addensando, Kitty cominciò a discenderlo. I sassi rotolavano via da sotto i suoi piedi e una volta perse l'equilibrio e cadde, graffiandosi una mano. Proprio quello di cui avevo bisogno, pensò. L'aria era fresca, ma lei aveva la fronte imperlata di sudore. Se l'asciugò con la mano ormai sporca. E ancora nessuna traccia della manica blu.

A metà strada trovò un grosso macigno e si fermò a riposare. Sono stata una pazza, stabilì. Grazie a Dio non mi sono resa ridicola al punto di chiamare la polizia. Adesso avrebbe ripreso fiato e poi sarebbe tornata a casa a fare una doccia calda. «Perché tutti pensino che scarpinare tra le rocce sia divertente va al di là della mia comprensione», borbottò ad alta voce. Appena il respiro ridiventò normale, si sfregò le mani sui pantaloni verdi della tuta per pulirle. Con la mano destra si afferrò al bordo del macigno per aiutarsi ad alzarsi. Fu allora che sentì qualcosa.

Kitty abbassò lo sguardo. Cercò di urlare, ma dalle labbra le scaturì solo un gemito basso di incredulità. Le sue dita stavano toccando altre dita, ben curate, con le unghie smaltate di rosso vivo tenute erette dai sassi che erano scivolati intorno, incorniciate dal polsino blu che aveva colpito il suo inconscio, e un brandello di plastica nera, simile a una fascia da lutto, stretto intorno al polso sottile e inerte.

Travestito da ubriacone, alle sette del mattino di venerdì Denny Adler si piazzò contro la facciata di un condominio proprio di fronte alla Schwab House. Faceva ancora freddo e c'era vento, e pensò che era improbabile che Neeve Kearny andasse al lavoro a piedi. Ma da molto tempo aveva imparato a essere paziente quando pedinava qualcuno. Big Charley aveva detto che la Kearney di solito usciva di casa piuttosto presto, più o meno tra le sette e mezzo e le otto.

Alle otto meno un quarto cominciò l'esodo. Scolari raccolti dall'autobus di una di quelle costose scuole private. Anch'io ho frequentato una scuola privata, pensò Denny. Il riformatorio di Brownsville, nel New Jersey.

Poi cominciarono a comparire gli yuppy. Tutti con impermeabili identici... no, Burberry, si corresse Denny. Diciamola giusta. Poi dirigenti dai capelli grigi, donne e uomini. Tutti snelli e curati e dall'aria prospera. Dal suo punto di osservazione li vedeva con molta chiarezza.

Alle nove meno venti Denny capì che quello non era il suo giorno fortunato. La sola cosa che non poteva rischiare era la collera del gestore del negozio. Con i suoi precedenti, una volta completato il lavoro non c'erano dubbi sul fatto che lo avrebbero interrogato. Ma perfino il suo incaricato alla vigilanza avrebbe spezzato una lancia in suo favore. «Uno dei miei sorvegliati migliori», avrebbe detto Toohey. «Mai in ritardo sul lavoro. È pulito.»

Riluttante, Denny si alzò, si strofinò le mani e abbassò lo sguardo su di sé. Indossava un largo cappotto lacero che puzzava di vino da poco prezzo, un berretto troppo grande per lui che gli nascondeva quasi completamente il viso e scarpe da tennis bucate. Quello che non saltava all'occhio era che sotto il cappotto indossava i suoi abiti da lavoro, un giubbotto di tela sbiadita con la chiusura a cerniera e jeans. Portava anche una busta della spesa con dentro le scarpe da tennis che usava tutti i giorni, un asciugamano e uno strofinaccio umido. Nella tasca destra del cappotto aveva un coltello a serramanico.

Contava di raggiungere la stazione della metropolitana fra la Settantaduesima e Broadway, appartarsi in fondo al marciapiede, ficcare cappotto e berretto nella borsa di plastica, cambiarsi le scarpe e ripulirsi il viso e le mani.

Se solo la Kearny non fosse salita su quel taxi la sera prima! Fino a quel momento lui sarebbe stato pronto a giurare che voleva tornare a casa a piedi. E allora non sarebbe stato difficile colpirla nel parco...

La pazienza, sostenuta dall'assoluta certezza che il suo

obiettivo sarebbe stato raggiunto, se non quella mattina forse quella sera, se non quel giorno forse l'indomani, spinse Denny a mettersi in moto. Camminando, stava attento a barcollare un po', a fare oscillare la busta di plastica come se quasi non ricordasse di averla con sé. Le poche persone che si preoccuparono di lanciargli un'occhiata si scostarono subito, un'espressione di disgusto o di commiserazione sul viso.

Mentre attraversava l'incrocio tra la Settantaduesima e il West End, andò a sbattere contro una vecchia puttana che camminava con la testa bassa, la borsetta stretta sotto il braccio e la bocca serrata in una sgradevole linea sottile. Sarebbe stato divertente darle una spinta e portarle via la borsa, fantasticò Denny, ma non ne fece nulla. La oltrepassò frettolosamente, girò nella Settantaduesima e si diresse verso la stazione della metropolitana.

Pochi minuti dopo ne emergeva con le mani e il viso puliti, i capelli pettinati, il giubbotto con la cerniera tirata su fino al collo e la borsa di plastica contenente cappotto, berretto, asciugamano e strofinaccio ben avvoltolata.

Alle dieci e mezzo portava il caffè a Neeve. «Salve, Denny», lo salutò lei vedendolo entrare. «Stamattina ho dormito troppo e ora non riesco a ingranare. E non m'importa di quello che dicono gli altri, qui. Il tuo caffè è molto meglio di quella robaccia che si prepara con il bollitore.»

«Capita a tutti di dormire troppo, di tanto in tanto, signorina Kearny», assentì Denny, mentre estraeva il contenitore del caffè dal sacchetto e lo apriva con un gesto sollecito.

Svegliandosi, quella mattina, Neeve era rimasta stupefatta nel constatare che erano già le nove meno un quarto. Buon Dio, pensò gettando da parte le coperte e saltando a terra, non c'è niente come fare le ore piccole con i ragazzi del Bronx. Si infilò la vestaglia e corse in cucina. Myles aveva già preparato il caffè, versato il succo e i *muffin* inglesi erano pronti per essere tostati. «Avresti dovuto chiamarmi, comandante», lo accusò lei.

«L'industria della moda non crollerà, se anche ti aspetta per mezz'ora.» Suo padre era sprofondato nella lettura del *Daily News*.

Neeve si chinò sulla sua spalla. «Qualcosa di eccitante?»

«Un articolo in prima pagina sulla vita e l'epoca di Nicky Sepetti. Verrà seppellito domani, accompagnato verso l'eternità iniziando da una messa solenne in Santa Camilla fino all'inumazione a Calvary.»

«Ti aspettavi forse che lo buttassero in qualche discarica?»

«No. Ma speravo che lo cremassero, così avrei potuto propormi per il piacere di fare scivolare la bara nella fornace.»

«Oh, Myles, piantala.» Neeve voleva cambiare argomento. «Ci siamo divertiti ieri sera, vero?»

«Puoi giurarci. Chissà come va la mano di Sal. Scommetto che ieri sera non ha fatto l'amore con la sua attuale fidanzata. Lo hai sentito? Sta pensando di sposarsi di nuovo.»

Neeve ingollò il succo d'arancia con una pillola di vitamine. «Stai scherzando. E chi è la fortunata signora?»

«Non sono convinto che 'fortunata' sia la parola giusta», ridacchiò Myles. «Quello che è certo è che Sal ama la varietà. Non si è mai sposato finché non è diventato un uomo di successo, dopodiché è passato da una modella di biancheria intima a una ballerina e a una tizia dell'alta società, per finire con una fanatica della salute. Trasloca da Westchester al New Jersey, al Connecticut e a Sneden's Landing, e le lascia tutte bene alloggiate in una bella casa. Dio sa quanto gli deve costare tutto questo.»

«Credi che si sistemerà mai?» domandò Neeve.

«E chi lo sa? Per quanti soldi faccia, Sal Esposito sarà sempre un ragazzo insicuro ansioso di dimostrare quanto vale.»

Neeve infilò un *muffin* nel tostapane. «E che cos'altro mi sono persa mentre mi davo da fare tra i fornelli?»

«Dev è stato convocato in Vaticano. Che resti tra noi, però. Me l'ha detto poco prima di congedarsi, quando Sal è andato a pi... Scusami, tua madre mi aveva proibito di pro-

134

nunciare certe parole. Quando Sal è andato a lavarsi le mani.»

«L'ho sentito dire qualcosa a proposito di Baltimora. L'arcidiocesi di laggiù?»

«Lui pensa di sì.»

«Questo significherebbe il cappello cardinalizio.»

«È possibile.»

«Devo dire che voi ragazzi del Bronx siete stati dei vincenti. Dev'essere qualcosa nell'aria.»

Il tostapane scattò. Neeve imburrò il *muffin* inglese, lo spalmò generosamente di marmellata e gli diede un morso. Anche se la giornata si preannunciava grigia, la cucina aveva un'aria allegra con gli immacolati armadietti di quercia bianca e il pavimento di piastrelle nelle tonalità dell'azzurro, del bianco e del verde. Le tovagliette per la colazione posate sul tavolo erano di lino verde menta con i tovaglioli intonati; tazze, piatti, brocca e lattiera erano eredità dell'infanzia di Myles. Il disegno a salici azzurro. Neeve non riusciva neppure a concepire l'idea di cominciare una giornata a casa senza quella familiare porcellana intorno.

Studiò con attenzione il padre. Davvero, sembrava di nuovo se stesso, e non si trattava solo di Nicky Sepetti. Era la prospettiva di tornare al lavoro, di assumere un incarico utile. Sapeva quanto Myles deplorasse il traffico di droga e le stragi che causava. E poi chissà? Forse a Washington avrebbe incontrato qualcuno. Avrebbe dovuto risposarsi, ed era un uomo decisamente attraente. Glielo disse.

«Me l'hai detto anche ieri sera», le fece notare Myles. «E sto pensando di propormi come volontario per il paginone centrale di *Playgirl*. Credi che mi prenderebbero?»

«Se lo fanno, le ragazzine si metteranno in fila per poterti sedurre», rise Neeve mentre usciva con la tazza di caffè in mano, pensando che era tempo di darsi una mossa e andare a lavorare.

Quando uscì dal bagno dopo essersi rasato, Seamus si rese conto che Ruth era uscita. Per un momento rimase incerto,

135

poi passò in camera da letto, slacciò la cintura dell'accappatoio di spugna, regalo di Natale delle ragazze, e si buttò sul letto. La stanchezza era tale che riusciva appena a tenere gli occhi aperti. Tutto quello che voleva era restare lì sdraiato, tirarsi le coperte sopra la testa e dormire, dormire, dormire.

In tutti quegli anni carichi di problemi, Ruth non aveva mai passato la notte lontana da lui. A volte trascorrevano settimane, perfino mesi senza che si toccassero, così logorati dai problemi economici da non provare più desideri, ma anche così, per tacito consenso, si erano sempre sdraiati l'uno accanto all'altra, rispettosi della tradizione secondo cui una donna dorme al fianco del marito.

Si guardò intorno, sforzandosi di vedere la stanza attraverso gli occhi della moglie. I mobili erano quelli che sua madre aveva comprato quando aveva dieci anni. Non antichi, solo vecchi: rivestimenti di mogano, lo specchio inclinato bizzarramente sulle colonnine sopra il comò. Ricordava ancora come sua madre lo lucidava con ardore, divertendocisi. Per lei quella camera «in stile» era stata un successo, il raggiungimento dell'obiettivo di una «bella casa».

Un tempo Ruth aveva l'abitudine di ritagliare da *House Beautiful* le foto degli interni che le piacevano. Mobili moderni. Tonalità pastello. Spazi aperti e ariosi. Le difficoltà economiche avevano cancellato la speranza e la vivacità dal suo viso, l'avevano fatta diventare troppo rigida con le figlie. Seamus ripensò a quella volta che se l'era presa con Marcy: «Che cosa diavolo vuoi dire, che ti sei strappata il vestito? Io ho *risparmiato* per comprartelo».

Tutto a causa di Ethel.

Seamus si prese la testa tra le mani. La telefonata che aveva fatto gli pesava sulla coscienza. Nessuna via di scampo. Era il titolo di un film uscito un paio di anni prima. *Senza via di scampo.*

La sera prima aveva quasi picchiato Ruth. Il ricordo di quei pochi minuti passati con Ethel, l'esatto momento in cui aveva perso il controllo, quando...

Ricadde all'indietro sul cuscino. Che senso aveva andare al bar, cercare ancora di tenere in piedi la facciata? Aveva commesso qualcosa che mai avrebbe creduto di potere fare ed era troppo tardi per tornare indietro. Lo sapeva. In ogni caso, non sarebbe servito a nulla, sapeva anche questo. Chiuse gli occhi.

Non si rese conto di avere dormito, ma di colpo Ruth era lì con lui, seduta sul bordo del letto. Non c'era più traccia di collera sul suo viso e ora sembrava sconvolta e in preda al panico, come qualcuno che affronta il plotone d'esecuzione.

«Seamus», cominciò, «devi dirmi tutto. Che cosa le hai fatto?»

Gordon Steuber arrivò nel suo ufficio sulla Trentasettesima Ovest alle dieci del venerdì mattina. Era salito in ascensore con tre uomini vestiti in maniera sobria che riconobbe immediatamente come ispettori governativi che tornavano a esaminare i suoi registri. Ai suoi dipendenti bastò vedere la sua fronte aggrottata, il passo iroso, per far circolare il messaggio: «Attenzione!»

Attraversò lo show-room, ignorando clienti e impiegati, oltrepassò la scrivania della sua segretaria senza degnarsi di rispondere al timido «Buongiorno, signore» di May, ed entrò nel suo ufficio privato sbattendo la porta dietro di sé.

Quando si fu seduto alla scrivania, nella elaborata poltrona di cuoio che sempre suscitava commenti ammirati, il cipiglio scomparve, sostituito da un'espressione preoccupata.

Si guardò intorno, assorbendo l'elegante atmosfera che aveva creato intorno a sé: i divani e le sedie in pelle; i dipinti che erano costati il riscatto di un re; le sculture che il suo consulente artistico gli aveva garantito degne di un museo... Grazie a Neeve Kearny, c'erano ottime possibilità che in futuro trascorresse più tempo in tribunale che nel suo ufficio. O magari in prigione, si disse, se non stava attento.

Si alzò e andò alla finestra. La Trentasettesima Strada. L'atmosfera frenetica da mercato ambulante. Era una caratteristica che conservava tuttora. Ripensò a quando, da ragazzino, dopo la scuola andava a lavorare da suo padre, un pellicciaio. Pellicce da poco, di quelle che facevano sembrare zibellini le creazioni di I.J. Fox. Suo padre dichiarava bancarotta ogni due o tre anni, puntuale come un orologio. E a quindici anni, Gordon capì che non aveva alcun desiderio di trascorrere la vita starnutendo sulle pelli di coniglio, persuadendo delle straccione di fare un'ottima figura avvolte nelle pelli di animali rognosi.

Fodere. Ci aveva pensato ancora prima di essere stato abbastanza grande per radersi. L'unica costante. Che si vendesse una giacca, una stola o una cappa, doveva essere foderata.

Quella semplice constatazione, insieme con un prestito concessogli a malincuore dal padre, aveva dato inizio alla Steuber Enterprises. I ragazzi che assumeva appena usciti dalla scuola di design di Rhode Island o dal FIT avevano fantasia e buongusto, e le sue fodere dai disegni originali e nuovi avevano avuto successo.

Ma fabbricare fodere non era sufficiente a conquistarsi un posto in un settore che bramava la fama. E allora aveva cominciato a cercare nuove leve in grado di disegnare abiti. Diventare un nuovo Chanel era stata la sua ambizione.

Ancora una volta ce l'aveva fatta. I suoi vestiti comparivano nei negozi migliori. Ma era uno di quel paio di dozzine d'altri tutti ferocemente in gara per conquistare la stessa, altolocata clientela. Non c'era da fare abbastanza soldi.

Steuber si accese una sigaretta con l'accendino d'oro con le sue iniziali a rubini incastonati. Non lo posò subito, ma se lo rigirò per qualche istante in mano. Tutto quello che gli agenti federali dovevano fare era calcolare quanto era costato il contenuto di quella stanza e quell'accendino, e poi continuare a scavare finché non avessero trovato le prove sufficienti per denunciarlo come evasore fiscale.

Erano i maledetti sindacati che non permettevano di realizzare dei veri profitti, si disse. Ogni volta che Steuber vedeva la pubblicità televisiva del Sindacato dei lavoratori del settore abbigliamento, gli veniva voglia di scaraventare qualcosa contro lo schermo. Tutto quello che volevano era più denaro.

138

Smettetela con le importazioni. Assumete noi.

Solo tre anni prima lui aveva cominciato a fare quello che facevano tutti gli altri, creare laboratori fantasma per gli immigranti privi di permesso d'immigrazione. Perché no? Le messicane erano sarte eccellenti.

E allora aveva scoperto dove stava il denaro vero. Si era già preparato a chiudere i laboratori clandestini quando Neeve Kearny aveva fatto la spia. Poi quella pazza di Ethel Lambston si era messa a ficcare il naso in giro. La rivedeva mentre irrompeva lì la settimana prima, quel tardo mercoledì sera. E per fortuna che a quell'ora May c'era ancora, perché altrimenti...

L'aveva letteralmente buttata fuori, prendendola per le spalle e spingendola per tutto lo showroom fino alla porta e dentro l'ascensore. Ma neppure quel trattamento l'aveva turbata. Mentre lui chiudeva la porta, lei aveva urlato: «Nel caso non l'abbia ancora scoperto, hanno intenzione di starle addosso non solo per i laboratori, ma anche per la dichiarazione dei redditi. E questo è solo l'inizio. So ben io come si è riempito le tasche».

Allora aveva capito che non poteva permetterle di continuare a curiosare nei suoi affari. Quella donna doveva essere fermata.

Il telefono suonò, un trillo morbido, basso. Infastidito, Gordon sollevò il ricevitore. «Che cosa c'è, May?»

«So che non vuole essere disturbato, signore», disse la segretaria in tono di scusa. «Ma gli agenti dell'ufficio generale del procuratore insistono per vederla.»

«Falli entrare.» Steuber stirò una piega della giacca beige di seta italiana, passò il fazzoletto su un'ombra che deturpava i gemelli di brillanti e si sedette alla sua scrivania.

Mentre guardava entrare i tre agenti, tutti professionalità ed efficienza, ricordò per la decima volta nell'ultima ora che quella maledetta faccenda era cominciata solo perché Neeve Kearny aveva cantato a proposito delle sue fabbriche illegali.

Alle undici del venerdì mattina Jack Campbell uscì da una riunione redazionale e attaccò il manoscritto che avrebbe già dovuto leggere la sera prima. Questa volta si costrinse a concentrarsi sulle piccanti avventure di una nota psichiatra trentatreenne che si innamora del suo cliente, un idolo del cinema ormai sul viale del tramonto, e parte con lui per St. Martin's per una vacanza clandestina. Grazie alla sua grande esperienza di donne, l'idolo cinematografico abbatte le barriere che la psichiatra ha costruito intorno alla sua femminilità e a sua volta, dopo tre settimane di accoppiamenti ininterrotti sotto cieli stellati, lei riesce a infondergli di nuovo fiducia in se stesso. L'attore torna a Los Angeles per accettare il ruolo di nonno in un nuovo sceneggiato e la psichiatra torna al suo lavoro, consapevole che un giorno o l'altro incontrerà l'uomo della sua vita. Il libro termina con la scena della dottoressa che fa entrare il suo nuovo cliente, un affascinante agente di borsa trentottenne che le dice: «Sono troppo ricco, troppo spaventato, troppo smarrito».

Oh, Dio, pensò Jack mentre scorreva l'ultima pagina. Gettò il manoscritto sulla scrivania e Ginny, che entrava in quel momento con una pila di lettere in mano, domandò: «Com'era?»

«Orribile, ma si venderà benissimo. Strano, mentre leggevo tutte quelle scene di sesso nel giardino, continuavo a domandarmi come se la cavavano con le zanzare. Significa che sto diventando vecchio?»

Ginny ebbe un sorrisetto. «Ne dubito. Ricordi di avere un appuntamento a colazione?»

«Me lo sono segnato.» Jack si alzò e si stirò sotto lo sguardo d'approvazione di Ginny.

«Non ti sei accorto che tutte le redattrici giovani ti muoiono dietro? Continuano a chiedermi se sono sicura che non tu non sia sentimentalmente legato a qualcuna.»

«Di' loro che faccio coppia con te.»

«Mi piacerebbe. Se avessi vent'anni di meno, forse.»

Il sorriso di Jack si tramutò in un'espressione aggrondata. «Ginny, stavo proprio pensando a una cosa. Fra quanto uscirà *Contemporary Woman*?»

«Non lo so di sicuro. Perché?»

«Mi chiedevo se non potrei avere una copia dell'articolo scritto per loro da Ethel Lambston, quello sulla moda. So che di solito Toni non fa vedere nulla prima che la rivista vada in stampa, ma vedi quello che puoi fare, okay?»

«Va bene.»

Un'ora dopo, quando Jack stava uscendo per andare a colazione, Ginny lo chiamò. «L'articolo esce sul numero della prossima settimana. Toni ha detto che come favore personale ti permetterà di leggerlo prima. Manda anche una fotocopia degli appunti di Ethel.»

«Fantastico da parte sua.»

«È stata lei a proporlo», aggiunse Ginny. «Mi ha spiegato che generalmente le prime stesure degli articoli di Ethel sono parecchio più scottanti di quello che gli avvocati permettono loro di pubblicare sulla rivista. Anche lei sta cominciando a preoccuparsi un po' per Ethel. Dice che dato che tu pubblicherai il libro sulla moda di Ethel, non le sembra di infrangere la riservatezza.»

Mentre Jack si dirigeva verso il suo appuntamento si rese conto di essere molto, molto ansioso di dare un'occhiata alle stesure degli articoli di Ethel troppo scottanti per essere pubblicati.

Né Seamus né Ruth andarono al lavoro quel venerdì. Rimasero a casa fissandosi l'un l'altra come persone finite insieme nelle sabbie mobili e che affondano, incapaci di evitare l'inevitabile. A mezzogiorno Ruth preparò un caffè forte e dei sandwich al formaggio sulla griglia. Insistette perché Seamus si alzasse e si vestisse.

«Mangia», lo esortò, «e ripetimi ancora una volta quello che è successo esattamente.»

Ma mentre lo ascoltava riusciva a pensare solo alle conseguenze che quella storia avrebbe avuto sulle figlie. Le sue speranze per loro. Il college per cui aveva risparmiato e per cui si era sacrificata. Le lezioni di danza e di canto, gli abiti comperati con tanta cura alle svendite. A che cosa sarebbe

141

servito tutto questo se il loro padre fosse finito in prigione?

Ancora una volta Seamus raccontò la sua storia.

La sua faccia rotonda era lucida di sudore e teneva le mani inerti sulle ginocchia mentre ripeteva come avesse supplicato Ethel di lasciarlo respirare, e di come lei si fosse divertita a sue spese. «Forse lo farò e forse no», aveva detto. Poi si era chinata a frugare dietro i cuscini del divano. «Vediamo se riesco a trovare un po' dei soldi che mio nipote ha dimenticato di fregarmi», gli aveva detto ridendo; poi quando aveva trovato la banconota da cento dollari gliel'aveva ficcata in tasca, osservando che quel mese non aveva avuto molto tempo per uscire a cena.

«Le ho dato un pugno», mormorò Seamus con voce piatta. «Mai avrei pensato di essere capace di una cosa simile. La testa le è rimbalzata su un lato ed è caduta all'indietro. Non ero sicuro che fosse morta. Poi si è alzata e ho visto che aveva paura. Le ho detto che se avesse preteso ancora soldi, l'avrei ammazzata, e lei ha capito che parlavo sul serio. Ha detto: 'D'accordo, basta alimenti'.»

Seamus buttò giù il resto del caffè. Erano seduti nel tinello. Era stata una giornata fredda e grigia e la sera era scesa prima. Fredda e grigia. Proprio come la sera di giovedì, quella in cui era andato a casa di Ethel. E il giorno dopo vi era stata la tempesta di neve. Sarebbe successo di nuovo. Ne era certo.

«E poi te ne sei andato?» lo sollecitò Ruth.

Seamus esitò. «E poi me ne sono andato.»

Nell'aria aleggiava una sensazione di qualcosa di non detto. Ruth si guardò intorno, guardò i pesanti mobili di quercia che disprezzava da vent'anni, lo sbiadito falso tappeto orientale con cui era stata costretta a vivere, e capì che Seamus non le aveva rivelato tutta la verità. Si guardò le mani. Troppo piccole. Quadrate. Con le dita tozze. Le ragazze invece avevano dita lunghe, affusolate. Da chi le avevano ereditate? Da Seamus? Probabile, perché nelle fotografie della propria famiglia non vedeva che gente piccola e tozza. Ma forte. Mentre Seamus era debole. Un uomo debole, spaventato, precipitato nella disperazione. Ma *fino a che punto?* «Non mi hai detto tutto», sussurrò. «E io voglio sapere. Devo sapere. Solo così potrò aiutarti.»

E allora, con il viso nascosto tra le mani, lui le raccontò il resto. «Oh, mio Dio», pianse Ruth. «Oh, mio Dio.»

All'una Denny tornò alla Bottega di Neeve portando un vassoio di cartone con due sandwich al tonno e del caffè. Come sempre, la receptionist gli fece cenno di entrare nell'ufficio di Neeve, che trovò impegnata in un'animata conversazione con la sua assistente, la bella ragazza nera. Denny non diede loro il tempo di congedarlo. Aprì il sacchetto, ne estrasse i sandwich e chiese: «Mangia qui?»

«Denny, tu finirai per viziarci. Ho quasi la sensazione di avere il servizio in camera», rise Neeve.

Realizzando di colpo il suo errore, Denny si raggelò. Si stava facendo notare troppo. D'altro canto, voleva conoscere i progetti di lei.

Come in risposta alla sua domanda inespressa, Neeve disse a Eugenia: «Lunedì dovrò aspettare fino al tardo pomeriggio per andare sulla Settima. La signora Poth viene all'una e mezzo e vuole che l'aiuti a scegliere dei vestiti da cerimonia».

«Cosa che coprirà l'affitto per i prossimi tre mesi», osservò briosamente Eugenia.

Denny ripiegò i tovaglioli di carta. *Lunedì nel tardo pomeriggio.* Buono a sapersi. Si guardò intorno, esaminando la stanza. Piccola, senza finestre. Peccato. Se ci fosse stata una finestra che dava sull'esterno avrebbe potuto sparare alla schiena. Ma Charley gli aveva detto che non doveva sembrare un atto deliberato. Tornò a guardare Neeve. Era davvero carina, piena di classe. Con tutte quelle che c'erano in giro, era un peccato dover eliminare proprio lei. Borbottò un buongiorno e se ne andò, con le orecchie piene dei loro ringraziamenti. La receptionist lo pagò, aggiungendo la solita mancia generosa. Ma con due dollari a consegna ci si mette parecchio tempo per arrivare a ventimila, rifletté Denny mentre spingeva la pesante porta di vetro e usciva in strada.

Mentre mordicchiava il sandwich, Neeve compose il numero di Toni Mendell a *Contemporary Woman*. «Ma Dio santo, che cosa sta succedendo?» fu la reazione della donna quando l'ebbe ascoltata. «La segretaria di Jack Campbell mi ha telefonato per chiedermi la stessa cosa e ne ho approfittato per dirle che anch'io sono preoccupata per Ethel. Ma francamente, Neeve, ho deciso di dare a Jack una copia degli appunti di Ethel perché è il suo editore, ma non posso fare lo stesso con te. Comunque, puoi avere l'articolo.» Tagliò corto ai ringraziamenti di Neeve e aggiunse: «Ma per carità, non farlo vedere in giro. Tra i nostri stracciaroli ci sarà abbastanza gente che non sarà affatto contenta, quando verrà pubblicato».

Un'ora dopo Neeve ed Eugenia erano sprofondate nella lettura dell'articolo di Ethel. Si intitolava *«I maestri e i magistrali ciarlatani della moda»*, ed era ferocemente sarcastico perfino per Ethel. L'autrice esordiva nominando le tre tendenze della moda più significative degli ultimi cinquant'anni: il New Look di Christian Dior nel 1947, la Minigonna di Mary Quant nei primi anni Sessanta e il look Pacific Reef di Anthony della Salva nel 1972.

Di Dior, Ethel aveva scritto:

Nel 1947 la moda ristagnava, incapace di staccarsi dalle fogge militari che avevano caratterizzato gli anni della guerra. Tessuti poveri; spalle squadrate; bottoni d'ottone. Poi Dior, un giovane e timido stilista, dichiarò che quello che volevamo tutti era dimenticare finalmente la guerra. Eliminò le gonne corte, simbolo di una moda condizionata dalle ristrettezze, e rivelandosi un vero genio, ebbe il coraggio di annunciare a un mondo scettico che l'abito da giorno del futuro avrebbe avuto una lunghezza al polpaccio o addirittura alla caviglia.

Le cose non furono facili per lui. Una goffa matrona californiana inciampò nella lunga gonna scendendo dall'autobus e contribuì a dare il via a una rivolta nazionale contro il New Look. Ma Dior rimase fedele alle sue posizioni, o meglio alle sue forbici, e stagione dopo stagione, continuò a presentare abiti belli e aggraziati... drappeggi sotto la scollatura, punti vita ben segnati con la pieghettatura non stirata che andava a fondersi in gonne sobrie e lineari. E le sue predizioni di un tempo hanno ricevuto conferma con il recente crollo della minigonna. Forse un giorno tutti gli stilisti comprenderanno che il mistero è un'importante regola guida per la moda.

Ma nei primi anni Sessanta i tempi stavano cambiando. Non si può attribuire interamente la colpa al Vietnam o al Concilio Vaticano II, ma il cambiamento era nell'aria e una stilista inglese, giovane e coraggiosa, irruppe sulla scena. Era Mary Quant, la ragazzina che non voleva crescere e che, soprattutto, non voleva indossare vestiti da adulta.

Arriva la minigonna, arrivano le calze colorate, arrivano gli stivali alti. Prende piede la premessa che chi è giovane non deve *mai*, a nessun costo, sembrare vecchio. Quando a Mary Quant fu chiesto di spiegare il significato della moda e i suoi scopi, lei rispose con decisione: «Sesso».

Ma nel 1972 il tempo della minigonna era finito. Le donne, stanche del confuso gioco degli orli e delle lunghezze, rinunciarono alla lotta e si indirizzarono verso la linea maschile.

E questo è il momento di Anthony della Salva e del look Pacific Reef. La vita di della Salva non è cominciata in un palazzo appollaiato su uno dei sette colli di Roma, come il suo agente pubblicitario vorrebbe farvi credere, ma come Sal Esposito, in una fattoria di Williamsbridge Road, nel Bronx. Non è escluso che abbia potuto coltivare il suo senso del colore aiutando il padre a disporre la frutta e le verdure sul carretto che utilizzavano per vendere la loro merce nel quartiere. Sua madre, Angelina, e non la *contessa* Angelina, era nota soprattutto per i suoi insoliti imbonimenti: «Dio benedica la tua mamma. Dio benedica il tuo papà. Vuoi un po' di questi bei pompelmi?»

Sal fu un mediocre studente presso la Christopher Columbus High School (che è nel Bronx, non in Italia), e un allievo poco più brillante al FIT. Insomma, solo uno dei tanti, ma poiché il destino è capriccioso, alla fine uno dei privilegiati. S'impose all'attenzione con la collezione che lo portò direttamente al vertice: il look Pacific Reef, la sua unica idea originale.

Ma che idea! Con un unico, magnifico colpo, della Salva riportò la moda sui giusti binari. Chiunque abbia partecipato a quella prima sfilata nel 1972 ricorda ancora l'emozione suscitata da quei modelli sciolti che sembravano fluttuare intorno al corpo delle indossatrici: la tunica con la fusciacca sulla spalla, gli abiti di lana da pomeriggio tagliati in modo da drappeggiare e dare forma al corpo, l'uso delle maniche pieghettate in mille tonalità diverse che mutavano con la luce. E i suoi colori. Li aveva presi dalla vita sommersa dell'Oceano Pacifico, dai coralli e dalle piante e dalle creature

145

acquatiche, si era impadronito dei capricciosi disegni che la natura ha regalato loro per creare i suoi, alcuni sfacciatamente vividi, altri soffusi come gli azzurri e l'argento. Lo stilista di questo nuovo look merita tutti gli onori che l'industria della moda può concedere.

A questo punto Neeve si lasciò sfuggire una risata riluttante. «A Sal piacerà da morire quello che Ethel ha scritto sul Pacific Reef», commentò, «ma quanto al resto... Ha sempre raccontato così tante bugie che si è convinto di essere davvero nato a Roma e di essere figlio di una contessa. D'altro canto, se ripenso a quello che ha detto l'altra sera, è evidente che prevedeva qualcosa del genere. Al giorno d'oggi tutti non fanno che cianciare su quanto sia stata dura per i loro genitori; probabilmente scoprirà su quale nave i suoi progenitori sono arrivati a Ellis Island e se ne farà costruire una copia.»

Sistemati in questo modo i giganti della moda, descrivendoli così come lei li vedeva, Ethel continuava nominando gli stilisti del bel mondo che non erano capaci di distinguere «un bottone da un'asola» e che assumevano giovani pieni di talento perché progettassero ed eseguissero le loro collezioni; denunciando la cospirazione fra gli stilisti decisi a prendere la via più facile e a cercare di ribaltare i canoni della moda ogni pochi anni, anche se questo significava vestire distinte signore anziane come ballerine di cancan; sbeffeggiando chi li seguiva supinamente, spendendo tre o quattromila dollari per un abito che al massimo aveva richiesto due metri di gabardine.

Poi Ethel puntava i suoi cannoni contro Gordon Steuber:

L'incendio della Triangle Shirtwaist Company del 1911 denunciò all'attenzione pubblica le atroci condizioni in cui lavoravano i dipendenti del settore dell'abbigliamento. Grazie al Sindacato internazionale lavoratori dell'abbigliamento femminile, l'industria della moda è divenuta un settore in cui chi è dotato di talento può guadagnare ragionevolmente. Ma alcuni fabbricanti hanno trovato il modo di accrescere i loro profitti a spese dei più inermi. I nuovi laboratori di sfruttamento si trovano nel Sud Bronx e a Long Island City. Immigranti clandestini, molti dei quali poco più che bambini, lavorano per compensi irrisori perché privi del permesso d'immigrazione e hanno paura di protestare. Il re di questi disonesti fabbricanti è Gordon Steuber. Di lui parlerò molto, molto di più in un prossimo articolo, ma ricordate, gente. Ogni volta che vi infilate uno dei suoi vestiti, regalate un pensiero alla ragazzina che l'ha cucito. Probabilmente non può permettersi neppure un pasto decente.

L'articolo si concludeva con un peana di lodi a favore di Neeve Kearny della Bottega di Neeve, che aveva dato il via alle indagini su Gordon Steuber e aveva bandito dal suo negozio gli abiti dello stilista.

Neeve scorse velocemente il brano che parlava di lei, poi posò il giornale. «Ha preso di mira tutti gli stilisti più noti! Forse poi si è spaventata e ha deciso di tagliare la corda finché le acque non si fossero calmate. Comincio a pensare che sia andata proprio così.»

«Steuber non può denunciare lei e la rivista?» volle sapere Eugenia.

«La verità è la difesa migliore ed è ovvio che dispongono di tutte le prove necessarie. Quello che mi lascia perplessa, invece, è che, a dispetto di quello che ha scritto, Ethel ha comprato uno dei suoi vestiti l'ultima volta che è venuta qui, quello che avevamo dimenticato di restituire.»

Squillò il telefono e un momento dopo si sentì la voce della receptionist all'interfono. «Il signor Campbell per te, Neeve.»

Eugenia inarcò le sopracciglia. «Dovresti vedere l'espressione che hai.» Poi raccolse quello che restava dei sandwich e i contenitori del caffè e li gettò nel cestino della carta straccia.

Neeve attese che l'assistente fosse uscita prima di sollevare il ricevitore e si sforzò di apparire del tutto indifferente quando disse: «Neeve Kearny». Con disappunto, si rese conto che la sua voce suonava affannata.

Jack andò dritto al punto.

«Neeve, che cosa ne dice di venire a cena con me stasera?» Non attese la sua risposta. «Pensavo di dirle che ho in mano alcuni appunti di Ethel Lambston e che forse potremmo esaminarli insieme, ma la verità è che ho voglia di vederla.»

Neeve si rese conto, con imbarazzo, del battito accelerato del suo cuore. Si accordarono per incontrarsi al *Carlyle* alle sette.

Il resto del pomeriggio fu insolitamente indaffarato. Alle quattro Neeve passò nello show-room e cominciò a occuparsi delle clienti. Erano tutte facce nuove. Una ragazza che non poteva avere più di diciannove anni comprò un abito da sera da millequattrocento dollari e uno da cocktail da novecento. Insistette perché fosse Neeve ad aiutarla a scegliere. «Sa», le confidò, «una mia amica lavora a *Contemporary Woman* e ha visto un articolo che uscirà la settimana prossima. C'è scritto che ha più senso delle moda lei nel suo dito mignolo di quasi tutti gli stilisti della Settima Avenue e che non dà mai consigli sballati. Quando l'ho detto a mia madre, mi ha mandata subito qui.»

Altre due nuove clienti le raccontarono una storia simile. Qualcuno che conoscevano aveva parlato loro dell'articolo. Alle sei e mezzo Neeve mise con un sorriso di sollievo il cartello «CHIUSO» alla porta. «Sto cominciando a pensare che dovremmo smettere di criticare la povera Ethel», dichiarò. «Probabilmente ci è stata più utile lei di un'inserzione su tutte le pagine del *WWD*.»

Dopo il lavoro tornando a casa di Ethel, Doug Brown si fermò a mangiare qualcosa, ed erano le sei e mezzo quando infilò la chiave nella porta. Subito sentì lo squillo insistente del telefono.

In un primo tempo decise di ignorarlo, come aveva fatto per tutta la settimana, ma quando si rese conto che all'altro capo non intendevano demordere, la sua risoluzione cominciò a vacillare. Certo, a Ethel non piaceva che lui rispondesse al telefono, ma dopo una settimana non era forse logico che fosse proprio lei che tentava di mettersi in contatto con lui?

Posò il sacchetto della spesa in cucina e si decise a sollevare il ricevitore. «Pronto.»

La voce all'altro capo del filo era gutturale e un po' strascicata. «Devo parlare con Ethel Lambston.»

«Non c'è. Io sono il nipote. Vuole lasciare un messaggio?»

«Può scommetterci. Dica a Ethel che il suo ex deve un sacco di soldi alla gente sbagliata e che non può saldare i suoi conti finché continua a pagare lei. Se non si decide a sganciare Seamus, le daranno una lezione. Le dica che potrebbe incontrare qualche difficoltà a battere a macchina con le dita spezzàte.»

Un clic e la comunicazione s'interruppe.

Doug riattaccò e si lasciò andare sul divano. Sentiva il sudore scorrergli sulla fronte e sotto le ascelle; serrò le mani per fermare il tremore.

Che cosa doveva fare? Quella telefonata era una minaccia reale o solo uno scherzo? Ma in ogni caso non poteva ignorarla. Tuttavia non voleva chiamare la polizia. C'era il rischio che cominciassero a fare troppe domande.

Neeve Kearny.

Lei era preoccupata per Ethel. Avrebbe riferito a lei della telefonata. Sarebbe stato il parente ansioso e spaventato che chiede consiglio. In questo modo, che si trattasse di una minaccia o di uno stupido scherzo, lui non avrebbe corso rischi.

Eugenia stava chiudendo le valigette che ospitavano la bigiotteria quando il telefono squillò. «È per te, Neeve», disse dopo avere risposto. «Qualcuno terribilmente preoccupato, direi.»

Myles! Un altro attacco cardiaco? Neeve si precipitò all'apparecchio. «Sì?»

Ma era solo Douglas Brown, il nipote di Ethel Lambston. Dalla sua voce, tuttavia, era completamente scomparsa la nota di sarcastica insolenza. «Signorina Kearny, ha per caso idea di dove possa rintracciare mia zia? Sono appena tornato a casa sua e il telefono squillava. Era un tizio che mi ha detto di avvertirla che Seamus, sarebbe il suo ex marito, è pieno di debiti e non può saldarli finché continua a pagare lei. Se non lo lascia in pace, le daranno una lezione con i fiocchi. *Potrebbe incontrare qualche difficoltà a battere a macchina con le dita spezzate,* ha detto quell'uomo.»

Douglas Brown sembrava sul punto di scoppiare a piangere. «Signorina Kearny, dobbiamo avvertire Ethel.»

Quando riappese, Doug sapeva di avere preso la decisione giusta. Dietro suggerimento della figlia dell'ex comandante della polizia, ora avrebbe telefonato alla polizia stessa e riferito della minaccia. Agli occhi dei poliziotti, sarebbe apparso come un amico della famiglia Kearny.

Aveva già allungato la mano verso il telefono quando l'apparecchio squillò di nuovo. Questa volta rispose senza esitazioni.

Era la polizia che chiamava *lui*.

Il venerdì Myles Kearny cercava sempre di starsene il più possibile fuori dai piedi, perché quello era il giorno di Lupe, la loro donna delle pulizie, che si fermava fino a sera a lavare, a lucidare, strofinare e passare l'aspirapolvere.

Quando la donna arrivò con la posta del mattino in mano, Myles si ritirò nel salottino. Era arrivata un'altra lettera da Washington in cui lo si sollecitava ad accettare l'incarico di capo dell'Ufficio antidroga. Myles avvertì la familiare sensazione dell'adrenalina che gli scorreva nelle vene. Sessantotto anni. Non era poi così vecchio. E si sarebbe occupato di un lavoro che doveva essere sbrigato a ogni costo. Neeve. L'ho riempita di troppe storie sull'amore a prima vista, si disse. Ma per la maggior parte della gente non funziona mai così. Adesso, senza me sempre intorno, potrà entrare nel mondo reale.

Si appoggiò allo schienale della poltrona, la vecchia, comoda poltrona di pelle che aveva fatto parte dell'arredamento del suo ufficio durante i sedici anni trascorsi come comandante della polizia. È perfetta per il mio posteriore, pensò. Se vado a Washington, me la farò spedire là.

Dall'ingresso gli arrivava il ronzio dell'aspirapolvere. Non ho voglia di stare ad ascoltarlo tutto il giorno, rifletté, e d'impulso compose il suo vecchio numero, quello dell'ufficio del comandante, disse il suo nome alla segretaria di Herb Schwartz, e un attimo dopo Herb era in linea.

«Myles, che cosa c'è di nuovo?»

«Tocca prima a me fare domande. Come sta Tony Vitale?» Vedeva Herb con chiarezza, come se lo avesse davanti agli occhi: piccolo di statura, sottile, con gli occhi saggi e penetranti, una mente vivacissima e l'incredibile capacità di cogliere sempre il quadro generale della situazione. E, più importante di tutto, un amico più che fidato.

«Non lo sappiamo ancora con certezza. L'hanno lasciato per morto e, credimi, quelli che l'hanno conciato così sapevano quello che facevano. Ma è un ragazzo con una forza terribile e i medici pensano che ce la farà, a dispetto di tutto. Vado a trovarlo più tardi. Vieni anche tu?»

Si accordarono per trovarsi a colazione.

Mentre mangiavano sandwich di tacchino in un bar nei pressi del St. Vincent's Hospital, Herb mise al corrente Myles dell'imminente funerale di Nicky Sepetti. «Ci saremo noi. Ci sarà l'FBI. Ci sarà qualcuno dell'ufficio del procuratore generale. Eppure, Myles, ho il sospetto che con o senza la chiamata dal cielo, Nicky fosse ormai storia vecchia. Diciassette anni fuori circolazione sono troppi. Il mondo è cambiato. Ai vecchi tempi la mafia non avrebbe neppure toccato la droga, ora ci sguazzano dentro. Il mondo di Nicky non esiste più. Se fosse sopravvissuto, ci avrebbero pensato loro a liquidarlo.»

Dopo colazione raggiunsero il reparto di terapia intensiva del St. Vincent's. L'agente infiltrato Anthony Vitale era quasi completamente coperto di bendaggi. Dei tubicini di plastica lo collegavano alla colonnina della fleboclisi e altre apparecchiature registravano la pressione del sangue e i battiti cardiaci. I suoi genitori si trovavano nella sala d'attesa.

«Ce lo lasciano vedere per qualche minuto ogni ora», spiegò il padre.

«Ce la farà.» C'era della tranquilla fiducia nella sua voce.

«Non si può ammazzare un poliziotto duro», rispose Myles stringendogli la mano.

«Comandante», disse in quel momento la madre di Tony, ed era a lui che si stava rivolgendo. Myles fece per indicare Herb, ma un lieve cenno di diniego dell'amico glielo impedì. «Comandante, io credo che Tony stia cercando di dirci qualcosa.»

«Ci ha già detto quello che avevamo bisogno di sapere. Nicky Sepetti non aveva messo nessun contratto su mia figlia.»

Rosa Vitale scosse la testa. «Comandante, sono stata con mio figlio ogni ora, negli ultimi due giorni. Non è tutto. C'è qualcos'altro che vuole farci sapere.»

Per Tony era stato istituito un servizio di sorveglianza continuata. Herb Schwartz chiamò il giovane agente che se ne stava seduto nella stanza delle infermiere. «Ascolta con attenzione tutto quello che dirà», lo istruì.

Lui e Myles scesero insieme in ascensore. «Che cosa ne pensi?» domandò Herb.

L'altro si strinse nelle spalle. «Se c'è qualcosa di cui ho imparato a fidarmi, questo è l'istinto materno.» Ripensava al giorno lontano in cui sua madre gli aveva detto di andare a cercare la famiglia che gli aveva dato rifugio durante la guerra. «Sono molte le cose che Tony avrebbe potuto scoprire quella sera. Quella gente deve aver fatto di tutto per far sì che Nicky si sentisse ancora valido.» Un pensiero improvviso lo colpì. «Oh, Herb, a proposito, Neeve continua a tormentarmi per una certa scrittrice che secondo lei è scomparsa improvvisamente. Di' ai ragazzi di tenere gli occhi aperti, d'accordo? È sulla sessantina. Parecchio alta, più o meno uno e ottanta. Elegante. Capelli biondo cenere tinti. Pesa circa sessanta chili. Si chiama Ethel Lambston. Probabilmente a quest'ora starà rendendo la vita impossibile a qualcuno che vuole intervistare per la sua rubrica, ma...»

L'ascensore si fermò. Uscirono nell'atrio e Schwartz tirò fuori un taccuino. «Ho conosciuto la Lambston alla Gracie Mansion. Ha fatto parecchia pubblicità al sindaco, e adesso lui se la ritrova sempre fra i piedi. Un tipo piuttosto assillante, eh?»

«Azzeccato.»

Risero tutti e due.

«Perché Neeve è preoccupata per lei?»

«Perché giura che la Lambston ha lasciato la sua casa giovedì scorso o venerdì senza portarsi dietro neppure un cappotto. Sai, compra tutti i suoi vestiti da Neeve.»

«Forse era diretta in Florida o ai Caraibi e non aveva voglia di trascinarsene uno dietro», ipotizzò Herb.

«Questa è una delle molte possibilità che ho fatto notare a Neeve, ma lei sostiene che tutti i vestiti mancanti dal suo armadio sono dei vestiti pesanti, e lei lo sa di certo.»

Herb si accigliò. «Forse Neeve non ha tutti i torti. Ripetimi un po' quella descrizione.»

Myles tornò a casa, che trovò silenziosa e splendente di pulizia. La telefonata di Neeve alle sei e mezzo gli fece piacere e allo stesso tempo lo disturbò. «Vai fuori a cena. Bene. Spero che lui sa un tipo interessante.»

Poi lei gli parlò della telefonata ricevuta dal nipote di Ethel. «Gli hai detto di riferire la minaccia alla polizia. Brava, era la cosa giusta da fare. Forse lei era davvero preoccupata e ha pensato di tagliare la corda. Comunque oggi ne ho parlato con Herb. Lo informerò dei nuovi sviluppi.»

Per cena Myles si accontentò di frutta, cracker e un bicchiere di Perrier. Mentre mangiava, tentando al tempo stesso di concentrarsi sulla lettura della rivista *Time,* si accorse di sentirsi a disagio per avere affrontato con tanta noncuranza le ansie di Neeve per Ethel Lambston.

Si versò un secondo bicchiere di Perrier e cercò di fare il punto della situazione e di capire il motivo del suo disagio. La telefonata minatoria, così come era stata riferita dal nipote, *non* suonava vera.

Neeve e Jack Campbell sedevano insieme nella sala da pranzo del *Carlyle*. D'impulso, prima di uscire lei si era tolta l'abito di maglia che aveva indossato per tutto il giorno sostituendolo con un altro, morbido e stampato a disegni multicolori. Jack aveva ordinato gli aperitivi, martini vodka con oliva per lui e champagne per Neeve. «Lei mi ricorda la canzone *Una ragazza graziosa è come una melodia*», le disse. «Oppure al giorno d'oggi non si usa più l'aggettivo grazioso? Preferirebbe che la definissi una donna attraente?»

«Accetto la canzone.»

«L'abito che indossa non è uno di quelli che erano in vetrina?»

«È un ottimo osservatore. Quando li ha visti?»

«Ieri sera. E non ci sono passato per caso. Il fatto è che mi sentivo terribilmente curioso.» Jack Campbell non sembrava per nulla a disagio nel rivelare quella circostanza.

Neeve, intanto, lo sbirciava con curiosità. Quella sera lui portava un abito blu scuro, una cravatta di Hermès che riprendeva la stessa tonalità di blu, camicia fatta su misura e semplici gemelli d'oro.

«Superato l'esame?» domandò lui.

Neeve sorrise. «Sono pochi gli uomini che riescono ad abbinare nel modo giusto il vestito e la cravatta. Sono anni che scelgo personalmente quelle di mio padre.»

Arrivò il cameriere con gli aperitivi e Jack aspettò che se ne fosse andato prima di riprendere. «Mi piacerebbe saperne un po' di più sul suo conto. E per cominciare, da dove viene il nome Neeve?»

«È celtico. In realtà la grafia originale è N-I-A-M-H e si pronuncia 'Neeve'. Da molto tempo ho rinunciato a cercare di spiegare la differenza, così quando ho aperto il negozio mi sono limitata a usare il nome così come si pronuncia. La stupirebbe sapere quanto tempo ho risparmiato, per non parlare della frustrazione di sentirsi chiamare Nim-ah.»

«E chi era la Neeve originale?»

«Una dea. Alcuni sostengono che l'esatta traduzione è 'stella del mattino'. Secondo la mia leggenda preferita, scese sulla terra per prendere l'uomo che desiderava. Per molto tempo furono felici, poi lui manifestò il desiderio di tornare a visitare la terra. Ma c'era un problema: nell'attimo stesso in cui i suoi piedi avessero toccato il terreno, sarebbe tornato ad avere la sua età effettiva. Può immaginare da solo il resto. Cadde dal cavallo, e la povera Niamh lasciò lì quel mucchietto di ossa e se ne tornò in cielo.»

«È questo che fa ai suoi ammiratori?»

Risero tutti e due. A Neeve sembrava che per tacito accordo avessero deciso di rimandare il discorso su Ethel. Lei aveva parlato a Eugenia della telefonata minatoria e, stranamente, l'amica l'aveva trovata rassicurante. «Se Ethel ha ricevuto una telefonata come quella, è normale che abbia deciso di filarsela per dare il tempo alla situazione di calmarsi. Hai detto a suo nipote di riferire tutto alla polizia e adesso non puoi fare nient'altro. Sono pronta a scommettere che la buona vecchia Ethel se ne sta rintanata in qualche stazione termale.»

Neeve si era sforzata di crederci, e mentre sorseggiava lo champagne e sorrideva a Jack Campbell, scacciò risolutamente Ethel dai suoi pensieri.

Mangiando una *rémoulade* di sedani, si raccontarono la loro infanzia. Il padre di Jack era pediatra e lui era cresciuto in un quartiere periferico di Omaha. Aveva una sorella più grande che viveva vicino ai genitori. «Tina ha cinque bambini. Le notti sono fredde nel Nebraska.» In estate, durante gli anni del liceo, lui aveva lavorato presso una libreria e il mondo dell'editoria lo aveva affascinato. «Così, dopo la Northwestern, sono andato a Chicago a vendere testi universitari. Un'impresa sufficiente a mettere a dura prova la risolutezza di chiunque. Parte del lavoro consisteva nello stabilire se i docenti a cui vendevi i testi avevano anche in mente di *scriverne* uno. Ricordo una donna che mi ossessionò con la sua autobiografia. Alla fine le dissi: 'Signora, guardiamo in faccia la realtà. Lei ha avuto una vita terribilmente noiosa'. E quella andò a protestare con il mio capo.»

«Perse il lavoro?» chiese Neeve.

«No. Mi fecero passare in redazione.»

Ascoltandolo, Neeve si guardava intorno. Le piaceva la

raffinata eleganza dell'ambiente; le porcellane delicate, l'argenteria e le splendide tovaglie di damasco; le composizioni floreali; le piaceva il mormorio di voci che arrivava dagli altri tavoli. Si sentiva incredibilmente, assurdamente felice. Davanti a un piatto di sella di agnello, gli parlò di sé. «Mio padre ha combattuto con le unghie e con i denti per convincermi a iscrivermi a un'università lontana, ma a me piaceva stare a casa. Ho frequentato la Mount St. Vincent, poi ho trascorso un trimestre in Inghilterra a Oxford e quindi un anno all'università di Perugia. In estate, dopo la scuola, lavoravo nei negozi di abbigliamento, e devo dire che ho sempre saputo quello che volevo fare. La mia idea del divertimento era andare a una sfilata di moda. Lo zio Sal è stato fantastico con me. Dopo la morte di mia madre, prese l'abitudine di mandare una macchina a prendermi ogni volta che presentava una collezione.»

«E per svagarsi che cosa fa?» chiese Jack.

La domanda aveva un tono troppo indifferente e Neeve sorrise, consapevole del vero significato. «Per quattro o cinque estati ho diviso una casa negli Hamptons», gli raccontò. «È stato divertentissimo. Ma l'anno scorso non sono andata, Myles era troppo ammalato. D'inverno vado a sciare a Vail per un paio di settimane. Ci sono stata in febbraio.»

«Con chi?»

«Sempre con la mia migliore amica, Julie. E con altre persone, che cambiano di volta in volta.»

«E per quanto riguarda gli uomini?» domandò lui con franchezza.

Neeve rise. «Quando parla così mi ricorda Myles. Sono sicura che non sarà completamente felice finché non avrà interpretato anche il ruolo del padre della sposa. Certo, sono uscita parecchio e durante gli anni di università sono uscita praticamente sempre con la stessa persona.»

«Che cos'è successo poi?»

«Lui è andato a Harvard per la specializzazione e io mi sono dedicata alla boutique. Abbiamo semplicemente preso strade diverse. Si chiamava Jeff. Poi c'è stato Richard. Una persona davvero molto cara. Ma finì con l'accettare un lavoro nel Wisconsin e io sapevo che per nulla al mondo avrei potuto lasciare la Grande Mela per sempre, quindi evidentemente non si trattava di vero amore.» Cominciò a ridere. «Poi, un paio di anni fa sono andata ancora vicinissimo a trovarmi fidanzata. Lui era Gene. Abbiamo rotto a una festa di beneficenza sull'*Intrepid*.»

«La nave?»

«Uh-uh. È attraccata sull'Hudson all'altezza della Cinquantaseiesima Ovest. Comunque, ricordo che il party si tenne durante il fine settimana del Labor Day: abito da sera e un sacco di gente. I soliti invitati abituali che conoscevo per il novanta per cento. Gene e io fummo separati dalla folla, ma non me ne preoccupai particolarmente. Pensavo che prima o poi ci saremmo ritrovati. Ma quando successe, lui era furioso. Era dell'avviso che avrei dovuto sforzarmi di cercarlo. In quel momento ho conosciuto un aspetto di lui con cui non mi sarebbe piaciuto affatto vivere.» Si strinse nelle spalle. «La verità pura e semplice è che non credo che nessuno andasse bene per me.»

«Fino a questo momento», disse Jack sorridendo. «Sto cominciando a pensare che lei sia *davvero* la leggendaria Neeve che si lascia dietro i suoi ammiratori e cavalca via. Non mi ha esattamente martellato di domande sul mio conto, ma voglio parlargliene lo stesso. Sono anch'io un buon sciatore. In questi ultimi due anni ho trascorso le vacanze natalizie ad Arosa. Ho in progetto di cercare una casa al mare e di prendere una barca a vela. Forse non sarebbe una cattiva idea se mi mostrasse gli Hamptons. Come lei, anch'io sono andato vicino a sistemarmi un paio di volte e anzi, quattro anni fa mi sono fidanzato a tutti gli effetti.»

«Adesso è il mio turno di chiedere: che cosa successe?» disse Neeve.

Jack si strinse nelle spalle.

«Non appena ebbe il brillante al dito divenne incredibilmente possessiva, e io mi resi conto che molto presto mi sarei trovato senza spazio per respirare. Ho sempre pensato che il consiglio di Kahlil Gibran riguardo al matrimonio sia giustissimo.»

«Qualcosa del tipo 'I pilastri del tempio si ergono distanti tra loro'?» chiese Neeve.

Fu ricompensata dall'espressione divertita e al tempo stesso ammirata di lui. «Proprio così.»

Solo dopo avere gustato i lamponi e bevuto il caffè, parlarono di Ethel. Neeve riferì a Jack della telefonata di Douglas e della possibilità che Ethel si stesse nascondendo. «Mio padre si è messo in contatto con la polizia; farà in modo che rintraccino l'autore delle minacce. E, francamente, credo proprio che Ethel dovrebbe lasciare respirare quel poveraccio. È disgustoso pensare ai soldi che gli ha estorto in tutti questi anni. Ha bisogno dei suoi alimenti come di un buco in testa.»

Quando Jack tirò fuori la sua copia dell'articolo, Neeve lo informò di averlo già letto. «Lo definirebbe scandaloso?» volle allora sapere lui.

«No. Buffo, piuttosto, e sarcastico e maligno, e certo molto leggibile e potenzialmente diffamatorio. Ma non dice nulla che nel settore non sappiano già tutti. Non so come reagirà lo zio Sal; ma conoscendolo, credo che troverà il modo di vantarsi del fatto che sua madre vendesse frutta per la strada. È di Gordon Steuber che mi preoccuperei. Ho la sensazione che quell'uomo potrebbe essere molto malvagio. Quanto agli altri stilisti a cui Ethel ha dato addosso, chi può dirlo? Tutti sanno che, tranne un paio di eccezioni, non sanno neppure tirare una linea diritta. Semplicemente trovano eccitante giocare a lavorare.»

Jack annuì. «Un'altra domanda. Crede che in questo articolo ci sia del materiale potenziale per un libro esplosivo?»

«No. Neppure Ethel potrebbe ricavarne tanto.»

«Con l'articolo ho ricevuto anche le annotazioni private di Ethel, ma non ho ancora avuto il tempo di esaminarle.» Jack chiamò il cameriere per chiedere il conto.

Sul marciapiede di fronte al *Carlyle,* Denny era in attesa. Sarebbe stata un'attesa lunga e lo sapeva. Aveva seguito

Neeve lungo Madison Avenue fino all'hotel, ma non aveva avuto la minima possibilità di avvicinarla. Troppa gente. Gente importante di ritorno a casa dal lavoro. Anche se fosse stato in grado di liquidarla, il rischio di farsi individuare era troppo alto. La sua unica speranza era che Neeve uscisse da sola per raggiungere a piedi la fermata dell'autobus, o magari camminare fino a casa. Ma quando la rivide era con un uomo e avevano preso un taxi insieme.

La frustrazione gli alterò i lineamenti sotto le macchie di sporco che lo rendevano identico agli altri ubriaconi della zona. Se il maltempo continuava, lei avrebbe viaggiato sempre in taxi, e durante il fine settimana lui doveva lavorare. In nessun modo poteva rischiare di attirare su di sé l'attenzione non presentandosi al lavoro. Così non poteva fare altro che aggirarsi intorno a casa sua di mattino presto, nella speranza che andasse a fare spese o jogging, e poi il pomeriggio dopo le sei.

Ma restava il lunedì. E il quartiere dell'abbigliamento. Denny se lo sentiva nelle ossa che sarebbe stata quella la sua occasione. Si infilò nell'atrio di un portone, si tolse di dosso il lacero cappotto, si pulì faccia e mani con un asciugamano, infilò i suoi stracci nella solita borsa di plastica e si diresse verso un bar della Terza Avenue. Le sue viscere reclamavano urgentemente un whisky con birra.

Erano le dieci quando il taxi si fermò davanti alla Schwab House. «Di sicuro mio padre si starà facendo il bicchierino della staffa», disse Neeve a Jack. «Le interessa?»

Dieci minuti dopo erano nello studio e sorseggiavano brandy. Neeve tuttavia aveva capito subito che qualcosa non andava; c'era un'espressione preoccupata negli occhi di Myles, sebbene stesse chiacchierando animatamente con Jack. Intuiva che voleva dirle qualcosa, ma che l'avrebbe fatto solo quando fossero stati soli.

Jack stava raccontando a Myles il suo incontro con Neeve di sei anni prima. «Se n'è andata così in fretta che non ho avuto neppure il tempo di chiederle il numero di telefono.

Poi mi viene a raccontare di aver perso la coincidenza.»

«Questo posso confermarlo io», rise Myles. «L'ho aspettata quattro ore all'aeroporto, quel giorno.»

«Devo dire che mi ha fatto enormemente piacere quando mi ha avvicinato al cocktail party, l'altro giorno, per chiedermi di Ethel Lambston. Da quanto Neeve mi ha detto, Ethel non è una delle sue persone preferite, signor Kearny.»

L'improvviso mutamento nell'espressione del padre fece trasalire Neeve.

«Jack», disse lui, «prima o poi imparerò a prestare fede alle intuizioni di Neeve.» Si voltò verso la figlia. «Un paio di ore fa ha telefonato Herb. È stato trovato un cadavere che rispondeva alla descrizione di Ethel nel Morrison State Park della contea di Rockland. Sono andati a prendere suo nipote e lui l'ha identificata.»

«Che cosa le è successo?» bisbigliò Neeve.

«Le hanno tagliato la gola.»

Lei serrò gli occhi. «*Sapevo* che qualcosa non andava. Lo sapevo!»

«E avevi ragione. Ma hanno già un indiziato, a quanto pare. Quando la vicina del piano di sopra ha visto l'autopattuglia, è corsa giù e ha raccontato che Ethel aveva avuto un litigio feroce con il suo ex marito, giovedì scorso. Apparentemente da allora nessuno l'ha più vista, e venerdì non si è presentata agli appuntamenti che aveva con te e con il nipote.»

Myles vuotò il bicchiere e si alzò per riempirlo di nuovo. «Di solito non ne bevo mai più di uno, ma domattina i ragazzi della squadra omicidi del ventesimo distretto vogliono parlare con te. E l'ufficio del procuratore distrettuale della contea di Rockland vorrebbe che tu andassi a dare un'occhiata ai vestiti che Ethel indossava. Il fatto è che sanno che il corpo è stato trasportato dopo la morte. Ho detto a Herb di come ti eri accorta che non mancava nessuno dei suoi cappotti e che era solita comprare tutti gli abiti da te. Dal vestito che aveva addosso al momento della morte è stata strappata l'etichetta. Vogliono che tu lo veda per confermare se è uno dei tuoi. Maledizione, Neeve», proruppe poi, «non mi piace affatto l'idea di saperti testimone in un caso di omicidio.»

Jack Campbell allungò il bicchiere per farselo riempire. «Neanche a me», disse in tono tranquillo.

9

A un certo punto, durante la notte, il vento era cambiato e le nuvole basse erano state trascinate verso l'Atlantico. Il sabato spuntò pieno di sole, ma l'aria era ancora insolitamente fredda; secondo il bollettino meteorologico della CBS i banchi di nuvole sarebbero tornati e nel pomeriggio si prevedeva addirittura una nevicata. Quella mattina Neeve saltò letteralmente giù dal letto. Aveva un appuntamento alle sette e mezzo con Jack per fare jogging.

Infilò una tuta, le Reebok e si legò i capelli a coda di cavallo. Myles, che era già in cucina, si accigliò quando la vide.

«Non mi piace che tu vada a fare jogging da sola a quest'ora.»

«Non sarò sola.»

Lui sembrò sorpreso. «Capisco. Le cose si muovono in fretta, eh? Quel ragazzo mi piace, sai.»

Neeve si versò un bicchiere di succo d'arancia. «Adesso non metterti a fare castelli in aria. Ti piaceva anche l'agente di cambio.»

«Non ho mai detto che mi piaceva, solo che mi sembrava un tipo rispettabile. C'è una certa differenza.» Poi Myles si fece serio. «Neeve, stavo pensando... sarebbe preferibile che tu andassi alla contea di Rockland a parlare con gli agenti della zona prima di incontrarti con i nostri ragazzi. Se hai ragione tu, i vestiti che Ethel Lambston indossava vengono dal tuo negozio, e questa è la prima cosa che possiamo stabilire. Dopo, potresti passare al setaccio il suo armadio e stabilire con esattezza che altro manca. Sappiamo che tutto sembra indicare l'ex marito, ma non si può mai essere sicuri.»

Suonò il citofono. Era Jack. «Scendo subito», lo salutò Neeve.

«A che ora vuoi andare alla contea di Rockland?» chiese poi a Myles. «Non vorrei trascurare il negozio per tutto il giorno.»

«Nel pomeriggio andrà benissimo.» E vedendo la sua espressione sorpresa, aggiunse: «Canale Undici trasmette in diretta il funerale di Nicky Sepetti. Non me lo perderei per nulla al mondo».

Denny si era piazzato al suo posto d'osservazione alle sette. Alle sette e ventinove vide un tizio alto in tuta entrare nella Schwab House e pochi minuti dopo Neeve Kearny emergerne con lui. Cominciarono a correre verso il parco e Denny imprecò tra i denti. Se solo fosse stata sola! Era già passato per il parco, che a quell'ora era quasi deserto. Certo non avrebbe avuto problemi a liquidarla lì. Tastò la pistola che aveva in tasca. La sera prima, quando era tornato al suo albergo, aveva trovato Big Charley ad aspettarlo in strada. Charley aveva abbassato il finestrino dell'auto e gli aveva teso un sacchetto di carta marrone. Denny l'aveva preso e subito aveva sentito sotto le dita i contorni dell'arma.

«La Kearny sta cominciando a creare guai grossi», gli aveva detto Big Charley. «Adesso non è più importante farlo sembrare un incidente. Basta che tu la faccia fuori.»

E ora Denny era tentato di seguirli nel parco, di liquidarli tutti e due. Ma forse questo a Big Charley non sarebbe piaciuto.

Si mosse nella direzione opposta. Quel giorno si era infilato un maglione sformato che gli arrivava alle ginocchia, un paio di logori pantaloni color cachi, sandali di cuoio e un berretto di lana che un tempo era stato giallo. Aveva messo anche una parrucca grigia e ciocche di capelli unti gli si erano appiccicate sulla fronte. Sembrava in tutto e per tutto un tossicomane con il cervello in pappa. In quell'altra tenuta assomigliava a un ubriacone: nessuno si sarebbe così ricordato che un tizio in particolare si era aggirato intorno all'abitazione di Neeve Kearny.

Mentre infilava una moneta nella fessura del tornello della stazione metropolitana della Settantaduesima, Denny pensò: Dovrei caricare a Big Charley anche la spesa dei camuffamenti.

Neeve e Jack entrarono nel parco all'altezza della Settantanovesima e cominciarono a correre con ritmo regolare prima verso la zona est del parco, poi verso nord. Mentre si avvicinavano al Metropolitan, Neeve istintivamente cominciò a tagliare nuovamente a ovest. Non voleva oltrepassare il luogo in cui sua madre era morta. Ma intercettando l'occhiata perplessa di Jack, disse: «Scusa, fai pure strada tu».

Si sforzò di tenere gli occhi fissi davanti a sé, ma non riuscì a resistere alla tentazione di lanciare un'occhiata al di là degli alberi ancora nudi. *Quel giorno la mamma non era andata a prenderla a scuola. La direttrice, suor Maria, l'aveva fatta aspettare nel suo ufficio, suggerendole di cominciare a fare i compiti. Erano quasi le cinque quando era arrivato Myles e ormai lei aveva già capito che qualcosa non andava. La mamma non ritardava mai.*

Nell'attimo stesso in cui aveva alzato gli occhi e aveva visto Myles davanti a sé, gli occhi cerchiati di rosso e un'espressione di angoscia e di pietà sul viso, aveva compreso. Gli aveva teso le braccia. «La mia mamma è morta?»

«Povera piccola», aveva sussurrato Myles, sollevandola e stringendola a sé. «Povera, piccola bambina.»

Neeve sentì le lacrime inumidirle gli occhi. Aumentò di scatto la velocità, oltrepassando il tranquillo vialetto e l'ala del Metropolitan che ospitava la collezione egizia. Aveva quasi raggiunto lo specchio d'acqua centrale del parco quando finalmente rallentò.

Jack, che aveva mantenuto il suo ritmo, la prese per il braccio. «Neeve.» La sua era una domanda. Mentre deviavano verso ovest e poi verso sud, riducendo gradualmente l'andatura fino a una camminata veloce, lei gli raccontò di Renata.

Uscirono dal parco sulla Settantanovesima e percorsero i pochi isolati che li separavano dalla Schwab House camminando a fianco a fianco, le dita intrecciate.

Ruth seppe della morte di Ethel il sabato mattina alle sette, quando accese la radio. A mezzanotte aveva preso un sonnifero che l'aveva fatta piombare in un sonno pesante, popolato da incubi che ora ricordava appena. Seamus in stato d'arresto. Seamus in un'aula di tribunale. Quel demonio di Ethel che testimoniava contro di lui. Anni prima Ruth aveva lavorato in uno studio legale e aveva una certa conoscenza delle imputazioni che avrebbero potuto essere elevate contro suo marito.

Ma, mentre ascoltava il giornale radio e posava la tazza con la mano che tremava, si rese conto di doverne aggiungere un'altra: *omicidio.*

Con uno scatto spinse indietro la sedia e corse in camera da letto, dove Seamus stava alzandosi. Scuoteva la testa passandosi la mano sulla faccia, in un suo tipico gesto che aveva sempre avuto il potere di irritarla.

«L'hai *uccisa*!» urlò. «Come posso aiutarti se non ti decidi a dirmi tutta la verità?»

«Ma di che cosa stai parlando?»

Lei accese la radio. Ora il cronista stava raccontando come e dove Ethel era stata trovata. «Per anni hai portato le ragazze a fare picnic in quel parco», pianse Ruth. «Conosci quel posto come il palmo della tua mano. *E ora dimmi la verità! L'hai pugnalata?*»

Un'ora dopo, paralizzato dal terrore, Seamus usciva per

andare al pub. Il cadavere di Ethel era stato trovato. La polizia sarebbe venuta a cercarlo.

Brian, il barman del turno di giorno, era stato costretto a un doppio turno e per mostrare la sua irritazione aveva lasciato il locale sporco e in disordine. Il ragazzino vietnamita che si occupava della cucina era già lì. A lui almeno non mancava la voglia di lavorare. «È sicuro di avere fatto bene a venire, signor Lambston?» gli chiese. «Sembra proprio malato.»

Seamus si sforzò di ricordare le raccomandazioni di Ruth. *«Di' che hai un po' di influenza. Non ti capita mai di non presentarti al lavoro. Devono credere che ieri sei stato davvero molto male, che eri ammalato anche durante il fine settimana. Devono credere che non sei mai uscito di casa in quei giorni. Hai parlato con qualcuno? Qualcuno ti ha visto? Di sicuro quella vicina racconterà che sei stato lì almeno due volte, la settimana scorsa.»*

«Questi maledetti bacilli non vogliono lasciarmi in pace», borbottò. «Ieri è stato brutto, ma durante il fine settimana ero *a pezzi.*»

Ruth telefonò alle dieci. Come un bambino, lui ascoltò le sue parole e le ripeté una per una.

Aprì il pub alle undici e a mezzogiorno i vecchi clienti che rimanevano ancora cominciarono ad arrivare. «Seamus», tuonò uno di loro, la faccia gioviale increspata in un sorriso, «è triste per la povera Ethel, ma è fantastico che tu sia finalmente libero dal cappio degli alimenti. Questo giro lo paga la casa?»

Alle due, poco dopo che la relativa animazione dell'ora di pranzo si era esaurita, entrarono due uomini. Uno era sulla cinquantina, robusto e con il viso rubizzo, identificabile a un chilometro di distanza come un poliziotto. Il suo compagno era uno snello sudamericano prossimo alla trentina. Si identificarono come gli agenti O'Brien e Gomez del ventesimo distretto.

«Signor Lambston», cominciò O'Brien, «è già al corrente che la sua ex moglie, Ethel Lambston, è stata trovata nel Morrison State Park e che è stata vittima di un omicidio?»

166

Seamus si afferrò al bordo del bancone con tanta forza che le nocche gli si sbiancarono. Annuì, incapace di parlare.

«Le spiacerebbe venire con noi alla stazione di polizia?» chiese ancora O'Brien. Poi si schiarì la gola. «Vorremmo discutere un paio di cose con lei.»

Appena Seamus fu uscito per andare al pub, Ruth compose il numero di Ethel Lambston. Il ricevitore venne sollevato, ma nessuno parlò, e alla fine lei disse: «Vorrei parlare con il nipote di Ethel Lambston, Douglas Brown. Sono Ruth Lambston».

«Che cosa vuole?» Era la voce di lui, Ruth la riconobbe.

«Devo vederla. Arrivo tra poco.»

Dieci minuti dopo un taxi la depositava davanti all'appartamento di Ethel. Mentre scendeva e pagava il tassista, Ruth guardò in alto e scorse un movimento a una finestra del quarto piano. La vicina di Ethel non si lasciava sfuggire nulla.

Douglas Brown la stava aspettando. Vedendola, aprì la porta e si tirò da parte per farla entrare. L'appartamento era ancora insolitamente ordinato, ma a Ruth non sfuggì il leggero stato di polvere depositatosi sul tavolo. A New York bisognava spolverare tutti i giorni.

Poi, incredula che un pensiero simile potesse esserle passato per la testa in un momento come quello, andò a piazzarsi davanti a Douglas, prendendo nota del suo costoso accappatoio e del pigiama di seta che indossava. Douglas aveva gli occhi gonfi, come se avesse bevuto. Aveva un viso dai tratti regolari che sarebbe stato bello, se solo fossero stati più decisi, ma che a Ruth ricordavano le sculture di sabbia dei bambini, quelle che il vento e la marea spazzano via in pochi secondi.

«Che cosa vuole?» domandò lui.

«Non ho intenzione di sprecare il suo tempo e neppure il mio dicendole che sono addolorata per la morte di Ethel. Voglio la lettera che Seamus le ha scritto e voglio che al suo

167

posto lei metta questo.» Tese la mano, porgendogli una busta aperta. Esaminandola, Douglas vide che conteneva un assegno con l'esatto importo degli alimenti mensili datato 5 aprile.

«Si può sapere che razza di storia sta cercando di mettere in piedi?»

«Proprio nessuna storia. Le sto proponendo uno scambio equo. Mi dia la lettera che Seamus ha scritto a Ethel e mi ascolti bene. Il motivo per cui Seamus è venuto qui mercoledì era la consegna dell'assegno. Ethel non era a casa e lui è tornato giovedì perché temeva di non essere riuscito a infilare bene la busta nella sua cassetta della posta. Sapeva che lei non avrebbe esitato a trascinarlo in tribunale se non l'avesse trovata.»

«E perché dovrei farlo?»

«Perché l'anno scorso Seamus chiese a Ethel a chi pensava di lasciare tutto il suo denaro, ecco perché. Ethel rispose che non aveva scelta... lei era il suo unico parente. Ma la settimana scorsa ha rivelato a mio marito che lei la predava sistematicamente e che aveva intenzione di modificare il testamento.»

Lo guardò sbiancare di colpo. «Sta mentendo.»

«Io?» ironizzò Ruth. «Le sto semplicemente dando una possibilità. Lei deve fare altrettanto con Seamus. Noi terremo la bocca chiusa e non diremo che lei è un ladro, e lei tacerà sulla lettera.»

Douglas cominciava a provare una riluttante ammirazione per quella donna ferma e determinata che gli stava davanti, la borsetta ficcata sotto il braccio, il soprabito buono per tutte le stagioni, le scarpe comode, gli occhiali senza montatura che le ingrandivano esageratamente gli occhi di un azzurro sbiadito, la bocca sottile e rigida. Capì che non stava bluffando.

Sollevò gli occhi verso il soffitto. «Mi sembra che abbia dimenticato che la chiacchierona al piano di sopra dirà a tutti quelli disposti ad ascoltarla che Seamus ed Ethel hanno litigato di brutto il giorno prima che lei non si presentasse ai suoi appuntamenti.»

168

«Ho già parlato con quella donna e non è in grado di riportare con esattezza una sola parola. Può soltanto sostenere di avere sentito gridare, e Seamus parla sempre a voce molto alta. Quanto a Ethel, le bastava aprire la bocca per mettersi a strillare.»

«A quanto pare ha pensato a tutto», commentò Doug. «Vado a prendere la lettera.»

E si diresse in camera da letto. Ruth si avvicinò senza far rumore alla scrivania. Sotto il mucchio di corrispondenza riuscì a intravedere l'impugnatura rossa e oro del pugnale che Seamus le aveva descritto. Lo afferrò e lo fece sparire nella borsa. Era solo la sua immaginazione, o il metallo era appiccicoso?

Quando Douglas tornò portando la lettera di Seamus, Ruth si limitò a darle una rapida occhiata prima di infilarla nella borsetta. Poi, sul punto di congedarsi, tese la mano al giovane. «Mi ha addolorata molto sapere della morte di sua zia, signor Brown», disse. «Seamus mi ha chiesto di esternarle tutta la sua simpatia. Nonostante le divergenze esistenti tra loro, c'è stato un tempo in cui si sono apprezzati e amati, e sono quelli i momenti che lui ricorderà.»

«In altre parole», osservò Douglas con voce gelida, «per la polizia sarà questo il motivo ufficiale della sua visita.»

«Infatti», assentì Ruth. «Quello ufficioso è che se lei tiene fede al patto, né Seamus né io accenneremo mai alla polizia che sua zia contava di diseredarla.»

Ruth tornò a casa e con un fervore quasi religioso cominciò a pulire l'appartamento. Le pareti furono lavate, le tende tirate giù e messe a mollo nella vasca da bagno. Passò puntigliosamente con l'aspirapolvere, vecchio di ventun anni e ormai del tutto inefficace, il logoro tappeto.

Ma, pur lavorando, la ossessionava la consapevolezza di doversi liberare del pugnale.

Aveva già esaminato e scartato tutti i nascondigli più ovvi. L'inceneritore? La polizia avrebbe potuto decidere di dare un'occhiata tra i rifiuti. E non voleva gettarlo in un bidone

169

per strada. Forse la stavano seguendo e un poliziotto lo avrebbe recuperato.

Alle dieci telefonò a Seamus e provò con lui le risposte alle eventuali domande che gli avrebbero fatto.

Non poteva rimandare oltre. Doveva decidere che cosa fare del pugnale. Lo prese dalla borsa, lo passò sotto l'acqua bollente e lo strofinò con un prodotto per lucidare l'ottone. Ma anche così continuava a sembrarle appiccicoso... appiccicoso del sangue di Ethel.

Non riusciva a provare la minima pietà per l'uccisa. La sola cosa che contasse era di preservare un futuro incontaminato per le ragazze.

Fissò con odio l'arma che ora sembrava nuova di zecca. Uno di quegli insulsi oggetti d'artigianato indiano, con la lama affilata come un rasoio, l'impugnatura elaborata e abbellita da un intricato disegno rosso e oro. Probabilmente costoso.

Nuovo di zecca.

Ma naturalmente. Così semplice. Così facile. Ora sapeva con esattezza dove nasconderlo.

Alle dodici, Ruth entrò da Prahm and Singh, il negozio di artigianato indiano sulla Sesta Strada. Gironzolò per il negozio, fermandosi ai vari banchi ed esaminando attentamente i cesti di fronzoli. Alla fine trovò quello che stava cercando, un grosso cesto pieno di tagliacarte, le cui impugnature erano solo copie da poco prezzo di quella dell'arma antica di Ethel. Oziosamente ne prese uno in mano. Come ricordava, era molto simile a quello che aveva con sé, anche se di qualità molto inferiore.

Dalla borsa estrasse il pugnale di Ethel e lo lasciò cadere nella cesta, in cui poi rovistò a lungo finché non fu certa che fosse finito in fondo alla pila.

«Posso esserle d'aiuto?» le chiese una commessa.

Colta di sorpresa, Ruth alzò gli occhi. «Oh... sì. Stavo giusto... In realtà volevo vedere dei sottobicchieri.»

«Nel corridoio tre. Venga, le faccio vedere.»

All'una Ruth era di nuovo a casa e mentre si preparava una tazza di tè aspettava che il cuore smettesse di martellarle in petto. Lì nessuno lo troverà, assicurò a se stessa. Mai, mai...

Dopo che Neeve fu uscita per andare a lavorare, Myles si versò una seconda tazza di caffè e rifletté sul fatto che Jack Campbell li avrebbe accompagnati nella contea di Rockland. Aveva provato una simpatia immediata per Jack e con una punta di autoironia ricordò come per anni avesse sollecitato Neeve a non credere al mito dell'amore a prima vista. Mio Dio, pensò, è possibile che, dopotutto, il fulmine cada due volte nello stesso punto?

Alle dieci meno un quarto si sistemò sulla sua poltrona di pelle e seguì alla televisione lo sfarzoso funerale di Nicky Sepetti. Delle auto cariche di fiori, tre delle quali traboccavano letteralmente di costose composizioni, precedevano il carro funebre diretto alla chiesa di Santa Camilla. Una schiera di limousine prese a nolo trasportava i dolenti e quelli che fingevano di sentirsi tali. Myles sapeva che alle esequie erano presenti l'FBI, gli uomini dell'ufficio del procuratore generale e gli agenti della squadra antiracket, tutti occupati a prendere nota dei numeri di targa delle auto private e a fotografare la gente che affluiva in chiesa.

La vedova di Nicky era accompagnata da un uomo tarchiato sulla quarantina e da una donna più giovane avvolta in un mantello nero con cappuccio che le nascondeva quasi completamente il viso. Tutti e tre portavano occhiali scuri. I figli non vogliono essere riconosciuti, concluse Myles. Sapeva che entrambi avevano preso le distanze dal mondo di Nicky. Ragazzi in gamba.

Le riprese continuarono anche all'interno della chiesa. Myles abbassò il volume e, senza staccare gli occhi dal video, andò al telefono. Herb era in ufficio.

«Hai visto il *News* e il *Post*?» gli chiese quest'ultimo. «Stanno dando un sacco di spazio all'omicidio di Ethel Lambston.»

«Li ho visti.»

«Quanto a noi, ci stiamo ancora concentrando sull'ex

marito. Vedremo che cosa salta fuori dalla perquisizione dell'appartamento di lei. Non è escluso che quel litigio di giovedì scorso di cui ci ha parlato la vicina sia culminato con l'omicidio. D'altro canto, non è da escludere che lui l'abbia spaventata al punto da indurla a lasciare la città, per poi seguirla. Myles, tu mi hai insegnato che un assassino lascia sempre il suo biglietto da visita. Lo troveremo anche questa volta.»

Stabilirono che Neeve si sarebbe incontrata con gli agenti della omicidi del ventesimo distretto la domenica pomeriggio a casa di Ethel. «Chiamami se salta fuori qualcosa d'interessante alla contea di Rockland», disse poi Herb. «Il sindaco vuole annunciare al più presto che il caso è risolto.»

«Che novità», commentò Myles, asciutto. «Ci sentiamo, Herb.»

Alzò il volume del televisore e rimase a guardare mentre il sacerdote benediceva le spoglie di Nicky Sepetti. La bara fu portata fuori della chiesa mentre il coro intonava: *Non temere.* Myles ascoltò le parole dell'inno. «Non temere, io sono con te per sempre». *Tu* sei stato con me giorno e notte per diciassette anni, figlio di puttana, pensò mentre i portatori ripiegavano il manto funebre che copriva la bara e si issavano sulle spalle la pesante cassa di mogano. Forse, quando sarò sicuro che stai marcendo sottoterra, mi sentirò finalmente libero.

La vedova di Nicky era già in fondo ai gradini della chiesa quando bruscamente si voltò e, allontanatasi dai figli, si avvicinò a uno dei commentatori televisivi. La telecamera inquadrò il suo viso, un viso stanco e rassegnato, mentre lei diceva: «Ho una dichiarazione da fare. Molta gente non approvava gli affari di mio marito, ma ora è morto e che possa riposare in pace. Fu *mandato* in prigione per quelle sue attività, ma fu *tenuto* in prigione molto più a lungo di quanto avrebbe dovuto per un crimine che *non* ha commesso. Sul suo letto di morte, Nicky mi ha giurato che non ha avuto alcuna parte nell'omicidio della moglie del comandante della polizia Kearny. Pensate di lui quello che volete, ma non giudicatelo la persona responsabile di quella morte».

172

Un fuoco di fila di domande destinate a restare senza risposta la seguì mentre si affrettava a tornare dai figli. Myles spense il televisore con un gesto brusco. Bugiardo fino alla fine, pensò. Ma mentre si annodava al collo la cravatta con movimenti abili e veloci, si rese conto che per la prima volta nella sua mente germogliava il dubbio.

Appena appreso che il cadavere di Ethel Lambston era stato ritrovato, Gordon Steuber si lanciò in un vortice di attività. Ordinò che gli ultimi laboratori illegali che gli restavano a Long Island City venissero smobilitati e i lavoratori clandestini diffidati dal parlare con la polizia. Telefonò poi in Corea per annullare una prevista spedizione di merce da parte di una delle sue fabbriche e, informato che il carico era già in aeroporto, scaraventò il telefono contro il muro in un gesto selvaggio di frustrazione. Poi, costringendosi a pensare con razionalità, tentò di valutare l'entità del danno. Quante prove aveva effettivamente in mano la Lambston e in che misura aveva bluffato? E soprattutto, come poteva cavarsela dal pasticcio creato da quell'articolo?

Sebbene fosse sabato, May Evans, la sua segretaria, era andata in ufficio per portarsi in pari con il lavoro di archivio. May era sposata con un ubriacone e aveva un figlio adolescente che finiva sempre nei guai; già sei o sette volte Gordon aveva pagato l'ammenda per tenerlo fuori dal riformatorio. Sapeva di poter contare sulla discrezione della sua collaboratrice. La chiamò nel suo ufficio.

Di nuovo calmo, la studiò con attenzione: la carnagione incartapecorita che si andava riempiendo di rughe, gli occhi tormentati, l'ansia di compiacere che trapelava da ogni suo gesto. «May», esordì, «probabilmente avrai saputo della tragica morte di Ethel Lambston.»

La donna annuì.

«May, Ethel è venuta qui una sera, circa dieci giorni fa?»

Lei lo guardò, alla ricerca di un'indicazione. «Vediamo... c'è stata una sera in cui ho lavorato fino a tardi e se n'erano andati tutti tranne lei. Quella sera mi è sembrato di vedere

173

Ethel entrare e lei che l'accompagnava all'uscita. Mi sbaglio?»

Gordon sorrise. «Ethel non è mai venuta qui, May.»

Lei annuì. «Capisco», disse. «Ha ricevuto la sua telefonata della settimana scorsa? Voglio dire, io pensavo che lei l'avesse presa e che dopo essersi terribilmente arrabbiato avesse interrotto la comunicazione.»

«Non ho mai ricevuto quella chiamata.» Gordon prese tra le sue la mano scarna di May e la strinse. «Quello che mi ricordo è che ho rifiutato di parlarle, rifiutato di vederla e che non avevo nessuna idea di quello che avrebbe potuto scrivere nel suo articolo.» May ritrasse la mano e indietreggiò verso la porta. Ciocche arruffate di capelli castano spento le circondavano il viso. «Capisco, signore», mormorò con voce quieta.

«Bene. Chiudi la porta quando esci.»

Come Myles, anche Anthony della Salva seguì per televisione il funerale di Nicky Sepetti. Sal occupava un attico nei pressi di Central Park Sud, al Trump Parc, il lussuoso condominio ristrutturato da Donald Trump per pochi privilegiati. L'attico, arredato da uno degli architetti d'interni più alla moda riprendendo i motivi del Pacific Reef, aveva una vista stupefacente su Central Park. Dopo avere divorziato dalla sua ultima moglie, Sal aveva deciso di restare a Manhattan. Basta con quelle noiose abitazioni a Westchester o nel Connecticut o alle Palisades. Amava la libertà di potere uscire a qualunque ora della notte e di trovare un buon ristorante aperto. Gli piacevano le prime serate a teatro e i party raffinati ed essere riconosciuto dalla gente che contava. «La periferia ai provinciali», era divenuto il suo motto.

Sal indossava uno dei suoi ultimi modelli, pantaloni in pelle di daino e giacca in tinta. Polsini e colletto verde scuro davano l'ultimo tocco al suo look sportivo. I critici della moda non erano stati gentili con le sue ultime due collezioni, ma seppure riluttanti avevano elogiato la linea maschile. Ovviamente, nel mondo degli stracci la vera celebrità era riservata agli stilisti che rivoluzionavano la moda femminile, e qualunque cosa i critici dicessero ora delle sue collezioni, continuavano a riferirsi a lui come a uno dei maggiori creatori di moda del Ventesimo secolo, l'ideatore del look Pacific Reef. Sal pensava al giorno di due mesi prima, quando Ethel Lambston era andata nel suo ufficio. Quella bocca che non stava mai ferma; la sua abitudine di parlare così in fretta. Ascoltarla parlare era come cercare di seguire delle cifre sul nastro di una telescrivente. A un certo punto lei aveva indicato il dipinto murale del Pacific Reef e aveva dichiarato: «Questo è genio».

«Anche una giornalista ficcanaso come te sa riconoscere la verità, Ethel», aveva ribattuto lui, poi erano scoppiati entrambi a ridere.

«Oh, via», lo aveva sollecitato la donna, «dacci un taglio e lascia perdere quelle stronzate sulla villa a Roma. Quello che voi gente comune non capite è che la nobiltà fasulla non è più di moda. Viviamo in un mondo di hamburger; adesso, è chi si è fatto dal nulla a essere veramente attuale. Ti sarà utile fare sapere alla gente che vieni dal Bronx.»

«Sulla Settima c'è gente che ha cose più importanti da nascondere del fatto di essere nati nel Bronx, Ethel. E io non me ne vergogno affatto.»

Sal guardò il feretro di Nicky Sepetti che veniva portato fuori della chiesa di Santa Camilla. Mi ha stufato, pensò, e stava per cambiare canale quando vide la vedova afferrare il microfono e dichiarare pubblicamente che Nicky non aveva niente a che vedere con la morte di Renata.

Per un po' Sal rimase seduto, le mani incrociate in grembo. Era certo che anche Myles avesse seguito il funerale in televisione e sapendo come doveva sentirsi adesso, decise di telefonargli. Fu un sollievo sentire la sua voce calma. Sì, aveva assistito allo spettacolo fuori programma, rispose.

«La mia ipotesi è che lui l'abbia fatto nella speranza che i suoi figli gli credessero», suggerì Sal.

«Sono entrambi sposati molto bene, e certo non desiderava che i nipoti sapessero che il suo ritratto era nei casellari della polizia con un bel numero sotto.»

175

«Questa è la risposta più ovvia», ribatté Myles. «Per quanto, se devo essere sincero, le mie ossa mi dicono che una confessione in punto di morte per salvarsi l'anima sarebbe più nello stile di Nicky.»

La sua voce si abbassò di qualche tono. «Devo andare. Presto arriverà Neeve. Ha ricevuto lo sgradevole compito di verificare se gli abiti indossati da Ethel venivano dal suo negozio.»

«Nel suo interesse, spero proprio di no», dichiarò Sal. «Non le serve quel genere di pubblicità. Dille che se non sta attenta, la gente comincerà a dire che non ha nessuna voglia di farsi trovare morta con i suoi vestiti addosso. E questo sarà sufficiente a infrangere il fascino della Bottega di Neeve.»

Alle tre, Jack Campbell era alla porta dell'appartamento 16B della Schwab House. Tornata dal negozio, Neeve si era tolta il suo Adele Simpson blu marino per indossare un maglione rosso e nero che le arrivava fino ai fianchi e un paio di pantaloni. L'effetto un po' arlecchinesco era accentuato dagli orecchini, ideati appositamente per quell'insieme: le maschere tipiche della commedia e della tragedia realizzate in onice e granati.

«Sua grazia, la scacchiera», fu l'asciutto commento di Myles mentre stringeva la mano a Jack.

Neeve si strinse nelle spalle. «Se proprio vuoi sapere la verità, quello che mi aspetta non mi piace affatto. Ma ho la sensazione che a Ethel farebbe piacere vedermi arrivare con un completo nuovo per discutere degli abiti che portava quando è stata uccisa. Ma per te è impossibile capire il piacere che le procurava la moda.»

Lo studio era rischiarato dagli ultimi, incerti raggi di sole. Per una volta il bollettino meteorologico ci aveva azzeccato e le nuvole si stavano di nuovo addensando sull'Hudson. Jack si guardò intorno, valutando alcune cose che la notte prima gli erano sfuggite. Il gradevole dipinto che raffigurava un paesaggio toscano appeso a sinistra del camino. La fotografia a nero di seppia di una bambina tra le braccia di una donna con i capelli scuri e il viso straordinariamente bello. Di certo la madre di Neeve. Si chiese che cosa si provasse a perdere la donna amata per colpa di un assassino. Intollerabile.

Notò che Neeve e suo padre si guardavano fronteggiandosi con la stessa, identica espressione. La somiglianza tra loro era così accentuata che avrebbe voluto sorridere. Intuiva che quella discussione era un argomento ricorrente tra loro e non aveva alcuna intenzione di farsi coinvolgere. Andò alla finestra, dove un libro palesemente danneggiato dall'acqua era esposto alla luce del sole.

Myles aveva preparato il caffè e lo stava versando nei graziosi boccali di porcellana di Tiffany. «Neeve, lascia che ti dica qualcosa», riprese. «La tua amica Ethel non può più spendere cifre da capogiro per comprarsi vestiti stravaganti. Al momento è nuda come il giorno in cui è nata, sdraiata su una lastra metallica all'obitorio con una targhetta d'identificazione legata attorno all'alluce.»

«È così che è finita mamma?» domandò Neeve in tono basso e iroso. Poi trasalì e corse dal padre, posandogli le mani sulle spalle. «Oh, Myles, mi dispiace. È stata una cosa orribile da dire.»

Myles era rimasto immobile, la caffettiera in mano. Lunghi secondi trascorsero lentamente. «Sì», mormorò alla fine, «è esattamente così che è finita tua madre. Ed è stata una cosa orribile da dire per tutti e due.»

Si voltò verso Jack. «Dimentichi questa piccola crisi domestica. Mia figlia, per sua fortuna o disgrazia, è un miscuglio di temperamento latino e di suscettibilità irlandese. Da parte mia, non mi è mai riuscito di capire perché le donne facciano tante storie sui vestiti. Mia madre, che Dio l'abbia in gloria, comprava tutto da Alexander, in Fordham Road, portava abiti da casa durante la settimana e uno stampato a fiori, sempre di Alexander, per la messa domenicale e i banchetti della polizia al *Glee Club*. Neeve e io, come sua madre prima di lei, abbiamo delle interessanti discussioni sull'argomento.»

«È quello che mi è sembrato di capire.» Jack prese il boccale che Myles gli porgeva. «Sono contento di constatare che non sono l'unico a bere troppo caffè», osservò poi.

«Probabilmente un whisky e un bicchiere di vino andrebbero giù meglio», sospirò Myles, «ma quelli li rimandiamo a più tardi. Ho da parte un'eccellente bottiglia di Borgogna in grado di garantire un piacevole calore se bevuto all'ora giusta, e a dispetto di quello che mi ha detto il medico.» Andò allo scaffale che ospitava le bottiglie di vino e ne prese una.

«Ai vecchi tempi non sapevo distinguere un vino dall'altro», raccontò. «Ma mio suocero aveva allestito un'ottima cantina e Renata era una vera intenditrice. È stata lei a insegnarmi tutto sui vini. In realtà, mi ha insegnato molte cose che chissà come mi ero perso lungo la strada.» Indicò il libro posato sul davanzale. «Quello era suo. Si è bagnato l'altra sera. Che lei sappia, c'è qualche modo di restaurarlo?»

Jack prese il volume. «Un vero peccato», commentò. «Questi schizzi devono essere stati molto belli. Non ha una lente d'ingrandimento?»

«Da qualche parte, credo.»

Fu Neeve a ripescarla nel disordine della scrivania di Myles e insieme con il padre rimase a guardare Jack esaminare le pagine macchiate e raggrinzite. «I disegni non si sono sbiaditi», dichiarò lui alla fine. «Vi dirò che cosa posso fare. Sentirò un paio dei miei collaboratori per vedere se conoscono qualche buon restauratore. Ma nel frattempo, non credo che sia una buona idea lasciare il libro al sole.»

Myles prese volume e lente d'ingrandimento e li posò sulla scrivania. «Le sarò riconoscente per qualunque cosa farà. E ora è meglio che ci muoviamo.»

Sedevano tutti e tre sul sedile anteriore della *Lincoln Town Car* di Myles vecchia di sei anni. Quando Jack, con un gesto casuale, fece passare il braccio sopra lo schienale del sedile, Neeve cercò di non fare troppo caso alla sua presenza e di non appoggiarsi a lui quando l'auto eseguì la curva della rampa che dall'Henry Hudson Parkway immetteva sul George Washington Bridge.

Jack le toccò la spalla. «Rilassati», la esortò. «Non mordo.»

L'ufficio del procuratore distrettuale della contea di Rockland corrispondeva pienamente agli analoghi uffici sparsi per l'intero paese. Affollato. Vecchi mobili scomodi. Sulle scrivanie e sugli armadietti grosse pile di cartelle. Stanze surriscaldate, tranne quelle in cui le finestre erano state aperte e delle folate di aria gelida diventavano quindi una sgradevole alternativa.

Due agenti della squadra omicidi li stavano aspettando. Nell'attimo stesso in cui entrarono nell'edificio, Neeve notò un cambiamento in Myles. La linea della sua mascella si fece più ferma, le spalle più erette e gli occhi più duri. «È nel suo elemento», mormorò a Jack Campbell. «Proprio non so come abbia fatto a resistere all'inattività di quest'ultimo anno.»

«Il procuratore distrettuale sarebbe lieto di vederla, signore.» Era chiaro che gli agenti sapevano benissimo di essere alla presenza del più rispettato tra i comandanti della polizia di New York e quello che aveva coperto più a lungo l'incarico.

Il procuratore distrettuale, Myra Bradley, era una donna attraente che non poteva avere più di trentasei, trentasette anni, e a Neeve non sfuggì l'espressione di stupore del padre. Dio, sei proprio uno sciovinista, pensò. Devi aver saputo che Myra Bradley è stata eletta lo scorso anno, ma hai preferito mostrarti sorpreso.

Dopo le presentazioni, Myra Bradley li invitò a sedersi e andò dritta al punto. «Come saprete», cominciò, «c'è una questione di giurisdizione. Sappiamo che il cadavere è stato trasportato, ma non sappiamo da dove. La Lambston potrebbe essere stata assassinata nel parco a pochi metri dal punto in cui è stata ritrovata. Nel qual caso, siamo competenti noi.»

Indicò la spessa cartella che aveva sulla scrivania. «Secondo il medico legale, la morte è stata causata da un colpo violento inferto con uno strumento affilato che le ha tagliato la giugulare e tranciato la trachea. È probabile che abbia lottato; aveva parecchi lividi sulla mascella e un taglio sul mento. Devo aggiungere che è stato un miracolo che gli animali non ne abbiano fatto scempio. Probabilmente perché era protetta sotto lo strato di sassi. Nelle intenzioni di chi l'ha uccisa, non doveva essere scoperta. Il fatto che sia stata sepolta lì presuppone un piano ben preordinato.»

«Questo significa che state cercando qualcuno che conosce bene la zona», osservò Myles.

«Proprio così. Non abbiamo la possibilità di stabilire il momento esatto della morte, ma da quanto ci ha detto il nipote lei non si è presentata all'appuntamento che aveva con lui venerdì scorso, otto giorni fa. Il corpo era piuttosto ben conservato, e se andiamo a controllare le condizioni meteorologiche risulta che l'ondata di freddo è iniziata nove giorni fa, giovedì. Quindi, se Ethel Lambston è morta giovedì o venerdì ed è stata seppellita poco dopo, questo spiegherebbe la decomposizione non avanzata.»

Neeve sedeva a destra della scrivania del procuratore distrettuale e Jack accanto a lei. *Se solo mi fossi ricordata del suo compleanno,* pensò. Poi con uno sforzo tentò di concentrarsi su quanto stava dicendo la Bradley.

«... Ethel Lambston avrebbe potuto non essere trovata per mesi, forse addirittura per il tempo sufficiente a rendere estremamente difficile l'identificazione. Era chiaro che non la si voleva fare trovare, né identificare. Non portava gioielli e accanto al corpo non abbiamo trovato né borsetta né portafogli.» La donna si voltò a guardare Neeve. «I suoi vestiti hanno sempre l'etichetta all'interno?»

«Certo.»

«Be', quelle degli abiti della signorina Lambston sono state strappate.» Il procuratore distrettuale si alzò. «Le dispiacerebbe, signorina Kearny, dare un'occhiata adesso?»

Passarono tutti nella stanza adiacente. Uno degli agenti entrò con delle borse di plastica che contenevano degli abiti spiegazzati e sporchi. Uno conteneva la biancheria, una combinazione di slip e reggiseno bordati entrambi di pizzo, e il reggiseno era macchiato di sangue; i collant avevano una grossa smagliatura sulla gamba destra. Un paio di scarpe di pelle color pervinca a tacco medio erano tenute insieme con del nastro adesivo e Neeve pensò alla scaffalatura per le scarpe nel modernissimo armadio di cui Ethel era stata tanto orgogliosa.

Nella seconda borsa c'era un abito a tre pezzi: giacca di lana bianca con polsini e colletto color pervinca, gonna bianca e camicetta a strisce bianche e blu. Tutti e tre gli indumenti erano impregnati di sangue e chiazzati di sporco. Neeve sentì la mano di Myles sulla spalla. Risoluta, si chinò a studiare quei poveri reperti. C'era qualcosa che non andava, e non si trattava solo della tragica fine che avevano fatto quegli abiti e la donna che li indossava.

Sentì il procuratore distrettuale chiedere: «È uno dei completi che mancano dall'armadio di Ethel Lambston?»

«Sì.»

«Gliel'ha venduto lei?»

«Sì, intorno a Natale.» Neeve guardò il padre. «Lo indossava al party, ricordi?»

«No.»

Neeve parlava con lentezza; aveva la sensazione che il tempo fosse sparito. Era a casa e stava addobbando il soggiorno per l'annuale cocktail buffet che davano a Natale. Ethel le era sembrata particolarmente attraente quella sera. L'abito bianco e blu era molto bello e s'intonava meravigliosamente ai suoi occhi blu scuro e ai capelli biondo cenere. Parecchie persone si erano complimentate con lei. Poi, naturalmente, Ethel si era buttata su Myles, che aveva trascorso il resto della serata tentando di evitarla...

Ma c'era qualcosa di sbagliato in quel ricordo. Che cosa? «L'ha comprato insieme con altri abiti ai primi di dicembre. È un Renardo originale. La Renardo è una consociata della Gordon Steuber Textiles.» Che cosa le stava sfuggendo? Proprio non riusciva a capirlo. «Portava anche un cappotto?»

«No.» A un cenno del procuratore distrettuale, l'agente cominciò a ripiegare i vestiti e a infilarli di nuovo nella busta di plastica. «Il comandante Schwartz mi ha detto che il motivo per cui lei ha cominciato a preoccuparsi per Ethel era che tutti i suoi indumenti più pesanti erano rimasti nell'armadio. Ma non potrebbe averne comprato uno in qualche altro negozio?»

Neeve si alzò. Sembrava che la stanza puzzasse debolmente di antisettico. Non aveva voglia di rendersi ridicola insistendo sul fatto che Ethel acquistava solo ed esclusivamente da lei. «Sarò felice di fare un inventario dell'armadio di Ethel», dichiarò. «Naturalmente, ho conservato tutte le ricevute dei suoi acquisti e credo di essere in grado di dirle con esattezza che cosa manca.»

«Le sarei grata se me lo facesse avere al più presto. Di solito portava gioielli con questo insieme?»

«Sì. Una spilla d'oro e brillanti con orecchini uguali. E un largo braccialetto d'oro. Poi, naturalmente, portava sempre parecchi anelli di brillanti.»

«Quando è stata ritrovata non aveva nulla. Non è escluso che ci troviamo davanti a un semplice omicidio a scopo di rapina.»

Mentre lasciavano la stanza, Jack prese Neeve per il braccio. «Stai bene?»

Ma lei scosse la testa. «C'è qualcosa che continua a sfuggirmi.»

Uno degli agenti la sentì e fu pronto a passarle il proprio numero di telefono. «Chiami pure in qualsiasi momento.»

Si diressero all'uscita del tribunale. Myles camminava in testa chiacchierando con il procuratore distrettuale e la sua testa d'argento sovrastava di parecchio quella scura di lei. Il cappotto di cashmere comprato l'anno prima gli cadeva in modo impeccabile. Dopo l'intervento si era fatto pallido e magro, ma ora era tornato in forma e il suo passo era fermo e sicuro. E in questa occasione si trovava nel proprio elemento. Era sempre stato il lavoro nella polizia a dare un senso alla sua vita e Neeve si riscoprì a pregare che nulla interferisse con l'incarico che gli avevano offerto a Washington.

Se continua a lavorare, vivrà fino a cent'anni, pensò. Ricordò quella buffa storiella che diceva: «Se vuoi essere felice per un anno, vinci alla lotteria. Se vuoi essere felice per sempre, ama quello che fai».

Era stato l'amore per il suo lavoro a impedire a Myles di lasciarsi andare dopo la morte della mamma.

E ora anche Ethel Lambston era morta.

Quando avevano lasciato la stanza gli agenti erano rimasti lì, occupati a piegare gli abiti che erano stati il sudario di Ethel e che, Neeve lo sapeva, un giorno sarebbero stati rivisti in un'aula di tribunale. Al momento del decesso, la vittima indossava...

Myles aveva ragione. Era stata una sciocca a presentarsi lì vestita come una scacchiera, con quegli stupidi orecchini così fuori posto in quel luogo tetro. Era contenta di non essersi tolta la mantella nera che nascondeva il suo bizzarro abbigliamento. Una donna era morta. Non una donna amabile. Né popolare. Ma una donna molto intelligente che caparbiamente chiamava le cose con il loro vero nome, che ci teneva ad avere un bell'aspetto, ma non aveva né il tempo né l'istinto di destreggiarsi nel campo della moda.

Moda. Ecco di che cosa si trattava. Qualcosa riguardo al completo che Ethel indossava...

Un tremito improvviso la scosse e fu come se anche Jack Campbell l'avesse percepito, perché infilò il braccio sotto quello di lei. «Le volevi bene, vero?» domandò.

«Molto più di quanto mi rendessi conto.»

I loro passi echeggiavano sul pavimento di marmo del lungo corridoio. Era marmo vecchio e consunto e le crepe che lo attraversavano sembravano vene sotto la pelle.

La vena giugulare di Ethel. Aveva avuto un collo così sottile. Ma senza rughe. A sessant'anni un sacco di donne cominciavano a mostrare i segni rivelatori dell'età. «È il collo a risentirne per primo.» Neeve ricordava di avere sentito pronunciare quelle parole da Renata, quando un fabbricante cercava di persuaderla a comprare abiti scollati nelle taglie per donne mature.

Erano ormai all'ingresso del tribunale. Il procuratore distrettuale e Myles si stavano dichiarando d'accordo sul fatto che Manhattan e la contea di Rockland dovessero collaborare strettamente alle indagini. «Dovrei tenere chiusa la bocca», osservò Myles. «Mi riesce terribilmente difficile ricordare che non sono più io a premere i pulsanti al comando generale.»

Neeve ormai sapeva quello che doveva dire e si augurava solo di non apparire ridicola. «Mi chiedo...» Guardò il procuratore distrettuale, Myles e Jack che aspettavano e ci riprovò. «Mi chiedo se potrei parlare con la donna che ha scoperto il corpo di Ethel. Non so bene il perché, ma sento che dovrei farlo.» Deglutì a fatica, imbarazzata.

I loro occhi la scrutavano. «La signora Conway ha già rilasciato una dichiarazione completa», si decise poi a dire Myra Bradley. «Può leggerla, se vuole.»

«No, vorrei parlare con lei.» Fa' che non mi chiedano perché, pensò Neeve con fervore. «Devo proprio farlo.»

«Se Ethel Lambston è stata identificata è anche grazie a mia figlia», interloquì Myles. «E se vuole parlare con la testimone, credo che dovrebbe farlo.»

Aveva già aperto la porta e Myra Bradley rabbrividì al frizzante vento d'aprile. «Un vento da marzo», commentò. «Senta, io non ho assolutamente alcuna obiezione. Possiamo fare una telefonata alla signora Conway e vedere se è in casa. Noi riteniamo che ci abbia detto tutto quello che sapeva, ma chissà, potrebbe saltare fuori qualcos'altro. Aspettate un momento.»

Tornò poco dopo. «La signora Conway è a casa e si è dichiarata dispostissima a vedervi. Ecco il suo indirizzo e le istruzioni per arrivarci.» Sorrise a Myles, il sorriso professionale che si scambiano due poliziotti. «E se per caso ricordasse di avere visto bene in faccia il tizio che ha ammazzato la Lambston, dateci un colpo di telefono, okay?»

Kitty Conway aveva acceso il camino in biblioteca e dai ceppi che bruciavano si levavano piramidi di lingue di fuoco dalle punte bluastre. «Se fa troppo caldo per voi, ditemelo»,

184

disse in tono di scusa. «È solo che dal momento in cui ho sfiorato la mano di quella poveretta non ho praticamente smesso di tremare.» Tacque, imbarazzata, ma nelle tre paia di occhi che la guardavano c'era solo comprensione.

Quei tre le piacevano. Neeve Kearny. Più che bella. Un viso interessante, magnetico, con quegli zigomi alti, la pelle bianco latte che enfatizzava gli occhi scuri e intensi. Ma il suo viso sembrava teso e le pupille erano enormi, dilatate. Era palese che il giovane, Jack Campbell, era preoccupato per lei; quando l'aiutò a togliersi il mantello, esclamò in tono ansioso: «Neeve, stai ancora tremando».

Kitty provò un improvviso senso di nostalgia. Suo figlio somigliava molto a Jack Campbell, come lui era alto un po' più di un metro e ottanta, con le spalle larghe, il corpo solido e snello e un'espressione intelligente. Era un vero peccato che Mike Junior abitasse così lontano.

Myles Kearny. Quando il procuratore distrettuale aveva telefonato, lei aveva capito immediatamente chi fosse *lui*. Per anni il suo nome era apparso regolarmente sui giornali e a volte Kitty l'aveva visto, quando con Mike andava a cena al *Neary's Pub*, sulla Cinquantasettesima Est. In seguito aveva letto del suo attacco di cuore e del suo ritiro, ma ora le sembrava in ottima forma. Un irlandese di bell'aspetto.

Si sentì fuggevolmente lieta di essersi tolta i jeans e il vecchio maglione esageratamente largo, sostituendoli con un paio di pantaloni e una camicetta di seta. Quando i suoi ospiti non accettarono un drink, insistette per preparare il tè. «Ha bisogno di qualcosa che la riscaldi», disse a Neeve, e rifiutando ogni aiuto scomparve in cucina.

Myles era stato fatto accomodare sulla sedia a dondolo con lo schienale alto, rivestita di stoffa a righe rosse e arancio scuro. Neeve e Jack stavano a fianco a fianco sul divano componibile sistemato davanti al camino. Myles si guardava intorno con aria d'approvazione. Una stanza confortevole. Erano poche le persone con il buonsenso sufficiente da comperare divani e poltrone in cui un uomo alto potesse appoggiare all'indietro la testa. Dopo qualche istante si alzò e si mise a esaminare le foto di famiglia che, come sempre, riassumevano la storia di una vita intera. La giovane coppia. Di certo Kitty Conway non era cambiata molto da allora. Lei con il marito e il figlio. Un collage di foto del ragazzo scattate nel corso degli anni. L'ultima foto ritraeva Kitty, suo figlio, la moglie giapponese di lui e la nipotina. Myra Bradley gli aveva detto che la donna che aveva scoperto il cadavere di Ethel era vedova.

Sentendo i passi di Kitty nel corridoio, si affrettò a voltarsi verso la libreria. Ad attirare la sua attenzione fu una raccolta di testi di antropologia che avevano l'aria di essere stati letti più volte. Cominciò a esaminarli.

Kitty posò il vassoio d'argento sul tavolo rotondo accanto al divano, versò il tè e li invitò a servirsi dei biscotti. «Ne ho infornato una quantità pazzesca stamattina; una reazione a quello che è successo ieri, immagino», disse avvicinandosi a Myles.

«Chi è l'antropologo?» domandò lui.

Lei sorrise. «Io, ma sono solo una dilettante. Rimasi affascinata dalla materia all'università, quando il professore ci disse che per conoscere il futuro avremmo dovuto studiare il passato.»

«Ecco qualcosa che dovrei ricordare spesso ai miei uomini», disse lui.

«Lo vedi?» sussurrò Neeve a Jack. «Sta esibendo tutto il suo fascino. Una visione poco familiare.»

Mentre bevevano il tè, Kitty raccontò loro di quando il cavallo aveva scartato giù per il pendio, del brandello di plastica che le aveva sfiorato il viso, l'immagine confusa e troppo breve di una mano che sporgeva da un polsino blu. Spiegò come quel ricordo le fosse tornato in mente vedendo la manica della sua tuta sporgere dalla cesta della biancheria e di come in quel momento avesse capito di dovere tornare nel parco a indagare.

Neeve l'ascoltava attentamente, la testa piegata su un lato come timorosa di perdere anche una sola parola. Provò ancora la schiacciante sensazione che qualcosa le sfuggisse, qualcosa che aveva proprio davanti agli occhi e che aspettava semplicemente di essere individuato. E poi, finalmente, capì.

«Signora Conway, le spiacerebbe descrivere con esattezza che cos'ha visto quando ha trovato il corpo?»

«Neeve.» Myles scosse la testa. Stava preparando minuziosamente le domande da porre e non voleva essere interrotto.

«Mi spiace, papà, ma è molto importante. *Mi dica della mano di Ethel. Mi dica che cosa ha visto.*»

Kitty chiuse gli occhi. «Mi sembrava di guardare la mano di un manichino. Era così bianca, con le unghie smaltate di rosso. Il polsino della giacca era blu; arrivava fino al polso e vi era attaccato quel pezzetto di plastica nera. La camicetta era bianca e blu, ma si intravedeva a malapena sotto il polsino. Era come accartocciata. Lo so che era pazzesco, ma l'ho quasi rimessa a posto.»

Neeve si lasciò sfuggire un lungo sospiro, poi si protese in avanti, passandosi una mano sulla fronte. «Ecco quello che mi sfuggiva. La camicetta.»

«Ebbene?» volle sapere Myles.

«Be'...» Neeve si mordicchiò il labbro inferiore. Sapeva che rischiava di apparirgli di nuovo ridicola, eppure... La camicetta che Ethel aveva indosso al momento della sua morte faceva parte del completo a tre pezzi originale, ma quando glielo aveva venduto, Neeve le aveva detto che secondo lei la camicetta non era adatta per quell'insieme. Le aveva venduto un'altra camicetta completamente bianca, senza l'elemento di distrazione rappresentato invece dalle righe blu di quella appartenente al completo. Entrambe le volte che aveva visto Ethel con indosso il completo, era quella la camicetta che portava.

Perché allora indossava quella a righe bianche e blu?

«Allora, Neeve?» insistette Myles.

«Probabilmente si tratta di una cosa da nulla. Ma mi sorprende il fatto che portasse proprio quella camicetta. Non s'intonava all'insieme, capite.»

«Ma non hai detto alla polizia di avere riconosciuto il vestito? E hai anche detto chi era lo stilista.»

«Sì, Gordon Steuber. Era un completo del suo laboratorio.»

«Mi spiace, ma non riesco a capire.» Parlando, Myles tentava di controllare la propria irritazione.

«Io credo di sì.» Kitty versò altro tè nella tazza di Neeve. «Lo beva», ordinò. «Ha l'aria di stare per svenire.» Poi guardò Myles. «Se ho capito bene, Neeve sta dicendo che Ethel Lambston non si sarebbe mai deliberatamente vestita in quel modo.»

«Io *so* che non l'avrebbe fatto», rincarò Neeve, sostenendo lo sguardo scettico del padre. «Sappiamo con esattezza che il corpo è stato spostato. C'è un modo per stabilire se per caso qualcuno ha vestito Ethel *dopo* che è morta?»

Douglas Brown aveva saputo che la squadra omicidi contava di farsi rilasciare un mandato di perquisizione per l'appartamento di Ethel, ma il loro arrivo fu ugualmente uno choc per lui. Un gruppo di quattro agenti confluì nell'appartamento e lui rimase a guardarli mentre cospargevano di polvere tutte le superfici, passavano con l'aspiratore i tappeti, i pavimenti e i mobili, sigillando e contrassegnando con cura le buste di plastica in cui depositavano la polvere, le fibre e le particelle che raccoglievano mentre esaminavano minuziosamente il piccolo tappeto orientale vicino alla scrivania di Ethel.

Vedere il cadavere della zia all'obitorio aveva lasciato Doug con lo stomaco sottosopra, ricordandogli incongruamente l'unica traversata in barca che avesse mai fatto e il terribile mal di mare di cui era stato vittima. Lei era coperta con un lenzuolo che le era stato avvolto intorno al viso come il soggolo di una suora, e questo gli aveva risparmiato la vista dello squarcio. Per evitare di pensare alla gola, si era concentrato sui lividi giallastri che aveva sulla guancia. Poi aveva fatto un cenno con la testa e si era precipitato nel bagno.

Per tutta la notte era rimasto sveglio nel letto di Ethel, cercando di decidere che cosa fare. Poteva raccontare alla polizia di Seamus, della sua disperata risoluzione di porre fine al pagamento degli alimenti. Ma se l'avesse fatto sua moglie, Ruth, avrebbe cantato sul suo conto. Un velo di sudore freddo gli si formò sulla fronte, comprendendo quanto era stato stupido ad andare in banca l'altro giorno e a insistere per riscuotere la somma prelevata in biglietti da cento dollari. Se la polizia lo avesse scoperto...

Prima dell'arrivo degli agenti si era dibattuto nel dubbio se dovesse o meno lasciare le banconote nascoste in giro per la casa. Ma se il denaro non fosse stato là, chi poteva dire che Ethel non li avesse spesi tutti?

Eppure qualcuno avrebbe saputo. Quella svampita venuta a pulire l'appartamento, per esempio, poteva avere notato quelli che lui aveva rimesso al loro posto.

Alla fine, Douglas decise di non fare assolutamente nulla. Avrebbe lasciato che i poliziotti scoprissero le banconote. Se Seamus e sua moglie avessero puntato il dito contro di lui, avrebbe reagito dando loro dei bugiardi. Poi, ben poco confortato da quel pensiero, Douglas rivolse la sua attenzione al futuro. Quella era casa sua, adesso. I soldi di Ethel erano i suoi soldi. Al più presto si sarebbe liberato di tutti quegli stupidi vestiti e accessori, A va con A, B va con B. Li avrebbe giusto impacchettati tutti così com'erano e gettati tra i rifiuti, ma quel pensiero gli strappò un sorriso tetro. Perché sprecare? Se pensava a tutti i bigliettoni che Ethel aveva speso per quei vestiti! No, non dovevano finire nella fogna. Avrebbe trovato un buon negozio di abiti usati e li avrebbe venduti.

Quando si vestì, il sabato mattina, scelse tra i suoi indumenti un paio di pantaloni blu scuro e un maglione a maniche lunghe beige. Voleva dare l'impressione di un dolore intenso ma contenuto; anche i profondi segni intorno agli occhi, effetto di una notte insonne, quel giorno gli sarebbero stati utili.

Gli agenti esaminarono con cura il contenuto della scrivania di Ethel e lui non poté fare altro che rimanere a guardarli mentre aprivano la cartella con la scritta «Documenti importanti». Il testamento. Douglas non aveva ancora deciso se ammettere di conoscerne l'esistenza o meno. L'agente finì di leggere e alzò gli occhi su di lui. «Ha mai visto questo?» domandò in tono casuale.

Sotto l'impulso del momento, Douglas prese la sua decisione. «No. Quella è roba di mia zia.»

«Avete mai discusso del suo testamento?»

Douglas riuscì ad abbozzare un sorriso carico di rimpianto. «Ci scherzava su parecchio. Mi diceva che se anche solo mi avesse lasciato il denaro degli alimenti, sarei stato a posto per tutta la vita.»

«Allora non sapeva che, a quanto pare, le ha lasciato una cifra considerevole?»

Douglas fece un gesto che voleva abbracciare l'intero appartamento. «Non credo che zia Ethel avesse da parte grandi cifre. Quando il palazzo è stato trasformato in condominio ha comperato questo appartamento, e dev'esserle costato parecchio. Come scrittrice guadagnava bene, ma non era certo fra quelli di primissimo piano.»

«In questo caso, deve essere stata molto parsimoniosa.» Il detective maneggiava il testamento con la protezione dei guanti, tenendolo per il bordo, e sotto lo sguardo sgomento di Douglas mandò a chiamare l'esperto di impronte digitali. «Esamina un po' questo.»

Cinque minuti dopo, torcendosi nervosamente le mani, Douglas confermò e poi negò di sapere qualcosa della presenza dei biglietti da cento dollari che gli agenti avevano trovato nascosti in casa. Per distrarli da quell'argomento, spiegò che fino al giorno prima non aveva mai risposto al telefono.

«Perché?» chiese O'Brien, l'agente che conduceva l'interrogatorio. La domanda fendette l'aria come un rasoio.

«Ethel era strana. Una volta che ero venuto a trovarla ho risposto io e lei quasi mi ha staccato la testa. Mi ha detto che le sue telefonate non dovevano interessarmi. Ma ieri, poi, ho pensato che forse desiderava mettersi in contatto con me e allora ho cominciato a rispondere alle chiamate.»

«Sua zia non avrebbe potuto contattarla sul lavoro?»

«Per la verità non ci ho pensato.»

«E la prima telefonata che ha ricevuto era una minaccia per lei. Davvero una coincidenza che l'abbia ricevuta più o meno nella stessa ora in cui è stato ritrovato il cadavere.»

O'Brien mise bruscamente fine all'interrogatorio. «Signor Brown, conta di restare in questo appartamento?»

«Sì, in effetti sì.»

«Torneremo domani con la signorina Neeve Kearny. Dovrà controllare l'interno dell'armadio della signorina Lambston per vedere se manca qualche indumento, e forse vorremo di nuovo parlare con lei. La troveremo qui.» Non era una domanda, la sua, bensì un'affermazione.

Per qualche ragione, per Douglas non fu un sollievo che l'interrogatorio fosse terminato e un istante dopo i suoi timori ricevettero conferma, perché O'Brien disse: «C'è la possibilità che le chiederemo di venire con noi alla stazione di polizia. Glielo faremo sapere».

Se ne andarono portando via le borse di plastica, il testamento di Ethel, la sua agenda e il piccolo tappeto orientale. Poco prima che la porta si chiudesse, Doug sentì dire da uno di loro: «Per quanto uno si dia da fare, è impossibile eliminare tutte le tracce di sangue da un tappeto».

Al St. Vincent's Hospital, Tony Vitale era ancora ricoverato nel reparto di terapia intensiva e le sue condizioni restavano critiche. Ma il primario chirurgo continuava a rassicurare i suoi genitori: «È giovane, ha una fibra forte. Noi crediamo che ce la farà».

Avvolto in bende che nascondevano le ferite alla testa, al petto, alle spalle e alle gambe, con una flebo perennemente collegata alle braccia, monitor elettronici che registravano ogni mutamento di condizioni, tubicini di plastica nelle narici, Tony fluttuava da uno stato di coma profondo a sprazzi di lucidità. Continuava a rivivere quegli ultimi momenti. *Gli occhi di Nicky Sepetti sembravano volerlo trapassare. Tony aveva capito che Nicky sospettava di lui. Avrebbe dovuto tornare subito al comando, invece di fermarsi per telefonare. Avrebbe dovuto capire che la sua copertura era saltata.*

Tony scivolò di nuovo nel buio.

Quando faticosamente tornò in sé, sentì il medico dire: «Migliora un poco ogni giorno».

Ogni giorno! Da quanto tempo era lì? Cercò di parlare, ma nessun suono gli uscì dalle labbra.

Nicky aveva urlato e picchiato il pugno sul tavolo e ordinato agli altri di fare cancellare il contratto.

Joey gli aveva risposto che era impossibile.

Allora Nicky aveva preteso di sapere chi fosse il mandante.

«... Qualcuno gli ha acceso il fuoco sotto il culo», aveva detto Joey. «Ha mandato a monte tutta la sua operazione. Ora i federali gli stanno alle calcagna...» E poi aveva pronunciato il nome.

Mentre tornava a sprofondare nell'incoscienza, Tony finalmente lo ricordò:

Gordon Steuber.

Al ventesimo distretto sulla Ottantaduesima Ovest, Seamus aspettava, la faccia rotonda e pallida umida di sudore. Si sforzava di ricordare le istruzioni di Ruth, tutto quello che lei gli aveva detto di dire.

Ma i suoi ricordi erano confusi.

La stanza in cui si trovava era desolante. Un tavolo da riunioni con il ripiano segnato da innumerevoli bruciature di sigaretta. Sedie di legno. Quella su cui era seduto gli aveva indolenzito il fondoschiena. Una finestra dai vetri sporchi che dava su una strada laterale. Fuori, il traffico era infernale; autobus, taxi e automobili strombazzavano a tutto spiano. Tutt'intorno, l'edificio era circondato da autopattuglie.

Quanto tempo ancora l'avrebbero tenuto lì?

Passò un'altra mezz'ora prima che arrivassero i due agenti. Li seguiva una stenografa del tribunale che andò a sedersi dietro a Seamus. Lui si voltò e rimase a guardarla mentre si appoggiava la macchina per stenografare sulle ginocchia.

Il nome dell'agente più anziano era O'Brien. Si erano presentati, lui e il suo compagno, Steve Gomez, al bar.

Seamus si aspettava che gli leggessero il testo dei suoi diritti, eppure fu ugualmente uno choc sentire la voce di O'Brien, vederlo tendergliene una copia stampata e chiedergli di prenderne visione. Annuì quando gli chiesero se aveva bene compreso tutto. Voleva che fosse presente il suo avvocato? No. Sapeva che in qualsiasi momento avrebbe potuto rifiutarsi di rispondere? Sì. Sapeva che qualunque cosa avesse detto avrebbe potuto essere usata contro di lui? Bisbigliò: «Sì».

I modi di O'Brien cambiarono, si fecero sottilmente più affabili. Il tono era colloquiale. «Signor Lambston, è mio dovere informarla che lei è considerato un probabile sospetto dell'omicidio della sua ex moglie, Ethel Lambston.»

Ethel morta. Non più assegni per gli alimenti. Non più strangolamenti per lui e Ruth e le ragazze. Oppure il vero strangolamento era appena cominciato? Gli sembrava di vedere le mani di lei che lo artigliavano, rivedeva il modo in cui lo aveva guardato quando era caduta all'indietro, e come aveva lottato per rialzarsi e afferrare il tagliacarte. Avvertì il caldo umido del suo sangue sulle mani.

Che cosa gli stava dicendo l'agente in quel tono amichevole, quasi salottiero? «Signor Lambston, lei ha litigato con la sua ex moglie. La signora la stava facendo impazzire e gli alimenti che lei le versava la stavano mandando in rovina. A volte capita che le cose abbiano la meglio su di noi e allora esplodiamo. È questo che è successo?»

Era impazzito? Lui riusciva a sentire l'odio di quei momenti, la bile che gli saliva in gola, il modo in cui aveva serrato il pugno schiacciandolo contro quella bocca malvagia, beffarda.

Seamus posò la testa sul tavolo e cominciò a piangere. I singhiozzi gli scuotevano il corpo. «Voglio un avvocato», mormorò.

Due ore dopo arrivò Robert Lane, il cinquantenne legale che Ruth era riuscita a trovare dopo frenetici tentativi. «Intendete muovere delle accuse formali nei confronti del mio cliente?» domandò.

L'agente O'Brien lo guardò con una smorfia amara. «No, per il momento.»

«Quindi il signor Lambston è libero di andarsene?»

O'Brien sospirò. «Sì, è libero.»

Seamus aveva avuto la certezza che lo avrebbero arrestato. Non osando credere a quello che aveva appena sentito,
posò i palmi delle mani sul tavolo e a fatica si alzò. Sentì che
Robert Lane lo sosteneva mettendogli la mano sotto il braccio e lo guidava fuori della stanza. Lo udì dire: «Voglio una
trascrizione delle dichiarazioni del mio cliente».

«La avrà.» L'agente Gomez aspettò finché la porta si
richiuse dietro di loro, poi si voltò verso il compagno. «Come
vorrei vedere quel tizio al fresco.»

Il sorriso di O'Brien fu appena accennato, privo di allegria. «Pazienza. Dobbiamo aspettare i risultati del laboratorio. Dobbiamo controllare i movimenti di Lambston di giovedì e venerdì. Ma su una cosa puoi senz'altro scommettere:
avremo un'incriminazione per l'istruttoria preliminare prima che Seamus Lambston abbia il tempo di accorgersi che
non deve più pagare gli alimenti.»

Tornati a casa, Neeve, Myles e Jack trovarono ad atten-
derli un messaggio sulla segreteria telefonica. Myles voleva
essere così gentile da chiamare l'ufficio del comandante
della polizia Schwartz?

Herb Schwartz abitava a Forest Hills, «dove per tradizione aveva avuto la propria residenza il novanta per cento dei
comandanti di polizia», spiegò Myles a Jack Campbell mentre si dirigeva verso il telefono. «E se Herb non è a casa sua il
sabato sera, significa che c'è in ballo qualcosa di grosso.»

La conversazione fu breve. Quando riappese, Myles disse:
«Pare proprio che tutto stia per concludersi. Non appena
hanno portato alla stazione di polizia l'ex marito e hanno
cominciato a interrogarlo, lui è scoppiato a piangere come
un bambino e ha preteso un avvocato. Aspettano soltanto di
avere prove sufficienti per incriminarlo».

«Quello che stai dicendo in realtà è che non ha confessato», fu pronta a osservare Neeve. «Giusto?» Parlando, cominciò ad accendere tutte le lampade da tavolo finché tutta
la stanza fu immersa in una luce morbida, soffusa. Luce e
calore. Era questo cui anelava lo spirito dopo avere assistito

194

alla cruda realtà della morte? Non riusciva a scrollarsi di dosso la sensazione che qualcosa la minacciasse. Dal momento in cui aveva visto gli abiti di Ethel sparsi su quel tavolo, la parola *sudario* aveva cominciato a ronzarle nella mente. Si rese conto adesso di essersi domandata che cosa avrebbe indossato *lei* da morta. Intuizione? Superstizione irlandese? La sensazione che qualcuno stesse camminando sulla sua tomba?

Jack Campbell la stava guardando. Lui sa, pensò allora Neeve. Intuisce che non si tratta soltanto dei vestiti. Myles le aveva fatto notare che se la camicetta che Ethel indossava di solito con l'abito era in lavanderia, nulla di più logico che lei l'avesse sostituita con quella che faceva parte del completo originale. Come sempre, le risposte di Myles erano piene di buonsenso. Myles. Le stava di fronte, adesso, e le posava le mani sulle spalle.

«Neeve, non hai sentito neanche una parola di quello che ho detto. Mi hai fatto una domanda e io ti ho risposto. Che cosa ti prende?»

Lei si sforzò di sorridere. «Non lo so. Senti, è stato un pomeriggio orrendo e credo che abbiamo bisogno tutti di bere qualcosa.»

Myles scrutava il suo viso. «Sì, direi che abbiamo bisogno di qualcosa di forte, dopodiché Jack e io potremmo portarti fuori a cena.» Guardò il giovane. «Se non ha altri impegni, naturalmente.»

«Nessun impegno se non quello di preparare da bere per tutti, se posso.»

Come il tè bevuto a casa di Kitty Conway, lo scotch riuscì ad allontanare temporaneamente da Neeve la sensazione di essere trascinata via da una oscura corrente. Myles ripeté quello che gli aveva detto il comandante: gli agenti della omicidi ritenevano che Seamus Lambston fosse sul punto di confessarsi colpevole.

«Vogliono ancora che io vada a esaminare l'armadio di Ethel, domani?» Neeve non era certa di desiderare di essere sollevata da quell'incarico.

«Sì. Non credo che avrà importanza stabilire se Ethel

195

aveva progettato di partire e fatto i bagagli lei stessa, o se è stato lui a ucciderla tentando poi di far credere a tutti che fosse partita, ma come regola preferiamo non lasciare nulla in sospeso.»

«Ma se tutti si fossero convinti che era semplicemente partita, lui non avrebbe dovuto continuare a spedire gli alimenti? Ricordo che una volta Ethel mi disse che se mai l'assegno fosse arrivato in ritardo avrebbe fatto chiamare l'ex marito dal suo amministratore, minacciandolo di una causa. Se il suo cadavere non fosse stato scoperto, sarebbe stato costretto a continuare a pagare per altri sette anni, cioè fino a quando non fosse stata dichiarata legalmente deceduta.»

Myles si strinse nelle spalle. «Neeve, la percentuale di omicidi causati da liti domestiche è altissima. E non commettere l'errore di sopravvalutare l'intelligenza della gente. Molti agiscono d'impulso, si spingono fino agli estremi e poi cercano di nascondere le proprie tracce. Me l'hai sentito dire un'infinità di volte: 'Ogni assassino lascia il suo biglietto da visita'.»

«Se è vero, comandante, mi piacerebbe sapere che biglietto da visita ha lasciato l'omicida di Ethel.»

«Posso dirti qual è secondo me. Il livido sulla mascella di Ethel. Tu non hai visto i risultati dell'autopsia, ma io sì. Da ragazzo, Seamus Lambston era un pugile maledettamente in gamba. Quel colpo ha quasi spezzato la mascella di Ethel. Con o senza una confessione, io avrei già cominciato a cercare qualcuno che avesse un passato di pugile.»

«La Leggenda ha parlato. E hai torto marcio.»

Jack Campbell, che sedeva sul divano di pelle sorseggiando Chivas Regal, per la seconda volta in un giorno decise di non lasciarsi coinvolgere nelle discussioni tra Neeve e suo padre. Ascoltarli, pensò, non era diverso dall'assistere a una partita di tennis tra due avversari di pari abilità. Accennò un sorriso, ma quando guardò Neeve una fitta di preoccupazione lo attraversò. Era ancora pallidissima e i capelli corvini che le incorniciavano il viso accentuavano la trasparenza della carnagione. Aveva visto quei grandi occhi colore dello sherry illuminarsi divertiti, ma quella sera vi lesse una tristezza che non poteva imputarsi solo alla morte di Ethel Lambston. Qualunque cosa sia accaduta a Ethel non si è ancora conclusa, si disse Jack, e in qualche modo ha a che fare con Neeve.

Scosse la testa, impaziente. I suoi antenati scozzesi, con la loro pretesa di possedere una seconda vista, stavano avendo la meglio su di lui. Si era offerto di accompagnare Neeve e suo padre nell'ufficio del procuratore distrettuale della contea di Rockland per il semplice motivo che voleva trascorrere la giornata con Neeve, e quando l'aveva lasciata, quella mattina, dopo una breve puntata a casa per cambiarsi e fare la doccia, era andato alla biblioteca di Mid-Manhattan. Lì, su microfilm, aveva letto i quotidiani di diciassette anni prima, su cui campeggiavano titoli di testa che dicevano più o meno: LA MOGLIE DEL COMANDANTE DELLA POLIZIA ASSASSINATA A CENTRAL PARK. Aveva preso nota di ogni particolare; esaminato le fotografie del corteo funebre partito dalla cattedrale di San Patrizio. Neeve, che allora aveva dieci anni, con un cappottino scuro e un berretto scozzese, la piccola mano perduta in quella di Myles, gli occhi lucenti di lacrime. Il viso di suo padre, scavato nel granito. Le interminabili file di poliziotti che sembravano coprire tutta la Quinta Avenue. Gli articoli in cui si collegava il gangster Nicky Sepetti all'esecuzione della moglie del comandante.

Nicky Sepetti era stato seppellito quella mattina, un avvenimento che aveva riportato vividamente nel ricordo di Neeve e di suo padre la morte di Renata Kearny. Negli articoli ricorreva insistentemente la domanda se Nicky Sepetti, dalla sua cella della prigione, avesse anche ordinato l'uccisione di Neeve. E quella mattina lei gli aveva detto che suo padre aveva temuto il rilascio del gangster perché preoccupato per lei, ma che ora si era persuasa che la morte di Sepetti avesse liberato Myles da quell'ossessiva paura.

Allora perché sono preoccupato per te, Neeve? si chiese Jack.

La risposta gli giunse rapida e semplice come se avesse posto quella domanda ad alta voce. Perché la amo. Perché la cercavo fin dal giorno in cui è scappata via da me per prendere quell'aereo.

Si accorse che i bicchieri erano tutti vuoti e allora si alzò e prese quello di Neeve. «Stasera non credo che uno ti basterà.»

Guardarono il telegiornale della sera bevendo il secondo cocktail. Furono trasmesse immagini del funerale di Nicky Sepetti e anche l'appassionata dichiarazione della sua vedova. «Che cosa ne pensi?» chiese quietamente Neeve al padre.

Myles spense l'apparecchio. «Quello che penso non lo si può dire.»

Cenarono al *Neary's Pub,* sulla Cinquantasettesima Est. Jimmy Neary, un irlandese con gli occhi ammiccanti e il sorriso di un folletto, si precipitò loro incontro. «Comandante, è fantastico rivederla.» E li pilotò verso uno degli ambiti tavoli d'angolo che Jimmy riservava per i suoi ospiti speciali. Quando fu presentato a Jack, il proprietario del ristorante gli indicò le fotografie appese alla parete. «Guardi un po' là.» La foto dell'ex governatore Carey era sistemata in un punto dove sarebbe stato impossibile non notarla. «Qui viene solo la crema di New York», spiegò. «Naturalmente c'è anche il comandante.» La foto di Myles, infatti, era proprio di fronte a quella di Carey.

Fu una serata piacevole. Il *Neary's* era sempre stato uno dei luoghi di raduno di politici e alti prelati, e parecchia gente si fermò al loro tavolo per salutare Myles. «Che piacere rivederla, comandante. Sembra in ottima forma.»

«A lui questi omaggi piacciono da morire», mormorò Neeve a Jack. «Detestava essere ammalato e l'anno scorso si è praticamente rifiutato di farsi vedere in giro. Ma credo che ora sia di nuovo pronto per tornare nel mondo.»

Venne anche il senatore Moynihan. «Myles, spero proprio che tu accetterai l'incarico a Washington», disse. «Abbiamo *bisogno* di te. Dobbiamo liberarci di quei maledetti spacciatori, e tu sei l'uomo giusto.»

Quando il senatore si fu allontanato, Neeve alzò scherzosamente gli occhi al cielo. «E tu che mi avevi parlato di qualche 'cauta proposta'. A quanto pare le cose sono andate molto più in là!»

Myles era intento a studiare il menu. Margaret, la cameriera preferita di Myles, si avvicinò al tavolo. «Come sono i gamberetti alla Creole, Margaret?»

«Ottimi.»

Myles sospirò. «Lo sapevo. Ma in rispetto alla dieta, mi porti del pesce alla griglia.»

Ordinarono tutti e mentre assaggiavano il vino Myles disse: «Se accetto quell'incarico, dovrò passare parecchio tempo a Washington, e anche affittare un appartamento laggiù. Non credo che avrei mai potuto prendere in considerazione l'idea di lasciarti qui sola, Neeve, se Nicky Sepetti fosse ancora in circolazione. Ma ora mi sento tranquillo. La mafia lo odiava per avere ordinato la morte di tua madre. Non abbiamo dato loro tregua finché la maggior parte dei vecchi boss non è andata a raggiungerlo al fresco».

«Quindi non crede alla sua dichiarazione sul letto di morte?» volle sapere Jack.

«È difficile, per quelli di noi cresciuti nella convinzione che il pentimento in punto di morte può spedirti in paradiso, pensare che un uomo se ne vada da questo mondo con una menzogna sulle labbra. Ma nel caso di Nicky, la mia prima impressione non cambia. Il suo è stato un gesto d'addio alla famiglia e ovviamente i suoi ci hanno creduto. Ma ora basta, è stata una giornata sufficientemente tetra ed è ora di parlare di qualcosa di più interessante. Jack, è a New York da abbastanza tempo per stabilire se il sindaco verrà rieletto?»

Stavano finendo il caffè quando Jimmy Neary si avvicinò al loro tavolo. «Comandante, sapeva che il cadavere di quella Lambston è stato trovato da una mia vecchia cliente, Kitty Conway? Veniva spesso qui con suo marito. Una vera signora.»

«L'ho conosciuta ieri», rispose Myles.

«Se dovesse rivederla, le porga i miei saluti e le dica di farsi rivedere, ogni tanto.»

«Forse farò di più», disse Myles in tono casuale. «Forse l'accompagnerò qui io stesso.»

La prima fermata del taxi fu a casa di Jack. Prima di scendere, lui chiese: «So che apparirò un po' troppo invadente, ma vi seccherebbe molto se venissi con voi domani a casa di Ethel?»

Myles inarcò appena le sopracciglia. «No, se mi promette di confondersi con la tappezzeria e di tenere la bocca chiusa.»

«Myles!»

Ma Jack rideva. «Tuo padre ha ragione, Neeve. Accetto le condizioni.»

Fu il portiere ad aprire lo sportello del taxi quando si fermò davanti alla Schwab House. Neeve scese mentre Myles aspettava che il tassista gli cambiasse una banconota di grosso taglio. Il custode tornò a piazzarsi all'entrata dell'atrio. La notte era chiara e il cielo pieno di stelle. Mentre si allontanava dal taxi, Neeve alzò la testa per ammirarne la luce.

Dall'altra parte della strada, Denny Adler se ne stava accucciato per terra contro il muro di un palazzo, una bottiglia di vino al fianco e la testa china sul petto. Attraverso gli occhi socchiusi seguiva ogni movimento della ragazza. Tirò un profondo respiro. Da lì la vedeva con chiarezza e avrebbe potuto dileguarsi senza che nessuno lo vedesse. Infilò la mano nella tasca della logora giacca che indossava quella sera.

Ora.

Il suo dito sfiorò il grilletto. Stava per estrarre la pistola dalla sua tasca quando alla sua destra il portone si spalancò e ne emerse una donna anziana che teneva al guinzaglio un barboncino. Subito il cane si lanciò verso Denny.

«Non abbia paura di Honey Bee», lo rassicurò la donna. «È una cagnolina affettuosa.»

La rabbia esplose come un vulcano nella mente di Denny mentre guardava Myles Kearny allontanarsi dal taxi e seguire Neeve fino a dentro la Schwab House. Come agendo di propria volontà, le sue dita scattarono verso la gola del barboncino, ma riuscì a controllare il gesto in tempo e lasciò ricadere la mano sul marciapiede.

«Honey Bee adora le coccole», gli sorrise la donna anziana, «anche dagli sconosciuti.» Poi gettò in grembo a Denny un quarto di dollaro. «Spero che le sarà utile.»

10

La domenica mattina l'agente O'Brien telefonò per parlare con Neeve.

«Perché la vuole?» lo aggredì quasi Myles.

«Vorremmo parlare con la donna delle pulizie che è stata nell'appartamento della Lambston la settimana scorsa, signore. Forse sua figlia ha il suo numero di telefono.»

«Oh.» Myles non avrebbe saputo dire perché provasse quell'immediato sollievo. «Nessun problema. Me lo faccio subito dare da Neeve.»

Cinque minuti dopo telefonò Tse-Tse. «Neeve, adesso sono una testimone.» Sembrava elettrizzata dalla prospettiva. «Ma vorrei chiederti un favore, potrei incontrare gli agenti a casa tua verso l'una e mezzo? È la prima volta che vengo interrogata dalla polizia e mi piacerebbe che ci foste anche tu e tuo padre.» Abbassò la voce. «Neeve, non penseranno che l'ho uccisa io, vero?»

Neeve sorrise. «Certo che no, Tse-Tse. Puoi stare tranquilla. Papà e io andiamo alla messa delle dodici a St. Paul e all'una e mezzo andrà benissimo.»

«Credi che dovrei raccontare dei soldi che quel viscido di suo nipote ha rubato e poi restituito e del fatto che Ethel aveva minacciato di diseredarlo?»

Neeve era stupefatta. «Tse-Tse, mi avevi detto che Ethel era arrabbiata con lui, ma non avevi minimamente accenna-

202

to alla sua intenzione di diseredarlo. Certo che devi dirglielo!»

Quando riappese, vide che Myles la stava guardando, un'espressione interrogativa sul viso. «Che cosa sta succedendo?»

Glielo disse. Myles increspò le labbra un un silenzioso fischio di stupore.

Per l'occasione Tse-Tse si era raccolta i capelli in un severo chignon e anche il trucco era sottotono, fatta eccezione per le ciglia finte. Portava scarpe piatte e una specie di abito della nonna. «È il costume che indossavo quando recitavo la parte della governante accusata di avere avvelenato il suo datore di lavoro», confidò.

Gli agenti O'Brien e Gomez arrivarono pochi minuti dopo. Mentre salutavano Myles Neeve pensò: nessuno crederebbe che lui non è più il personaggio numero uno del comando di polizia. Gli si stanno praticamente genuflettendo davanti.

Ma quando venne presentata Tse-Tse, O'Brien sembrò per un momento colto di sorpresa. «Douglas Brown ci aveva detto che la donna delle pulizie era svedese.»

Ascoltò stupefatto mentre la ragazza gli spiegava in tutta serenità come si trasformasse in persone diverse a seconda del ruolo del momento. «Sto recitando la parte di una cameriera svedese», concluse, «e ho mandato un invito personale a Joseph Papp perché venisse ad assistere alla replica di ieri sera. Era l'ultima rappresentazione. Il mio astrologo ha detto che Saturno era sulla cuspide del Capricorno e che quindi in questo momento la mia carriera è molto favorita. Ero sicura che sarebbe venuto.» Scosse tristemente la testa. «Ma non si è fatto vivo. In realtà, non è venuto proprio nessuno.»

Gomez si lasciò sfuggire un colpo di tosse mentre O'Brien nascondeva un sorriso. «Mi dispiace. E ora, Tse-Tse... posso chiamarla cosi?» E diede inizio all'interrogatorio.

Interrogatorio, tuttavia, che divenne un dialogo quando

Neeve intervenne per spiegare perché era andata con Tse-Tse nell'appartamento di Ethel, perché in seguito vi era tornata per controllare il contenuto dell'armadio e dare un'occhiata all'agenda giornaliera della scrittrice. Tse-Tse raccontò dell'irosa telefonata fatta da Ethel al nipote, circa un mese prima, e del denaro che era tornato magicamente al suo posto la settimana precedente.

Erano le due e mezzo quando O'Brien chiuse con uno scatto il taccuino. «Ci siete state di grande aiuto. Tse-tse, le spiacerebbe accompagnare la signorina Kearny nell'appartamento della Lambston? Lei conosce bene la casa e mi piacerebbe sapere se manca qualcosa. Venite fra un'oretta, se non vi secca. Prima mi piacerebbe fare altre due chiacchiere con Douglas Brown.»

Myles se ne stava seduto sulla sua poltrona preferita, la fronte aggrondata. «E così ora entra in scena anche un nipote avido», commentò.

Nel sorriso di Neeve c'era un barlume di ironia. «E quale credi che sarebbe il suo biglietto da visita, comandante?»

Alle tre e trenta Myles, Neeve, Jack Campbell e Tse-Tse entrarono nell'appartamento di Ethel. Seduto sul divano, Douglas Brown si torceva le mani e quando alzò gli occhi su di loro, la sua espressione non era affatto amichevole. Il viso dai bei lineamenti tradiva del risentimento ed era umido di sudore. Seduti davanti a lui stavano gli agenti O'Brien e Gomez con i taccuini aperti. I ripiani dei tavoli e della scrivania erano polverosi e in disordine.

«Questo posto era immacolato quando me ne sono andata», mormorò Tse-Tse a Neeve.

Bisbigliando, lei le spiegò che la polvere era quella utilizzata dalla Squadra Omicidi per le impronte digitali, poi rivolta a Douglas Brown disse in tono tranquillo: «Sono terribilmente addolorata per quanto è accaduto a sua zia. La apprezzavo moltissimo».

«Allora era una dei pochi», replicò seccamente Brown, alzandosi. «Sentite, chiunque conoscesse Ethel sa quanto potesse essere irritante ed esigente. Mi ha offerto un sacco di cene, e con questo? So io per quante serate ho dovuto rinunciare a vedere i miei amici solo perché lei aveva voglia di compagnia. Per questo mi allungava qualcuno di quei biglietti da cento che continuava a nascondere in giro. Poi si dimenticava dove aveva seminato gli altri e accusava me di averli presi. Dopodiché li ritrovava ed era costretta a scusarsi. E questo è quanto.» Fissò Tse-Tse. «Che cosa diavolo crede di fare conciata in quel modo? Se vuole rendersi utile, perché non dà una ripulita a questo posto?»

«Lavoravo per la signorina Lambston», replicò Tse-Tse con dignità, «e la signorina Lambston è morta.» Guardò l'agente O'Brien. «Che cosa vuole che faccia?»

«Vorrei che la signorina Kearny facesse un elenco degli indumenti che mancano dal guardaroba e che lei si desse un'occhiata intorno per controllare se manca qualcosa.»

«Perché non va con Neeve?» bisbigliò Myles a Jack. «Potrebbe aiutarla prendendo qualche appunto.» Da parte sua, andò a sedersi sulla sedia a schienale dritto vicino alla scrivania, da dove poteva vedere con chiarezza la parete che Ethel aveva trasformato in una sorta di mostra fotografica. Un momento dopo si alzò per guardare le foto più da vicino e con una certa riluttante sorpresa individuò un'istantanea di Ethel durante l'ultima convention repubblicana sul palco insieme con la famiglia del presidente; Ethel che abbracciava il sindaco a Gracie Mansion; Ethel che riceveva il premio annuale dell'American Society of Journalists and Authors per il miglior articolo. Evidentemente in quella donna c'era più di quanto mi fossi reso conto, pensò. E io che l'avevo presa per una sventata qualunque!

Il libro che Ethel intendeva scrivere. Attraverso l'industria della moda la mafia riciclava parecchio denaro sporco. Era questo in cui si era imbattuta Ethel? Mentalmente Myles decise di chiedere a Herb Schwartz se c'era in corso qualche grossa indagine segreta riguardante in qualche modo l'ambiente della moda.

In camera il letto era rifatto e non c'era nulla in disordine, ma la stanza aveva lo stesso aspetto trascurato che caratterizzava il resto dell'appartamento. Anche l'armadio sembrava diverso. Era chiaro che abiti e accessori erano stati tirati fuori, esaminati e poi rimessi a posto un po' a casaccio. «Fantastico», borbottò Neeve. «Tanto per rendermi le cose più difficili.»

Jack quel giorno portava un maglione bianco fatto a mano e pantaloni di cotone blu marino. Quando era arrivato alla Schwab House, Myles, che gli aveva aperto la porta, vedendolo aveva aggrottato le sopracciglia. «Voi due sembrerete Flic e Floc.» Poi si era fatto da parte per lasciare entrare Jack che si era trovato a faccia a faccia con Neeve, a sua volta con indosso un maglione bianco irlandese e pantaloni di cotone blu marino. Erano scoppiati a ridere, poi Neeve era andata di corsa a sostituire il maglione con un cardigan bianco e blu.

La coincidenza aveva in qualche modo attutito l'angoscia che le provocava la prospettiva di maneggiare gli effetti personali di Ethel. Ma ora ogni altra sensazione aveva lasciato il posto allo sgomento davanti al trattamento incurante che era stato riservato al prezioso guardaroba della defunta.

«Difficile, ma non impossibile», obiettò Jack con calma. «Spiegami qual è la procedura migliore.»

Neeve gli passò la cartella contenente le copie dei conti di Ethel. «Inizieremo con gli acquisti più recenti», decise.

Estrasse dall'armadio gli abiti nuovi che Ethel non aveva avuto il tempo di indossare, li posò sul letto, poi si mise a esaminare gli altri, elencando a Jack gli indumenti che erano ancora nell'armadio. Fu presto chiaro che quelli mancanti erano adatti solo a climi freddi. «Questo elimina ogni possibilità che lei avesse in mente di andare ai Caraibi o in posti del genere e che abbia tralasciato deliberatamente di portarsi dietro un cappotto», mormorò tra sé e sé ma rivolgendosi anche a Jack. «Ma forse Myles ha ragione. La camicetta bianca che si accordava con il completo che indossava quando l'hanno trovata non c'è. Forse è davvero in lavanderia... Un momento!»

Bruscamente, smise di parlare, allungò una mano e staccò una gruccia che era finita strizzata tra due maglioni. Da essa pendeva una camicetta di seta bianca con il colletto a jabot e maniche orlate di pizzo. «Ecco quello che stavo cercando», esclamò trionfante. «Perché Ethel non l'aveva addosso? E se aveva deciso di indossare l'altra camicetta, perché non ha messo in valigia anche questa?»

Sedettero insieme sulla chaise longue mentre Neeve copiava gli appunti di Jack finché non ebbe un elenco preciso degli indumenti mancanti dall'armadio di Ethel. Mentre aspettava, Jack ne approfittò per guardarsi intorno. La camera gli parve sporca, forse a causa della perquisizione della polizia, ma i mobili erano belli e c'erano cuscini sparsi dappertutto. Eppure la stanza mancava di personalità. Non si vedevano tocchi personali, fotografie incorniciate, ninnoli. I pochi dipinti sparsi sulle pareti non mostravano la minima fantasia, quasi fossero stati scelti solo per riempire gli spazi vuoti. Era una stanza deprimente, vuota invece che intima. Jack si rese conto di cominciare a provare una grande pietà per Ethel. L'immagine che si era fatto di lei era così diversa! L'aveva sempre pensata come una sorta di palla da tennis dotata di energia propria, che rimbalzava da una parte all'altra del campo senza fermarsi mai. Ma la donna che quella stanza suggeriva era più che altro una persona sola, un po' patetica.

Tornarono in soggiorno in tempo per vedere Tse-Tse che esaminava i mucchi di posta sulla scrivania di Ethel. «Qui non c'è», annunciò la ragazza.

«Non c'è che cosa?» Nella voce di O'Brien c'era una nota brusca.

«Per aprire le lettere, Ethel usava un tagliacarte antico, uno di quei manufatti indiani con l'impugnatura rossa e oro.»

Guardando O'Brien, Neeve pensò di colpo a un segugio che aveva improvvisamente fiutato una traccia.

«Ricorda l'ultima volta che l'ha visto?» chiese lui.

«Sì. Era qui entrambe le volte che sono venuta questa settimana, martedì e giovedì.»

O'Brien guardò Douglas Brown.

«Ieri, quando siamo stati qui a rilevare le impronte, il

tagliacarte non c'era. Ha idea di dove possiamo trovarlo?»

Douglas deglutì, mentre si sforzava di assumere un'espressione riflessiva. Il tagliacarte era sulla scrivania venerdì mattina e da allora nessuno era entrato in casa a eccezione di Ruth Lambston.

Ruth Lambston. Lei aveva minacciato di raccontare alla polizia che Ethel voleva diseredarlo. Ma lui aveva già spiegato ai poliziotti che Ethel finiva sempre per ritrovare i soldi che lo accusava di avere rubato. Era stata una trovata brillante. Ma ora il problema era un altro: doveva parlare loro di Ruth, o limitarsi a dire che non sapeva nulla?

O'Brien gli stava ripetendo la domanda, e questa volta in tono insistente. Douglas decise che era ora di stornare dalla sua persona l'interesse degli sbirri. «Nel pomeriggio di venerdì è venuta qui Ruth Lambston. Si è ripresa una lettera che Seamus aveva lasciato per Ethel e mi ha minacciato, dicendo che vi avrebbe riferito che Ethel era irritata con me se io avessi anche solo accennato a suo marito.» Fece una pausa, poi con tono mite, aggiunse: «Il tagliacarte c'era, quando è venuta lei. È rimasta in piedi vicino alla scrivania quando io sono andato in camera da letto. E dato che non l'ho più rivisto da venerdì, fareste bene a chiedere a *lei* perché ha pensato di rubarlo».

Dopo avere ricevuto la frenetica telefonata di Seamus, il sabato pomeriggio, Ruth era riuscita a mettersi in contatto con la direttrice del personale della sua ditta. Era stata lei a mandare l'avvocato, Robert Lane, alla stazione di polizia.

Quando Lane riportò Seamus a casa, Ruth fu certa che il marito fosse sull'orlo di un attacco cardiaco e avrebbe voluto accompagnarlo al pronto soccorso dell'ospedale. Seamus tuttavia rifiutò con veemenza e acconsentì soltanto a mettersi a letto. Arrancò fino in camera con gli occhi cerchiati di rosso e gonfi di lacrime, l'immagine dell'uomo sconfitto.

Lane aspettò Ruth in soggiorno. «Non sono un penalista», esordì in tono brusco. «Suo marito ha invece bisogno di un penalista, e di uno maledettamente in gamba.» Lei annuì.

«Da quanto mi ha raccontato in taxi, potrebbe avere una possibilità di assoluzione o di una riduzione dei capi d'accusa, invocando la temporanea infermità mentale.»

Ruth si irrigidì. «Ha confessato di averla uccisa?»

«No. Ha detto di averle dato un pugno e che, quando lei ha afferrato il tagliacarte, lui gliel'ha strappato di mano e nella lotta lei si è ferita alla guancia destra. Ha anche aggiunto di avere assoldato un tizio che bazzica nel suo bar perché le facesse delle telefonate minatorie.»

Ruth serrò le labbra. «Questo l'ho saputo soltanto ieri sera.»

«Suo marito non è in grado di sostenere un interrogatorio serrato», concluse Lane stringendosi nelle spalle.

«Il mio consiglio è che si confessi colpevole chiedendo tutte le attenuanti del caso. Lei è convinta che l'abbia uccisa, vero?»

«Sì.»

L'avvocato si alzò. «Come ho detto, io non sono un penalista, ma chiederò in giro e vedrò di trovarvene uno. Mi dispiace.»

Per ore Ruth rimase seduta immobile e in silenzio, sprofondata nella più totale disperazione. Alle dieci guardò il notiziario e ascoltò come l'ex marito di Ethel Lambston fosse stato interrogato in merito alla circostanza della sua morte. Si alzò e corse a spegnere il televisore.

Gli eventi di quell'ultima settimana continuavano a sfilarle davanti agli occhi, come un nastro tenuto costantemente in posizione replay. Dieci giorni prima, la lacrimosa telefonata di Jenny: «Mamma, mi sento così umiliata. L'assegno era scoperto e il tesoriere mi ha mandata a chiamare». Tutto era cominciato allora. Ruth ripensò a come aveva urlato e imprecato contro Seamus. Sono stata io a spingerlo verso la pazzia, si disse.

Ammissione di colpevolezza. Che cosa avrebbe significato? Omicidio preterintenzionale? Per una condanna di quanti anni? Quindici? Venti? Ma lui aveva seppellito il corpo, si era preso la briga di nascondere le tracce del suo crimine. Com'era riuscito a mantenersi tanto calmo?

Calmo? Seamus? Il tagliacarte nella sua mano, e lui che fissava la donna stesa a terra con la gola tagliata? Impossibile.

Un nuovo ricordo la colpì, un ricordo che era stato fonte di risate in famiglia, ai tempi in cui erano ancora capaci di ridere. Seamus che entrava nella sala parto al momento della nascita di Marcy. E sveniva. Alla vista del sangue era svenuto di colpo. «Erano molto più preoccupati per tuo padre che per noi due», aveva spesso raccontato Ruth a Marcy, in seguito. «E quella è stata la prima e l'ultima volta che ho permesso a papà di mettere piede in sala parto. Se la cava molto meglio dietro il banco del bar che nei panni del medico.»

Seamus che osservava il sangue sgorgare dalla gola di Ethel, che ne ficcava il cadavere in un sacco di plastica, per poi uscire furtivamente dal suo appartamento. Ruth ripensò alle etichette che erano state strappate dagli abiti di Ethel. Seamus avrebbe avuto la freddezza necessaria per fare una cosa simile e poi seppellirla in quella piccola caverna del parco? No, non era possibile, decise.

Ma se non aveva ucciso Ethel, se l'aveva lasciata ancora viva come sosteneva, allora non era improbabile che lei, liberandosi del tagliacarte, avesse distrutto una prova che avrebbe potuto far risalire la polizia a qualcun altro...

Era una possibilità troppo terrorizzante perché potesse tollerarla. Stancamente, Ruth si alzò e andò in camera. Seamus respirava regolarmente, ma sentendola si mosse. «Ruth, stai con me.» E quando lei fu a letto, le passò le braccia intorno al corpo e si riaddormentò, con la testa sulla sua spalla.

Alle tre del mattino Ruth stava ancora cercando di decidere che cosa fare. Poi, come in risposta a una preghiera inespressa, le vennero in mente tutte le volte che aveva incontrato l'ex comandante della polizia Kearny al supermercato. Lui le sorrideva sempre in modo così affabile e le diceva: «Buongiorno». Una volta che la sua borsa della spesa si era rotta, si era fermato perfino ad aiutarla. Lui le era piaciuto istintivamente, anche se ogni volta, vedendolo, ricordava che una parte del denaro degli alimenti finiva nell'esclusiva boutique di sua figlia.

I Kearny abitavano nella Schwab House, sulla Settantaquattresima. *Il giorno dopo lei e Seamus sarebbero andati dal comandante. Lui avrebbe saputo consigliarli, potevano fidarsi di lui.* Ruth finalmente si addormentò pensando: Devo pur fidarmi di qualcuno.

Per la prima volta da anni, la domenica mattina dormì fino a tardi, ed erano le dodici meno un quarto quando si svegliò e guardò l'ora. I raggi luminosi del sole inondavano la stanza filtrando attraverso le tapparelle fissate male. Ruth guardò Seamus. Nel sonno lui aveva perso l'espressione ansiosa, piena di timore che la irritava tanto, e i suoi lineamenti rivelavano ancora tracce della bellezza di un tempo. Era da lui che le ragazze avevano ereditato l'aspetto fisico, così come il senso dell'umorismo, perché ai vecchi tempi Seamus era stato arguto e sicuro di sé. Poi era cominciato il crollo. L'affitto del pub che aumentava in maniera astronomica, il quartiere che decadeva, i vecchi clienti che scomparivano uno per uno. E ogni mese, l'assegno degli alimenti.

Ruth scivolò giù dal letto e andò al cassettone, di cui il sole rivelava spietatamente le intaccature e le cicatrici. Cercò di aprire il cassetto senza fare rumore, ma era bloccato ed emise uno stridio di protesta. Nel letto, Seamus si agitò.

«Ruth.» Non era ancora del tutto sveglio.

«Resta lì», mormorò lei. «Ti chiamo appena è pronta la colazione.»

Il telefono squillò proprio mentre toglieva il bacon dalla griglia. Erano le ragazze. Avevano saputo di Ethel e Marcy, la maggiore, disse: «Mamma, siamo spiacenti per lei, ma questo significa che papà è finalmente libero, non è vero?»

Ruth si sforzò di apparire allegra. «Sembrerebbe proprio di sì. Il fatto è che non ci siamo ancora abituati all'idea.» Poi andò a chiamare Seamus perché parlasse con le figlie.

Ruth comprese appieno lo sforzo che lui stava facendo quando lo sentì dire: «Certo, è terribile sentirsi felici per la

211

morte di qualcuno, ma non lo è altrettanto esserlo perché si ha un peso economico in meno. E ora ditemi, come ve la passate, sorelline? Spero che i ragazzi non vi importunino troppo.»

Ruth aveva preparato succo d'arancia fresco, bacon, uova strapazzate, toast e caffè. Attese che Seamus finisse di mangiare, gli versò una seconda tazza di caffè, poi gli si sedette di fronte, al pesante tavolo di legno di quercia, il regalo poco gradito di una zia zitella di lui, e annunciò: «Dobbiamo parlare».

Appoggiò i gomiti sul tavolo, incrociando le mani sotto il mento, e vedendo la sua immagine riflessa nello specchio della credenza pensò fugacemente a come fosse diventata sciatta. La vestaglia che indossava era sbiadita, i capelli castano chiaro, che erano sempre stati folti, adesso si erano diradati e avevano un colore grigio topo; gli occhiali tondi davano un'espressione tormentata al viso piccolo. Scacciò quei pensieri, giudicandoli irrilevanti, e continuò a parlare. «Quando mi hai raccontato di avere picchiato Ethel, che lei si era ferita con il tagliacarte e che avevi pagato qualcuno perché la minacciasse per telefono, io avevo creduto che ti fossi spinto oltre. Avevo creduto che tu l'avessi uccisa.»

Seamus tenne lo sguardo fisso nella tazza del caffè. Come se lì dentro ci fossero tutti i segreti dell'universo, pensò Ruth. Poi lo vide sollevare la testa e fissarla negli occhi. Era come se una buona notte di sonno, la chiacchierata con le ragazze e la colazione decente lo avessero rimesso in sesto. «Non ho ucciso Ethel», affermò. «L'ho spaventata. Che diavolo, ero spaventato anch'io. Non avrei mai immaginato che sarei arrivato a picchiarla, ma forse è successo così, d'impulso. E lei si è tagliata perché ha voluto afferrare il tagliacarte. Io gliel'ho strappato di mano e l'ho ributtato sulla scrivania. Ma lei aveva paura ed è stato allora che ha detto: 'Va bene, va bene. Puoi tenerti quei maledetti alimenti'.»

«Questo è successo giovedì pomeriggio», lo sollecitò Ruth.

«Giovedì verso le due, sì. Sai anche tu com'è tranquilla la

zona a quell'ora. E ricorderai in che condizioni eri quando abbiamo saputo dell'assegno scoperto. Ho lasciato il bar all'una e mezzo. C'era Dan a sostituirmi. Lui potrà confermare.»

«Poi sei tornato al bar?»

Seamus terminò il caffè e posò la tazza. «Sì, non potevo farne a meno. Poi sono venuto a casa e mi sono ubriacato. E sono rimasto ubriaco per tutto il fine settimana.»

«Chi hai visto? Sei uscito per andare a comprare il giornale?»

Seamus sorrise, un sorriso vuoto, privo di allegria. «Non ero in condizioni di leggere.» Attese la sua reazione, poi Ruth vide un barlume di speranza illuminargli il viso. «Tu mi credi», mormorò lui, e il suo tono era umile e stupito al tempo stesso.

«Non ti credevo ieri e neppure venerdì», rispose lei. «Ma ti credo adesso. Tu sei molte cose, e *non* sei molte altre, ma so che non avresti mai impugnato un coltello o un tagliacarte per uccidere qualcuno.»

«Qualcosa, in me, l'hai trovato», commentò Seamus con voce quieta.

Il tono di Ruth divenne sbrigativo. «Avrebbe potuto andarmi peggio. Ma ora siamo pratici. Non mi piace quell'avvocato e lui stesso riconosce che non può esserci utile. Voglio tentare qualcosa. Per l'ultima volta, giurami di non avere ucciso Ethel.»

«Te lo giuro sulla mia vita.» Seamus esitò. «Sulla testa delle mie tre figlie.»

«Abbiamo bisogno di aiuto. Di un vero aiuto. Ho guardato il telegiornale, ieri sera. Hanno parlato di te, del fatto che eri stato interrogato. Sono ansiosi di dimostrare la tua colpevolezza, e noi dobbiamo raccontare la verità a qualcuno in grado di consigliarci su cosa fare oppure di indirizzarci dall'avvocato giusto.»

Fu necessario un intero pomeriggio di discussioni, di ragionamenti e di lusinghe per convincere Seamus ad acconsentire. Erano le quattro e mezzo quando si prepararono a uscire, Ruth tarchiata e un po' tozza nel suo vecchio soprabito buono per tutte le stagioni, Seamus un po' strizzato nel suo, e percorsero a piedi i tre isolati che li separavano dalla Schwab House.

Lungo la strada parlarono poco. Malgrado il freddo fuori stagione, la gente si godeva la giornata di sole. La vista dei bambini con i loro palloni colorati, seguiti da genitori dall'aria esausta, strappò a Seamus un sorriso. «Ricordi quando portavamo le ragazze allo zoo, la domenica pomeriggio? È simpatico che l'abbiano aperto di nuovo.»

Alla Schwab House il custode disse loro che il comandante Kearny e la figlia erano fuori. Un po' esitante, Ruth chiese il permesso di aspettare e per mezz'ora sedettero a fianco a fianco su uno dei divani dell'atrio e Ruth cominciò a dubitare della saggezza della decisione presa. Stava quasi per proporre di andare via quando vide il custode aprire la porta e un gruppetto di quattro persone entrare. I Kearny e due sconosciuti.

Prima di perdersi del tutto di coraggio, Ruth si precipitò verso di loro.

«Myles, vorrei che tu avessi permesso a quella gente di parlarti.» Erano tutti e tre in cucina e Jack stava preparando l'insalata, mentre Neeve scongelava quello che restava della salsa rimasta dalla cena di giovedì sera.

Myles stava versando due martini molto secchi per sé e per Jack. «Neeve, non potevo permettere che si aprissero con me. Dopotutto, tu sei una testimone di questo caso. Se gli avessi permesso di dirmi che ha ucciso Ethel durante un litigio, mi sarei trovato con l'obbligo morale di riferirlo alla polizia.»

«Sono sicura che non era questo che voleva dirti quell'uomo.»

«Sia quello che sia, posso garantirti che ora Seamus Lam-son e sua moglie Ruth stanno affrontando un interrogato-ena regola, al quartier generale. Non dimenticare che se quel viscido nipote di Ethel ha detto la verità, è stata Ruth Lambston a rubare il tagliacarte, e di sicuro non l'ha fatto perché voleva un souvenir. Ho fatto quello che potevo, ho chiamato Pete Kennedy. È un penalista con i fiocchi e li vedrà domani mattina.»

«E loro possono permettersi un penalista con i fiocchi?»

«Se Seamus Lambston ha le mani pulite, Pete dimostrerà ai nostri ragazzi che se la stanno prendendo con la persona sbagliata. Se è colpevole, qualunque cifra Pete chiederà loro, la varrà tutta, per far ridurre l'imputazione da quella di omicidio premeditato a quella di omicidio preterintenzionale.»

A cena, Neeve ebbe la sensazione che Jack facesse di tutto per stornare la conversazione da Ethel. Chiese a Myles di raccontargli i casi famosi dei suoi tempi, argomento che suo padre non si stancava mai di sviscerare. Fu soltanto quando sparecchiarono che Neeve si rese conto di come Jack conoscesse già tantissimi di quei casi, che certo non avevano mai avuto una grossa pubblicità nel Midwest. «Sei andato a leggerti i giornali di quando papà era comandante», lo accusò.

Lui non parve turbato. «Infatti. Lascia lì quelle pentole, le lavo io. Tu ti rovineresti le unghie.»

È impossibile, pensò Neeve, che in una settimana siano accadute tante cose. È come se Jack ci fosse sempre stato. Che cosa stava succedendo?

Ma lo sapeva benissimo. Poi di colpo un freddo raggelante la penetrò. Mosè che intravede la Terra Promessa, sapendo che non potrà mai raggiungerla. Perché provava quella sensazione? Perché sentiva come se qualcosa incombesse su di lei? Perché quando aveva guardato le foto scattate a Ethel da morta vi aveva visto qualcos'altro, qualcosa di indecifrabile, come se Ethel stesse dicendo: «Aspetta di vedere com'è».

Com'è *che cosa*? si chiese.

La morte.

Il telegiornale delle dieci fornì nuovi particolari sul conto di Ethel. Qualcuno aveva messo insieme un filmato sulla sua carriera. In quei giorni i media erano a corto di notizie sensazionali e Ethel li aiutava a colmare la lacuna.

Il telegiornale stava finendo quando squillò il telefono. Era Kitty Conway, e la sua voce chiara, quasi musicale, sembrava affrettata. «Neeve, mi spiace disturbarla, ma sono appena arrivata a casa e quando sono andata a prendere il cappotto mi sono accorta che suo padre ha lasciato qui il cappello. Domani pomeriggio devo fare un salto in città e ho pensato che magari potrei lasciarglielo da qualche parte.»

Neeve era stupefatta. «Aspetti un minuto, vado a chiamarlo.» E rivolta a Myles mormorò: «Che cosa diavolo sta succedendo? Tu non dimentichi mai niente».

«Oh, la graziosa Kitty Conway.» Myles sorrideva con aria compiaciuta. «Mi stavo proprio domandando quando avrebbe trovato quel maledetto cappello.» Parlò brevemente al telefono, poi si rivolse alla figlia con aria quasi impacciata. «Farà un salto qui domani pomeriggio verso le sei. Poi pensavo di portarla a cena. Vuoi venire?»

«Certo che no. A meno che tu non creda di avere bisogno di uno chaperon. Comunque, devo andare nella Settima Avenue.»

Quando si congedò, Jack le disse: «Avvertimi se sto diventando una vera seccatura, ma che cosa ne diresti di cenare con me domani sera?»

«Sai benissimo che non sei affatto una seccatura. Va bene per la cena, a condizione che non ti dispiaccia aspettare la mia telefonata. Non so di preciso a che ora sarò libera. Di solito la mia ultima sosta è nello showroom di zio Sal, quindi ti chiamerò da lì.»

«Non mi dispiace. Neeve, ancora una cosa. Sta' attenta. Tu sei una testimone importante, e la vista di quelle persone, Seamus Lambston e sua moglie, voglio dire, mi ha fatto sentire poco tranquillo. Neeve, quei due sono disperati. Colpevoli o innocenti, vogliono che le indagini vengano interrotte. Il loro desiderio di parlare con tuo padre può essere genuino, o magari solo il frutto di un calcolo. Il punto è che gli assassini non esitano a uccidere di nuovo se qualcuno intralcia loro la strada.»

216

11

Dato che il lunedì era il suo giorno libero, l'assenza di Denny non avrebbe causato alcun sospetto, ma lui volle ugualmente crearsi un alibi dichiarando che avrebbe passato la giornata a letto. «Temo di essermi beccato l'influenza», spiegò al noncurante impiegato del suo alberghetto. Big Charley gli aveva telefonato il giorno prima. «Liberati di lei al più presto o troveremo qualcun altro in grado di farlo.»

A Denny non era sfuggito il vero significato di quelle parole. Certo non sarebbe rimasto in circolazione se avesse cercato di utilizzare quanto sapeva del contratto come merce di scambio con la polizia. E poi, voleva il resto dei soldi.

Fece con cura i suoi piani. Andò al drugstore all'angolo e tra un colpo di tosse e l'altro chiese al farmacista qualcosa per l'influenza. Tornato alla pensioncina, si fermò puntigliosamente a chiacchierare con la stupida vecchia bagascia che occupava una stanza vicina e che cercava sempre di fare amicizia con lui. Cinque minuti dopo lasciava la camera di lei con in mano un vecchio boccale pieno di tè dall'odore sospetto.

«Quello cura tutto», gli assicurò lei. «Verrò a darti un'occhiata più tardi.»

«Forse potresti prepararmene un altro po' verso mezzogiorno», la pregò Denny con fare piagnucoloso.

Andò al bagno destinato agli inquilini del secondo e del

terzo piano e si lamentò dei crampi con il vecchio ubriacone che aspettava pazientemente che la porta si aprisse. Ma l'ubriacone si rifiutò di farlo passare davanti.

Tornato in camera sua, Denny mise in una borsa tutti gli abiti che aveva usato durante i pedinamenti di Neeve. Inutile rischiare che un custode dagli occhi acuti descrivesse qualcuno che era stato visto gironzolare intorno alla Schwab House. E poi c'era la vecchia zitella con il cane, lei aveva avuto modo di vederlo bene. Denny non dubitava che dopo l'omicidio della figlia dell'ex comandante della polizia gli agenti avrebbero setacciato la città in cerca di indizi.

Si sarebbe liberato dei vestiti gettandoli in un bidone lì vicino. Nessun problema, quanto a questo. Il difficile sarebbe stato seguire Neeve Kearny dalla boutique alla Settima Avenue. Ma aveva già pensato a come farcela. Possedeva una tuta nuova, grigia, che nessuno lì intorno gli aveva mai visto addosso, e aveva a disposizione anche una parrucca da rockettaro con un paio di occhiali enormi. Così travestito, si sarebbe confuso tra la massa di fattorini che correvano per la città investendo la gente con i loro motorini. Si sarebbe procurato una grossa busta e avrebbe aspettato che Neeve Kearny uscisse. Probabilmente avrebbe preso un taxi, e lui l'avrebbe seguita a bordo di un altro. Al tassista avrebbe rifilato una storiella circa il furto del suo motorino, spiegando che la signora dell'altro taxi aveva assoluto bisogno dei documenti che lui doveva consegnarle.

Aveva sentito con le sue orecchie Neeve Kearny fissare un appuntamento all'una e mezzo con una delle ricche puttane che potevano permettersi di spendere cifre astronomiche nel suo negozio.

Ma era necessario lasciare sempre un margine per l'imprevisto. Prima dell'una e mezzo sarebbe andato a piazzarsi di fronte alla boutique, dall'altra parte della strada.

La possibilità che il tassista facesse due più due dopo l'omicidio della Kearny non lo preoccupava. I poliziotti avrebbero cercato un tizio con i capelli tagliati alla rockettaro.

Fatti i suoi piani, Denny ficcò il fagotto dei vecchi abiti sotto la brandina. Che razza di fogna, pensò poi guardando

218

la minuscola stanza. Piena di scarafaggi. Puzzolente. Un cassettone che assomigliava un po' troppo a una cassa per arance. Ma appena sbrigato il lavoro e intascati gli altri diecimila, non avrebbe dovuto fare altro che restare nei paraggi fino al termine del periodo di libertà sulla parola e poi avrebbe preso il largo. Ragazzi, se avrebbe preso il largo.

Durante la mattinata Denny fece frequenti visite al bagno, lamentandosi dei dolori con chiunque avesse voglia di ascoltarlo. A mezzogiorno, la baldracca sua vicina gli portò un'altra tazza di tè e un panino stantìo. Dopo, Denny fece qualche altra puntatina alla toilette, dove restava in piedi dietro la porta chiusa sforzandosi di non respirarne il tanfo e facendo aspettare gli altri finché non li sentiva brontolare qualche protesta.

All'una e un quarto uscì strascicando i piedi e disse al vecchio ubriacone: «Mi sembra di sentirmi meglio. Vado a dormire un po'».

La sua stanza era al secondo piano e dava su uno stretto vicolo. Dal tetto ripido di fronte, un aggetto si protendeva sopra i piani in basso. In pochi minuti Denny si cambiò, indossando la tuta grigia e calcandosi in testa la parrucca da punk, poi gettò nel vicolo la borsa con gli abiti vecchi e balzò giù calandosi dalla sporgenza.

Lasciò cadere il fagotto in un bidone per i rifiuti infestato dai ratti dietro un condominio sulla Centottava strada, prese la metropolitana per Lexington e la Ottantaseiesima, acquistò in un negozietto una grossa busta e dei pastelli, vi scrisse sopra «Urgente» e si piazzò in attesa davanti alla Bottega di Neeve.

Alle dieci di lunedì mattina un aereo da carico coreano, il volo 771, ricevette dalla torre di controllo l'autorizzazione all'atterraggio all'aeroporto Kennedy. Dei furgoni della Gordon Steuber Textiles erano in attesa per caricare le casse di abiti e indumenti sportivi che sarebbero stati trasportati nei magazzini di Long Island City; magazzini che non comparivano affatto nei registri della compagnia.

Ma c'era qualcun altro ad aspettare il carico: funzionari della narcotici in procinto di effettuare uno dei più grossi sequestri di partite di droga degli ultimi dieci anni.

«Un diavolo di idea», disse uno di loro al collega che, travestito come lui da meccanico, aspettava sulla pista. «Ho visto della droga nascosta nei mobili, bambole Kewpie, collari per cani, pannolini per bambini, ma mai in capi d'alta moda.»

L'aereo descrisse un cerchio, scese sulla pista e rullando andò ad arrestarsi di fronte all'hangar. In un attimo, il terreno fu invaso dagli agenti federali.

Dieci minuti dopo, la prima cassa veniva aperta. Furono lacerate le cuciture di una giacca di lino squisitamente tagliata e il capo della squadra d'intervento ne rovesciò il contenuto in un sacchetto di plastica: eroina purissima non tagliata. «Cristo», mormorò in tono quasi reverenziale, «solo in questa cassa dev'esserci roba per due miloni di dollari. Avvertite la centrale di andare a prendere Steuber.»

Alle 9.40 gli agenti federali fecero irruzione nell'ufficio di Gordon Steuber. Inutilmente la sua segretaria cercò di sbarrare loro il passo. Steuber ascoltò impassibile mentre gli venivano letti i suoi diritti e senza traccia di emozione guardò le manette che venivano fatte scattare intorno ai suoi polsi. Ma dentro di sé ribolliva di una furia accecante e omicida il cui bersaglio era Neeve.

Mentre veniva condotto via, si fermò a parlare con la segretaria in lacrime. «May, sarà meglio che cancelli i miei appuntamenti. Non te ne dimenticare.»

L'espressione degli occhi di lei gli disse che aveva compreso. Non avrebbe mai detto che dodici giorni prima, il mercoledì sera, Ethel Lambston era entrata nel suo ufficio per dirgli che sapeva tutto dei suoi traffici illeciti.

Douglas Brown dormì male la notte del sabato. Mentre si agitava irrequieto tra le lenzuola di percalle di Ethel, la sognò che brindava con una coppa di Dom Pérignon al *San Domenico:* «A Seamus l'imbranato». E poi di nuovo mentre gli diceva con voce fredda: «Di quanto ti sei servito questa volta?» Poi arrivava la polizia per portarlo via.

Alle dieci di lunedì mattina ricevette una telefonata da parte dell'ufficio del medico legale della contea di Rockland. Come parente più prossimo della vittima, gli fu chiesto che progetti avesse per le spoglie mortali di Ethel Lambston. Doug si sforzò di apparire sollecito. «Mia zia desiderava essere cremata. Potrebbe suggerirmi che cosa fare?»

In realtà Ethel una volta aveva accennato al suo desiderio di essere seppellita nell'Ohio, vicino ai suoi genitori, ma sarebbe stato molto più economico spedire un'urna che una bara.

Gli venne dato il nome di un'agenzia di pompe funebri. La donna che gli rispose era cordiale e premurosa e gli chiese chi avrebbe coperto le spese. Doug promise di richiamarla e telefonò all'amministratore di Ethel. Il professionista era stato fuori città per un lungo fine settimana e aveva appena saputo la terribile notizia.

«Sono stato presente alla stesura del testamento della signorina Lambston», lo informò. «Ho una copia dell'originale. Gli era molto affezionata, sa.»

«Anch'io le volevo molto bene.» Poi Doug riappese. Gli era necessario un po' di tempo per abituarsi al fatto di essere un uomo ricco. Ricco, almeno, secondo i suoi standard.

Ammesso che non andasse tutto quanto all'aria, pensò.

Si era quasi aspettato l'arrivo dei poliziotti, ma ugualmente la rapida bussata alla porta e l'invito a presentarsi alla centrale per essere interrogato lo innervosirono.

Al distretto ascoltò stupefatto la lettura dei suoi diritti. «State scherzando!»

«Diciamo che preferiamo essere molto cauti», replicò l'agente Gomez. «Si ricordi, Doug, che lei non è obbligato a rispondere alle nostre domande, che può chiamare un avvocato o che può smettere di rispondere in qualunque momento.»

Doug pensò al denaro di Ethel; all'appartamento; alla pollastrella che gli faceva gli occhi dolci alla Cosmic; alla possibilità di lasciare quello schifo di lavoro; di mandare al diavolo quel bastardo che era il suo diretto superiore. Assunse un'espressione sollecita. «Sono perfettamente disposto a rispondere alle vostre domande.»

Alla prima domanda dell'agente O'Brien, si sentì come scaraventato nel vuoto: «Giovedì scorso lei è andato in banca e ha ritirato quattrocento dollari in biglietti da cento. Non cerchi di negarlo, Doug, abbiamo controllato. Si tratta del denaro che abbiamo trovato nell'appartamento di sua zia, vero? Ora, perché mai lo ha messo lì quando ci aveva detto che sua zia ritrovava sempre i soldi che l'accusava di avere rubato?»

Myles dormì da mezzanotte alle cinque e mezzo e quando si svegliò si rese subito conto che non sarebbe riuscito ad addormentarsi di nuovo. Non c'era nulla che detestasse di più che restare a letto senza la speranza di scivolare tra le braccia di Morfeo, così si alzò, mise la vestaglia e andò in cucina.

Davanti a una tazza di caffè decaffeinato esaminò punto per punto gli avvenimenti della settimana. L'iniziale senso di sollievo causato dalla morte di Nicky Sepetti stava svanendo. Perché?

Lanciò un'occhiata alla stanza, perfettamente in ordine. La sera prima gli aveva fatto piacere vedere come Jack Campbell aiutasse Neeve a rigovernare. Quel ragazzo sapeva come cavarsela in una cucina, e pensando a suo padre, Myles ebbe un mezzo sorriso. Un tipo in gamba. «Lui», diceva sua madre quando si riferiva al marito. Eppure Dio sapeva se papà aveva mai posato un piatto nel lavello oppure spinto un aspirapolvere o badato a uno dei figli. Al giorno d'oggi i giovani mariti erano differenti. Ed era una differenza positiva.

Che tipo di marito era stato lui per Renata? Buono, secondo gli standard della maggior parte delle persone. «La amavo», disse Myles in un bisbiglio, «ero orgoglioso di lei. Insieme ci divertivamo. Ma adesso mi chiedo se la conoscevo davvero. Quanto mi sono avvicinato al modello di mio padre durante il nostro matrimonio? L'ho mai presa sul serio, al di fuori dei suoi ruoli preordinati di moglie e madre?»

La sera prima, o forse era stata quella ancora precedente, aveva detto a Jack Campbell che era stata Renata a insegnargli a conoscere i vini. A quei tempi ho avuto il mio daffare a dirozzarmi, pensò Myles, ricordando come già prima di incontrare Renata avesse stabilito per sé un programma di miglioramento. Biglietti per il Carnegie Hall e per il Metropolitan. Visite d'obbligo al museo dell'Arte.

Era stata Renata a trasformare quelle visite d'obbligo in eccitanti spedizioni di scoperta. Renata, che di ritorno a casa dopo una serata all'opera canticchiava i brani più belli con la sua chiara voce da soprano. «Milo, caro, devi essere l'unico irlandese al mondo privo di orecchio musicale», lo stuzzicava spesso.

Negli undici meravigliosi anni che abbiamo vissuto insieme abbiamo solo cominciato a sondare tutto quello che avremmo potuto divenire l'uno per l'altra.

Myles si alzò per versarsi un'altra tazza di caffè. Perché avvertiva così acutamente quella consapevolezza? Che cosa gli sfuggiva? Qualcosa. Qualcosa. Oh, Renata, pregò. Non so perché, ma sono preoccupato per Neeve. Ho fatto del mio meglio in questi diciassette anni, ma è anche tua figlia. Credi che sia nei guai?

La seconda tazza di caffè lo tirò un po' su e cominciò a sentirsi vagamente sciocco. Quando Neeve entrò sbadigliando in cucina, si era ripreso a sufficienza da dire: «Il tuo editore se la cava bene tra pentole e casseruole».

Neeve ridacchiò e come risposta si chinò a baciarlo sulla testa. «Così, si tratta della 'graziosa Kitty Conway'. Hai tutta la mia approvazione, comandante. È ora che tu ricominci a interessarti alle signore. Dopotutto, non è che diventi più giovane.» Poi si scansò per evitare la sua pacca.

Per andare al lavoro, quella mattina Neeve scelse uno Chanel rosa e grigio con i bottoni d'oro, scarpe con il tacco

223

alto grigie e una tracolla in tinta. Poi si raccolse i capelli in uno chignon.

Myles la guardò con approvazione.

«Mi piace questo vestito. Molto meglio di quella scacchiera che avevi sabato. Hai ereditato da tua madre il gusto per i vestiti belli.»

«La sua approvazione, signore, mi lusinga profondamente.» Sulla porta, Neeve esitò. «Comandante, non vorresti compiacermi e chiedere al medico legale se c'è la possibilità che Ethel sia stata spogliata e rivestita dopo morta?»

«Non ci avevo ancora pensato.»

«Be', pensaci, per favore. E anche se non sei d'accordo, fallo per me. Ah, un'altra cosa: credi che Seamus Lambston e sua moglie volessero darcela a bere?»

«Del tutto probabile.»

«Mi sembra giusto. Ma, Myles, ascoltami fino in fondo senza zittirmi, solo per questa volta. L'ultima persona che ammette di avere visto Ethel viva è stato suo marito Seamus, e noi sappiamo che era giovedì pomeriggio. Non sarebbe possibile chiedergli com'era vestita, allora? Personalmente, scommetto che indossava quel caffettano di lana multicolore con il quale praticamente viveva quando era in casa. Quel caffetano non era nell'armadio. Ethel non se lo portava mai in viaggio. Myles, non guardarmi così, so quello che sto dicendo. Il punto è, immaginiamo che Seamus – o qualcun altro – abbia ucciso Ethel mentre aveva addosso quel caffetano e poi lo abbia cambiato.»

Aprì la porta e in quel momento Myles si rese conto che si stava quasi aspettando un'osservazione beffarda da parte sua. Si sforzò quindi di mantenere la voce impersonale. «Il che significherebbe...?»

«Significherebbe che *se* Ethel è stata vestita con abiti diversi dopo la morte, in nessun modo suo marito può essere l'assassino. Hai visto come si vestono lui e la moglie, di moda ne sanno quanto io di navicelle spaziali. D'altro canto, c'è un viscido bastardo di nome Gordon Steuber che avrebbe scelto d'istinto qualcosa che veniva dalla sua produzione e vestito Ethel nella maniera in cui il completo veniva posto in vendita.»

Poi, prima di chiudere la porta dietro di sé, aggiunse: «Non sei tu che dici sempre che un assassino lascia invariabilmente il suo biglietto da visita, comandante?»

A Peter Kennedy, procuratore legale, veniva chiesto spesso se fosse imparentato con *quei* Kennedy, e in realtà aveva una forte somiglianza con il defunto presidente. Cinquantenne, con i capelli più rossi che grigi, una faccia forte e squadrata e un fisico robusto, agli inizi della sua carriera era stato assistente del ministro della giustizia e aveva instaurato una duratura amicizia con Myles Kearny. In risposta alla telefonata urgente dell'ex comandante della polizia, Pete aveva cancellato l'appuntamento delle undici e acconsentito a ricevere Seamus e Ruth Lambston nel suo ufficio del centro.

Ora ascoltava incredulo la coppia e osservava i loro visi tesi e stanchi. Di tanto in tanto interveniva con qualche domanda. «Signor Lambston, mi sta dicendo che ha picchiato la sua ex moglie con tanta violenza da farla cadere a terra, che lei si è alzata, ha afferrato il pugnale che usava come tagliacarte e nella lotta per non farselo strappare di mano si è ferita alla guancia.»

Seamus annuì. «Ethel si era accorta che avrei quasi potuto ucciderla.»

«Quasi?»

«Quasi», ripeté Seamus, e la sua voce era piena di vergogna. «Voglio dire, per un secondo, se quel pugno l'avesse uccisa, ne sarei stato felice. Per più di vent'anni ha trasformato la mia vita in un inferno. Quando si è rialzata, mi sono reso conto che sarebbe potuto succedere. Però era spaventata, molto, e mi ha detto che avrebbe rinunciato agli alimenti.»

«E poi...»

«Me ne sono andato. Sono tornato al bar e poi a casa, dove mi sono ubriacato. Conoscevo Ethel, sapevo che per lei non sarebbe certo stato un problema denunciarmi per aggressione. Ha tentato per tre volte di sbattermi al fresco quando ero

225

in ritardo con i pagamenti.» Rise, una risata senza gioia. «Una di quelle volte è stato il giorno della nascita di Jeannie.»

Pete continuò con le domande e con destrezza assodò il fatto che Seamus aveva avuto paura che Ethel lo denunciasse; che era sicuro che, appena lei avesse avuto il tempo di ripensarci, avrebbe preteso di nuovo gli alimenti; che era stato tanto stupido da dire a Ruth che Ethel si era dichiarata d'accordo sulla sospensione dei pagamenti; che si era sentito terrorizzato quando la moglie gli aveva chiesto di scrivere a Ethel per confermare il loro accordo.

«E allora inavvertitamente ha lasciato sia l'assegno sia la lettera nella sua cassetta della posta e in seguito è tornato lì nella speranza di recuperarli?»

Seamus si torceva nervosamente le mani. Persino alle sue orecchie quel racconto suonava inverosimilmente sciocco, ma questo era lui, uno sciocco. E c'era dell'altro. Le minacce. Chissà perché, ancora non riusciva a parlare di quelle.

«Lei non ha più visto la sua ex moglie, Ethel Lambston, né le ha più parlato dopo giovedì trenta marzo.»

«No.»

Non mi ha detto tutto, pensò Pete, ma come inizio è sufficiente. Guardò Seamus Lambston appoggiato all'indietro sul divano di pelle. Cominciava a rilassarsi e presto si sarebbe sentito abbastanza tranquillo da mettere tutte le carte in tavola. Insistere troppo poteva rivelarsi un errore, così Pete si rivolse alla moglie, che se ne stava compostamente seduta accanto al marito, gli occhi colmi di diffidenza. Pete si rese conto che le rivelazioni del marito l'avevano spaventata.

«È possibile che qualcuno denunci Seamus per avere aggredito Ethel?» volle sapere.

«La vittima non è più in grado di sporgere denuncia», fu la risposta di Pete. Tecnicamente, avrebbe potuto farlo la polizia. «Signora Lambston, ritengo di saper giudicare le persone. So che è stata lei a persuadere suo marito a parlare con il comandante...», si corresse, «con l'ex comandante Kearny. E credo che avesse ragione nel ritenere di avere bisogno di aiuto. Ma io potrò aiutarvi solo se mi direte la verità. C'è qualcosa che lei sta ancora soppesando dentro di sé, e io ho bisogno di sapere di che cosa si tratta.»

E sotto lo sguardo del marito e di quell'imponente avvocato, Ruth bisbigliò: «Credo di avere gettato via l'arma del delitto».

Un'ora più tardi, quando i Lambston se ne andarono, e dato che Seamus aveva acconsentito a sottoporsi alla prova della macchina della verità, Pete Kennedy non era più sicuro del suo istinto. Proprio alla fine del colloquio, Seamus aveva confessato di avere assoldato uno degli imbecilli che bazzicavano nel suo pub per minacciare Ethel. O quell'uomo era semplicemente stupido e spaventato, oppure stava tentando una mossa molto accorta, stabilì Pete, e mentalmente prese nota di far sapere a Myles Kearny che non tutti i clienti che gli mandava erano precisamente l'ideale.

La notizia dell'arresto di Gordon Steuber si abbatté come un'onda di piena sull'ambiente della moda. Le linee telefoniche erano intasate: «No, non si tratta delle fabbriche clandestine. Quello lo fanno tutti, ma di droga». Poi, il grosso interrogativo: «Ma perché? Guadagnava milioni. D'accordo, stava passando qualche guaio per i laboratori clandestini. Quelli delle tasse gli stavano addosso per scoprire eventuali evasioni fiscali. Un buon studio legale avrebbe potuto tenere in sospeso la faccenda per anni. Ma la droga!» E più tardi cominciarono a circolare le battute di umorismo nero. «Non fare mai arrabbiare Neeve Kearny. Ti troverai con un paio di braccialetti d'acciaio al posto dell'orologio.»

Circondato da una frotta di inquieti assistenti, Anthony della Salva stava mettendo a punto gli ultimi dettagli della sfilata in cui avrebbe presentato la sua collezione autunnale, la settimana successiva. La collezione era estremamente soddisfacente. Il ragazzo appena uscito dall'Istituto di tecnologia della moda che aveva assunto si era rivelato un genio. «Sei un altro Anthony della Salva», disse a Roget con un sorriso radioso. Era quello il complimento più grande che potesse fare.

Roget, viso sottile, capelli lisci e corpo gracile, borbottò tra i denti «Oppure un futuro Mainbocher», ma ricambiò il sorriso. Nel giro di due anni, ne era certo, avrebbe avuto il sostegno necessario per mettersi in proprio. Aveva dovuto combattere con le unghie e con i denti con Sal riguardo all'uso di modelli in scala ridotta del motivo Pacific Reef come accessori nella nuova collezione, foulard, fazzoletti da taschino e cinture nelle brillanti tonalità tropicali e negli intricati disegni che avevano colto la magia e il mistero del mondo acquatico.

«No», aveva rifiutato reciso Sal.

«È ancora la cosa migliore che hai fatto, il tuo marchio di fabbrica.» E quando la collezione era stata ultimata, Sal aveva ammesso che Roget aveva avuto ragione.

Erano le tre e mezzo quando Sal seppe di Gordon Steuber. E delle battute che cominciavano a circolare. Telefonò immediatamente a Myles. «Sapevi che stava per succedere?»

«No», replicò l'altro con voce tesa. «Non vengo informato di tutto quello che succede al comando generale della polizia.» Il tono preoccupato dell'amico aveva riattizzato la sensazione di imminente disastro che l'aveva tormentato per tutto il giorno.

«Allora forse dovresti fare qualcosa al riguardo», ribatté Sal. «Ascoltami bene, Myles, tutti sapevamo che Steuber aveva legami con la mafia, ma una cosa è che Neeve gli dia addosso perché impiega immigrati clandestini, un'altra è che sia la causa indiretta del sequestro di una partita di droga del valore di cento milioni di dollari.»

«Cento milioni. Non sapevo che la cifra fosse questa.»

«Allora accendi la radio. L'ha appena sentita la mia segretaria. Il punto è che forse dovresti cominciare a prendere in considerazione la possibilità di assumere una guardia del corpo per Neeve. *Abbi cura di lei!* So che è figlia tua, ma ritengo di avere un diritto acquisito.»

«Certo che lo hai. Parlerò con i ragazzi e ci penserò su. Ho appena tentato di mettermi in contatto con Neeve, ma è già uscita per andare alla Settima Avenue. Oggi è giorno di acquisti. Pensi che passerà da te?»

«Di solito si fa viva. E sa che voglio mostrarle in anteprima la mia nuova collezione. Le piacerà.»

«Allora dille di chiamarmi subito. Dille che rimarrò qui in attesa della sua telefonata.»

«D'accordo.»

Myles fece per salutarlo, poi ci ripensò. «Come va la mano, Sal?»

«Non troppo male. Così imparerò a non essere tanto goffo. Il fatto è che mi sento a terra per avere rovinato il libro.»

«Smettila di preoccuparti, si sta già asciugando. Neeve ha un nuovo corteggiatore, un editore, che ci ha promesso di mandarlo da un restauratore.»

«Niente da fare, voglio pensarci io. Manderò qualcuno a prenderlo.»

Myles rise. «Sal, sarai un buon stilista, ma credo che per questa faccenda Jack Campbell sia la persona giusta.»

«Insisto, Myles.»

«Ci vediamo, Sal.»

Alle due, Seamus e Ruth Lambston tornarono nello studio di Peter Kennedy per la prova con il poligrafo. Pete aveva spiegato loro: «Se conveniamo con la polizia che i risultati del test con la macchina della verità potranno essere da loro prodotti in tribunale, nel caso si arrivasse a un processo, credo di poterli convincere ad abbandonare le imputazioni di aggressione o di manomissione di prove».

Ruth e Seamus avevano passato le due ore d'attesa in un piccolo caffè della zona. Entrambi avevano a malapena assaggiato i sandwich che la cameriera aveva posto loro davanti. Ordinarono invece dell'altro tè. «Che cosa ne pensi di quell'avvocato?» chiese a un certo punto Seamus, rompendo il silenzio.

Ruth non lo guardò. «Non penso che creda a quello che abbiamo detto.» Poi voltò la testa e fissò il marito dritto negli occhi. «Ma se stai dicendo la verità, abbiamo fatto la cosa giusta.»

Il test ricordò a Ruth l'ultimo elettrocardiogramma a cui si era sottoposta, ma in questo caso i fili misuravano impulsi ben diversi. L'addetto al poligrafo era cordiale, ma impersonale. Le chiese la sua età, dove lavorava e della sua famiglia. Quando parlò delle figlie, lei cominciò a rilassarsi e una nota di orgoglio le si insinuò nella voce. «Marcy... Linda... Jeannie...»

Poi arrivarono le domande su Ethel; sulla visita che aveva fatto nel suo appartamento, sull'assegno che aveva stracciato e sul tagliacarte che aveva sottratto, portato a casa e lasciato in uno dei cesti del negozio indiano sulla Sesta Avenue dopo averlo accuratamente lavato.

Alla fine, Peter Kennedy le chiese di aspettare nella reception e di fare entrare Seamus. Ruth rimase seduta da sola per quarantacinque minuti, la mente ottenebrata dall'apprensione. Abbiamo perso il controllo delle nostre esistenze, pensava. Sarà altra gente a decidere se dobbiamo subire un processo, andare in prigione.

La sala d'attesa era impressionante e il divano di pelle con le borchie dorate doveva essere costato almeno sei, settemila dollari. Per non parlare del divanetto uguale; del tavolo rotondo di mogano su cui erano disposte le riviste appena uscite; delle eccellenti stampe appese alle pareti tappezzate. Ruth si rese conto che la receptionist la occhieggiava con aria incuriosita. Che cosa vedeva in lei quella ragazza ben vestita? si chiese. Una donna insignificante con addosso un insignificante abito di lana verde, scarpe comode, i capelli raccolti in uno chignon da cui sfuggiva qualche ciocca. Probabilmente pensava che non poteva permettersi di pagare la parcella di un avvocato tanto quotato, e aveva ragione.

230

La porta dell'ufficio privato di Peter Kennedy si aprì e sulla soglia comparve lo stesso Peter Kennedy, il viso illuminato da un sorriso pieno di calore. «Vuole entrare, signora Lambston? Va tutto bene.»

Quando l'addetto al poligrafo se ne fu andato, Kennedy posò sulla scrivania i tracciati. «Di norma non mi sarei mosso con tanta fretta, ma voi temete che più a lungo la stampa si riferirà a Seamus come sospetto, peggio sarà per le vostre figlie. Propongo quindi di contattare subito la squadra omicidi che indaga sul caso. Chiederò che veniate subito sottoposti al test del poligrafo in modo da chiarire questa atmosfera di sospetto che voi trovate intollerabile. Vi avverto che per far sì che acconsentano a effettuare immediatamente la prova, dovremo accettare come condizione che i risultati del test possano essere prodotti in tribunale. Credo che saranno d'accordo. Penso anche anche di poterli persuadere a lasciare cadere ogni altra eventuale accusa.»

Seamus deglutì a fatica. Aveva il viso lucido, come se ci fosse stata incollata sopra una patina di sudore. «Proceda pure», disse.

Kennedy si alzò. «Sono le tre. Forse potremmo riuscirci oggi stesso. Vi spiacerebbe aspettare fuori mentre mi do da fare?»

Emerse dallo studio mezz'ora dopo. «È fatta. Muoviamoci subito.»

Di solito il lunedì era una giornata di calma per le vendite ma, come fece notare Neeve a Eugenia: «Non è detto che la regola valga anche per noi». Infatti, dal momento stesso in cui aprì la porta del negozio, alle nove e trenta, ci fu un viavai incessante. Myles le aveva parlato della preoccupazione di Sal in merito alla cattiva pubblicità che sarebbe scaturita dalla morte di Ethel, ma dopo avere lavorato senza sosta fin quasi a mezzogiorno, Neeve osservò seccamente: «È chiaro che a un sacco di gente non dispiacerebbe farsi trovare morta con addosso uno dei nostri vestiti». Poi aggiunse: «Potresti telefonare per il caffè e un sandwich?»

Quando arrivò l'ordinazione, Neeve guardò stupita lo sconosciuto che aveva davanti. «Oh, pensavo che sarebbe venuto Denny. Non si sarà licenziato, vero?»

Il ragazzo del bar, un dinoccolato diciannovenne, posò con malagrazia il sacchetto sulla scrivania. «Il lunedì è il suo giorno libero.»

«Niente servizio in camera, con questo», osservò ironica Neeve quando la porta si fu richiusa dietro di lui. Poi cominciò a togliere il coperchio del contenitore del caffè.

Jack telefonò pochi minuti dopo. «Stai bene?»

«Certo che sto bene», sorrise lei. «Magnificamente, direi anzi. È stata una mattinata ottima.»

«Allora dovresti pensare a dare a me un po' di sostegno. Sto per andare a colazione con un agente che non sarà per nulla soddisfatto della mia offerta.» Poi, abbandonando il tono scherzoso: «Neeve, prendi nota di questo numero, è quello del *Four Seasons*. Se hai bisogno di me, mi troverai lì per le prossime due ore».

«Portami qualche avanzo in un sacchetto. Io ho davanti uno squallido sandwich al tonno.»

«Neeve, sto parlando sul serio.»

«E io sto bene, Jack», replicò lei con voce quieta. «Ma ricordati di conservare un po' di appetito con la cena. Probabilmente ti chiamerò verso le sei e mezzo, sette.»

Eugenia la stava osservando con aria critica. «L'editore, immagino», disse quando Neeve riappese.

Lei cominciò a scartare il sandwich. «Uh-uh.» Aveva appena staccato il primo morso quando il telefono squillò di nuovo.

Era l'agente Gomez. «Signorina Kearny, ho esaminato con attenzione le fotografie scattate a Ethel Lambston dopo il decesso. Lei sembra piuttosto convinta che possa essere stata vestita dopo che è morta.»

«Sì.» Sentendo di colpo la gola chiusa, Neeve spinse da parte il sandwich. Il sangue le era defluito completamente dalle guance e sentiva su di sé lo sguardo attento di Eugenia.

«Proprio in base a questa ipotesi, ho fatto ingrandire le foto. Gli esami non sono ancora completi e sappiamo che il corpo è stato spostato, quindi è difficile stabilire con certezza se lei abbia effettivamente ragione. Ma mi dica una cosa: Ethel Lambston sarebbe mai uscita di casa con una vistosa smagliatura nelle calze?»

Neeve ricordava di avere notato quella smagliatura quando aveva identificato gli abiti di Ethel. «Mai.»

«Proprio come pensavo», assentì Gomez. «Nel rapporto dell'autopsia si parla di fibre di nylon sotto l'unghia dell'alluce. Quindi evidentemente la calza si è smagliata quando è stata infilata, il che significa che se fosse stata Ethel Lambston a vestirsi, sarebbe uscita con indosso un capo d'alta moda e un dettaglio esteticamente sgradevole quale una calza smagliata. Improbabile, vero? Mi piacerebbe parlarne con lei nei prossimi giorni. Sarà reperibile?»

Mentre riattaccava, Neeve pensò a quello che aveva detto a Myles prima di uscire di casa. Per quanto la riguardava, Seamus Lambston, che non sapeva nulla di vestiti, non aveva abbigliato il cadavere sanguinante della sua ex moglie. Ricordò poi il resto di quanto aveva detto a Myles: Gordon Steuber avrebbe istintivamente scelto la camicetta originale dell'insieme.

Ci fu un colpo leggero alla porta e subito dopo entrò la receptionist. «Neeve», bisbigliò, «c'è la signora Poth. E, Neeve, sapevi che Gordon Steuber è stato arrestato?»

In qualche modo Neeve riuscì a mantenersi calma e attenta mentre aiutava la sua ricca cliente a scegliere tre capi da sera di Adolfo i cui prezzi andavano da quattro a seimila dollari; due abiti Donna Karan, uno a millecinquecento e l'altro a duemila dollari; pantofole, scarpe e borsette. La signora Poth, una donna straordinariamente chic sui sessantacinque anni, affermò di non provare il minimo interesse per la bigiotteria. «Sono deliziosi, ma preferisco i miei gioielli.» Ma alla fine ammise: «Ci sono dei pezzi davvero interessanti», e accettò tutti i consigli di Neeve.

Terminata la seduta, Neeve accompagnò la signora Poth alla sua limousine, parcheggiata proprio davanti al negozio. Madison Avenue brulicava di acquirenti e di persone che si limitavano a fare due passi. Sembrava che tutti volessero

233

godersi il sole e non badassero troppo alla temperatura rigida. Mentre si voltava per entrare in negozio, Neeve notò un uomo in tuta grigia che stazionava sul marciapiede di fronte. Per un attimo qualcosa in lui le parve familiare, ma se ne dimenticò subito mentre si affrettava di nuovo nel suo ufficio. Lì si ritoccò il rossetto e afferrò l'agenda. «Bada tu al negozio», disse a Eugenia, «e pensa anche a chiudere, per favore, perché per oggi non rientro.»

Con il sorriso sulle labbra, fermandosi brevemente a scambiare una parola con qualche vecchia cliente, uscì in strada e salì nel taxi che la receptionist aveva chiamato per lei. Non si accorse dell'uomo pettinato da punk e con addosso la tuta grigia che dall'altra parte della strada faceva segno a un taxi di fermarsi.

Doug rispose ripetutamente alle stesse domande poste ogni volta in forma diversa. L'ora in cui era arrivato a casa di Ethel. La sua decisione di trasferirsi lì. La telefonata minatoria in cui si ordinava a Ethel di non spremere più Seamus. La circostanza per cui alloggiava nell'appartamento dal venerdì trentuno, ma che non aveva cominciato a rispondere al telefono prima di una settimana e che la prima chiamata ricevuta era stata una telefonata minatoria.

Più volte gli venne ripetuto che era libero di andarsene in qualunque momento; che poteva chiamare un avvocato; che poteva smettere di rispondere. E ogni volta lui replicava: «Non mi serve un avvocato. Non ho niente da nascondere».

Spiegò ai poliziotti che non aveva risposto al telefono perché temeva che Ethel chiamasse e gli dicesse di andarsene. «Per quanto ne sapevo, sarebbe stata via per un mese e io avevo bisogno di un tetto.»

Perché aveva effettuato quel prelievo in banconote da cento dollari e poi le aveva nascoste nell'appartamento della zia?

«D'accordo, è vero, ho preso in prestito qualcuno dei bigliettoni che Ethel nascondeva in giro per casa e poi li ho restituiti.»

234

Aveva detto di non sapere nulla del testamento di Ethel, ma sul documento erano state trovate le sue impronte.

A quel punto Doug cominciò a lasciarsi prendere dal panico. «Mi ero quasi persuaso che forse c'era qualcosa che non andava, così ho guardato nell'agenda di Ethel e ho notato che aveva cancellato tutti i suoi appuntamenti dopo il venerdì in cui avrebbe dovuto incontrarsi con me a casa sua. Questo mi ha tranquillizzato. Poi la vicina mi ha raccontato che aveva litigato con quell'imbecille del suo ex marito e che lui si era fatto vivo mentre io ero al lavoro. Poi è arrivata sua moglie, praticamente ha fatto irruzione in casa, per stracciare l'assegno degli alimenti di Ethel. E allora ho cominciato di nuovo a pensare che forse qualcosa non andava.»

«E quindi», disse l'agente O'Brien con voce piena di sarcasmo, «ha deciso di rispondere al telefono, e la prima chiamata era una minaccia alla vita di sua zia? Mentre la seconda veniva dall'ufficio del procuratore distrettuale della contea di Rockland che la informava del ritrovamento del cadavere?»

Doug sentiva il sudore impregnargli le ascelle. Si mosse a disagio, cercando di trovare una posizione più comoda sulla sedia a schienale rigido. Dall'altra parte del tavolo, i due agenti lo stavano osservando, O'Brien con quel suo viso carnoso dai lineamenti squadrati, Gomez con i suoi lucidi capelli neri e la faccia da furetto. L'irlandese e il messicano. «Questa storia sta cominciando a seccarmi», dichiarò.

Il viso di O'Brien si indurì. «Allora si faccia una passeggiata, Dougie. Ma prima risponda a un'altra domanda. Il tappeto davanti alla scrivania di sua zia era macchiato di sangue. Qualcuno lo ha pulito molto, molto accuratamente. Doug, prima di impiegarsi alla Cosmic, non ha forse lavorato nel reparto pulitura tappeti e mobili di Sears?»

Fu il panico a spingere Doug a una reazione violenta. Balzò in piedi, spingendo all'indietro la sedia con tanta violenza da farla cadere. «Fottetevi!» sbraitò mentre lasciava di corsa la stanza degli interrogatori.

Denny aveva corso un rischio calcolato aspettando che Neeve Kearny salisse su un taxi prima di fermarne un altro. Ma sapeva che i tassisti erano dei ficcanaso. Molto più ragionevole prenderne uno al volo e spiegare in tono affannato: «Qualche bastardo mi ha fregato il motorino. Segua quel taxi, le spiace? Mi spaccano la testa se non consegno questa busta a quella tizia».

Il tassista era un vietnamita. Annuì indifferente e tagliò abilmente la strada a un autobus che si avvicinava, per poi risalire Madison Avenue e girare a sinistra sulla Ottantacinquesima. Denny se ne stava in un angolo con la testa china. Non voleva dare all'altro la possibilità di osservarlo ben bene nello specchietto retrovisore. Da parte sua, il tassista si limitò a borbottare: «Dannati balordi. Se ci fosse un mercato per le scorregge ruberebbero anche quelle». L'inglese del faccia gialla era sorprendentemente buono, pensò stizzosamente Denny.

All'incrocio tra la Settima Avenue e la Trentaseiesima Strada, li bloccò il semaforo. Il primo taxi era riuscito a passare. «Mi dispiace», si scusò il tassista.

Denny sapeva che con tutta probabilità Neeve sarebbe scesa all'isolato successivo. Il suo taxi non avrebbe potuto andare molto veloce nell'intenso traffico. «Che mi licenzino», borbottò allora. «Io ci ho provato.» Pagò la corsa e s'incamminò lentamente. Quando con la coda dell'occhio vide il taxi rimettersi in moto e scendere lungo la Settima, cambiò in fretta direzione e si affrettò verso la Trentaseiesima.

Come al solito le strade della zona brulicavano di attività. Enormi furgoni parcheggiati in doppia fila venivano scaricati, bloccando quasi completamente il traffico. Addetti alle consegne saettavano sui pattini tra la folla di pedoni; altri, indifferenti al caos che li circondava, spingevano voluminosi carrelli carichi di vestiti. I clacson strombazzavano. Uomini e donne vestiti all'ultima moda camminavano rapidamente chiacchierando tra loro, del tutto ignari della folla e del traffico circostanti.

Il luogo ideale per mettere a segno il colpo, pensò Denny

soddisfatto. Era a metà isolato quando vide un taxi avvicinarsi al cordolo del marciapiede e scaricare Neeve Kearny. La ragazza si precipitò all'interno di un edificio prima che Denny potesse avvicinarsi, e lui si appostò sul marcapiede di fronte, nascosto da un grosso furgone. «Faresti bene a ordinarti anche un sudario, Kearny, mentre sei lì a scegliere i vestiti», borbottò tra sé.

All'età di trent'anni, Jim Greene era stato di recente promosso agente investigativo. Erano state soprattutto la sua capacità di valutare una situazione e di scegliere istintivamente la giusta linea di azione a metterlo in buona luce davanti ai suoi superiori del dipartimento di polizia.

Adesso aveva l'incarico, noioso ma importantissimo, di sorvegliare il letto d'ospedale dell'agente Tony Vitale. Non era un lavoro invidiabile. Se Tony fosse stato in una stanza privata, Jim avrebbe potuto stare di guardia alla porta, ma poiché si trovava nel reparto di terapia intensiva, era stato costretto a sistemarsi nella stanza delle infermiere. Lì, durante il suo turno di otto ore, mentre i monitor lanciavano improvvisi segnali d'allarme e il personale ospedaliero si precipitava a salvare una vita in pericolo, si sentiva continuamente messo a confronto con la fragilità della vita.

Jim aveva un fisico asciutto ed era di altezza media, circostanza che gli permetteva di rendere la sua presenza il meno ingombrante possibile in quello spazio ristretto. Dopo quattro giorni le infermiere avevano cominciato a considerarlo come un elemento fisso non sgradito, e tutte sembravano nutrire un interesse particolare per il giovane poliziotto che lottava per sopravvivere.

Jim sapeva che ci voleva parecchio fegato per lavorare come infiltrato, per sedersi a tavola con degli assassini a sangue freddo, sapendo che in qualsiasi momento la tua copertura poteva saltare. Sapeva dei timori che Nicky Sepetti potesse aver ordinato l'uccisione di Neeve Kearny; del sollievo provato poi da tutta la polizia quando Tony era riuscito a bisbigliare: «Nicky... nessun contratto, Neeve Kearny...»

Jim era di turno quando il comandante della polizia era andato in ospedale in compagnia di Myles Kearny, e aveva avuto la possibilità di stringergli la mano. La Leggenda. Kearny si era dimostrato all'altezza del suo soprannome. Dopo il modo in cui era stata ammazzata sua moglie, doveva avere passato momenti d'inferno, chiedendosi se forse Sepetti avrebbe preso di mira anche la figlia.

Il comandante della polizia li aveva informati che, secondo la madre di Tony, il giovane poliziotto stava tentando di dire loro qualcosa, e le infermiere avevano ricevuto istruzioni di chiamarlo ogni volta che Tony accennava a voler parlare.

Accadde alle quattro del lunedì pomeriggio. I genitori di Vitale se n'erano appena andati, un'espressione di speranza sui visi esausti perché, a dispetto di tutti i pronostici, Tony era stato dichiarato fuori pericolo. Un'infermiera entrò a dare una controllata. Jim osservava attraverso il vetro e si mosse rapidamente, appena l'infermiera gli fece cenno di raggiungerlo.

Attraverso una sonda il glucosio entrava goccia a goccia nelle vene di Tony, che riceveva l'ossigeno necessario attraverso altri piccoli tubi fissati alle narici. Il ferito stava muovendo le labbra. Bisbigliò una parola.

«Sta pronunciando il proprio nome», disse l'infermiera.

Jim scosse la testa. Si chinò, accostando l'orecchio alle labbra di Tony, e lo sentì dire: «Kearny». Poi, debolmente: «Nee...»

Gli sfiorò la mano. «Tony, sono un poliziotto. Hai appena detto 'Neeve Kearny', vero? Stringimi la mano se ho ragione.»

Fu ricompensato da una debolissima pressione sul palmo. «Tony», riprese allora, «quando ti hanno portato qui, hai cercato di parlare di un contratto. È questo che vuoi dirmi?»

«Sta disturbando il paziente», protestò l'infermiera.

Jim le lanciò una breve occhiata. «Senta, è un poliziotto, un poliziotto in gamba. Starà meglio se riesce a dirci quello che ha in mente.»

Accostò la bocca all'orecchio di Vitale e ripeté la domanda. Di nuovo avvertì una leggerissima pressione sul palmo della mano.

«D'accordo. Vuoi dirci qualcosa su Neeve Kearny e un contratto.» Freneticamente, Jim tentò di ricordare le parole pronunciate da Vitale subito dopo il ricovero in ospedale. «Tony, tu hai detto: 'Nicky, nessun contratto'. Forse però volevi aggiungere qualcos'altro.» Un pensiero improvviso lo raggelò. «Tony, stavi cercando di dirci che Sepetti non ha messo alcun contratto su Neeve Kearny, ma che qualcun altro l'ha fatto?»

Un istante, poi la mano del ferito strinse convulsamente la sua.

«Tony», lo supplicò ancora Jimmy. «Provaci. Ti sto guardando le labbra. Se sai chi è stato, pronuncia il suo nome.»

Le domande dell'altro poliziotto arrivavano fino a lui come attraverso un lunghissimo tunnel. Tony Vitale provò un immenso, quasi schiacciante sollievo per avere potuto trasmettere il suo avvertimento. Adesso ricordava tutto con chiarezza: Joey che diceva a Nicky che era stato Steuber a ordinare l'assassinio. La voce non voleva uscirgli, ma riuscì a muovere lentamente le labbra, a protenderle fino a formare la sillaba «Stu» e a rilassarle per il suono «ber».

Jim lo osservava con attenzione spasmodica. «Credo che stia cercando di dire qualcosa come «Tru...»

Ma l'infermiera lo interruppe. «Per me era 'Stu-ber'.»

Con un ultimo sforzo disperato prima di sprofondare nuovamente in un sonno risanatore, l'agente infiltrato Tony Vitale premette la mano di Jim e riuscì ad assentire con la testa.

Dopo la tempestosa uscita di Doug Brown, gli agenti O'Brien e Gomez fecero il punto della situazione, basandosi sui fatti a loro noti. Stabilirono concordemente che Doug Brown era un tipo poco raccomandabile; che la sua storia reggeva poco; che probabilmente aveva sempre rubato alla zia; che l'inverosimile spiegazione sul motivo per cui non aveva risposto al telefono era una balla; che probabilmente si era lasciato prendere dal panico, quando aveva escogitato quella storia delle telefonate minatorie a Ethel proprio nel momento in cui il cadavere di lei veniva ritrovato.

O'Brien si appoggiò allo schienale della sedia e tentò di posare i piedi sul tavolo, la sua posizione abituale quando «rifletteva». Quel tavolo però era troppo alto perché potesse stare comodo, così, irritato, riportò i piedi a terra, imprecando contro quegli stupidi mobili e aggiungendo poi: «Certo che la Lambston non se la cavava granché a giudicare gli altri. Il suo ex marito è un imbranato; suo nipote un ladro. Ma tra i due, io punto sull'ex marito».

Gomez lo teneva d'occhio. Aveva elaborato qualche teoria per suo conto che voleva introdurre gradualmente e quando cominciò a parlare, sembrò proprio che l'idea gli fosse venuta solo in quel momento. «Ipotizziamo che sia stata assassinata a casa.»

O'Brien grugnì un assenso.

«Se tu e la signorina Kearny avete ragione», continuò Gomez, «qualcuno ha cambiato a Ethel i vestiti, strappato le etichette e probabilmente gettato via le sue valigie e la borsa.»

Guardandolo attraverso gli occhi socchiusi, ma vigili, O'Brien assentì.

«Ecco il punto.» Gomez sapeva che era arrivato il momento di esporre la sua teoria. «Perché mai Seamus avrebbe dovuto nascondere il cadavere? È stato solo un caso fortuito, se è stato scoperto così in fretta. Lui avrebbe dovuto continuare a mandare gli alimenti al suo amministratore. Oppure perché il nipote avrebbe dovuto nascondere il cadavere e cercare di renderlo inidentificabile? Se Ethel fosse stata lasciata a marcire indisturbata, sarebbe stato costretto ad aspettare sette anni per mettere le mani sul malloppo, e anche allora, la cosa avrebbe comportato delle notevoli spese legali. Se è stato uno di loro a farla fuori, avrebbe dovuto *desiderare* che il corpo venisse scoperto, no?»

O'Brien sollevò una mano. «Non attribuire troppo cervello a questi idioti. Continuiamo a martellarli, a renderli nervosi, e prima o poi uno di loro ci dirà: 'Non intendevo farlo'.

Io scommetto sempre sul marito. Per cinque bigliettoni, ti prendi il nipote?»

Lo squillo del telefono risparmiò a Gomez una scelta difficile. Il comandante della polizia voleva vederli entrambi nel suo ufficio. Subito.

Mentre a bordo di un'autopattuglia si dirigevano verso il centro, sia O'Brien sia Gomez tentarono di valutare le loro mosse fino ad allora. Il comandante se la stava prendendo calda. Avevano forse preso una cantonata? Erano le quattro e un quarto quando entrarono nel suo ufficio.

Il comandante della polizia Herbert Schwartz ascoltava attentamente la discussione in corso. L'agente O'Brien era assolutamente contrario a che venisse concessa a Seamus Lambston anche la sola parziale immunità. «Signore», disse rivolgendosi a Herb in tono deferente, «sono sempre stato certo della sua colpevolezza. Aspetti. Mi dia tre giorni di tempo e risolverò il caso.»

Herb stava quasi per acconsentire quando entrò la sua segretaria. Lui si scusò in fretta e la seguì fuori per rientrare pochi minuti dopo. «Mi è stato appena riferito», esordì con voce pacata, «che potrebbe essere stato Gordon Steuber a mettere un contratto su Neeve Kearny. Lo interrogheremo immediatamente. Dato che è stata Neeve a denunciare i suoi laboratori clandestini e a dare il via all'indagine che ha portato alla scoperta del traffico di droga, la cosa ha un senso. D'altra parte, anche Ethel Lambston potrebbe aver avuto sentore dei suoi traffici. Quindi c'è una probabilità maledettamente buona che Steuber possa essere coinvolto nella morte della Lambston. Voglio che l'ex marito venga o inchiodato o sollevato da ogni sospetto. Procedete con quanto ha proposto il suo avvocato. Sottoponetelo alla prova della macchina della verità oggi stesso.»

«Ma...» O'Brien vide l'espressione sul viso del comandante della polizia e non concluse la frase.

Un'ora dopo Gordon Steuber, che non aveva ancora messo insieme i dieci milioni di dollari di cauzione, e Seamus Lambston erano sotto interrogatorio in due stanze separate. Il legale di Steuber gli stava accanto con aria protettiva, mentre l'agente O'Brien investiva l'imputato con un fuoco di fila di domande.

«Sa qualcosa di un contratto sulla vita di Neeve Kerney?»

Gordon Steuber, impeccabile a dispetto delle ore trascorse in cella e ancora impegnato a valutare la gravità della sua situazione, scoppiò a ridere. «Sta scherzando. Comunque, è un'idea fantastica.»

Nella stanza adiacente, Seamus, sotto parziale immunità dopo avere ripetuto la sua storia, veniva sottoposto alla prova del poligrafo per la seconda volta in un giorno. Continuava a ripetersi che in fondo il test era lo stesso e che lui l'aveva superato la prima volta. Ma *non era* lo stesso. Le facce dure, ostili degli agenti, la piccolezza claustrofobica della stanza, la consapevolezza che lo ritenessero colpevole lo riempivano di terrore. Né riuscivano a confortarlo le incoraggianti osservazioni del suo legale, Kennedy. Sapeva di avere commesso un errore ad accettare di sottoporsi al test.

Seamus fu a malapena in grado di rispondere alle prime, semplici domande. Quando poi si trovò a parlare del suo ultimo incontro con Ethel, gli parve di essere di nuovo lì con lei, di guardare il suo viso beffardo, sapendo che lei godeva della sua infelicità, che non l'avrebbe mai lasciato andare. Come quella notte, una furia cieca gli crebbe dentro. Le domande divennero accidentali.

«Lei ha colpito Ethel Lambston.»

Il suo pugno che si abbatteva sulla mascella di lei. La testa che scattava all'indietro. «Già. Sì.»

«Lei ha preso il tagliacarte e ha cercato di colpirla.»

L'odio sul viso di Ethel. No, non odio, ma *disprezzo*. Lei sapeva di averlo in pugno. Aveva urlato: «Ti farò arrestare, vecchio pazzo». Poi aveva afferrato il tagliacarte e gli si era avventata contro. Lui gliel'aveva fatto cadere di mano e mentre lottavano per assicurarsi il possesso dell'arma, lei si era ferita al viso. Era stato in quel momento che doveva avere letto qualcosa nei suoi occhi, perché aveva mormorato: «Va bene, va bene, niente più alimenti».

E poi...

«Ha ucciso la sua ex moglie, Ethel Lambston?»

Seamus chiuse gli occhi. «No. No...»

Peter Kennedy non aveva alcun bisogno che l'agente O'Brien gli confermasse quello che aveva già intuito. Aveva perso la partita.

Seamus non aveva superato l'esame della macchina della verità.

Herb Schwartz ascoltava con il viso impassibile, gli occhi guardinghi, mentre per la seconda volta in quel pomeriggio conferiva con gli agenti O'Brien e Gomez.

Nel corso dell'ultima ora, Herb si era tormentato sul fatto se dovesse o meno informare Myles che Gordon Steuber era sospettato di avere ordinato l'assassinio di Neeve. Sapeva che la notizia avrebbe potuto procurargli un altro attacco cardiaco.

Se Steuber aveva messo un contratto su Neeve, era troppo tardi per fermarlo? Herb sentì lo stomaco che gli si contraeva mentre metteva a fuoco la probabile risposta. No. Se era stato Steuber a mettere in moto la cosa, l'iniziativa sarebbe stata filtrata da almeno cinque o sei malviventi prima che fossero presi gli accordi. Il sicario non avrebbe mai saputo il nome del mandante. Molto probabilmente, avrebbe fatto venire qualcuno da fuori, che se la sarebbe filata subito dopo aver eseguito il delitto su commissione.

Neeve Kearny. Dio, pensò Herb, non posso permettere che accada. Lui aveva trentaquattro anni ed era vicecomandante quando Renata era stata uccisa, e fino a che fosse vissuto non avrebbe dimenticato l'espressione sul viso di Myles Kearny mentre si inginocchiava accanto al corpo della moglie. E ora, sua figlia?

La linea d'indagine che avrebbe forse collegato Steuber alla morte di Ethel Lambston non sembrava più valida. L'ex marito non aveva superato il test della macchina della verità e O'Brien non faceva mistero della sua convinzione che fosse stato Seamus Lambston a tagliare la gola alla ex moglie.

Herb chiese a O'Brien di esporre nuovamente le sue argomentazioni.

Era stata una giornata lunga. Irritato, O'Brien scrollò le spalle poi, a un'occhiata del comandante, assunse un comportamento più rispettoso. Con la precisione che avrebbe usato se fosse stato sul banco dei testimoni, si lanciò in una filippica che condannava Seamus Lambston senza appello. «È oberato dai debiti. È disperato. Ha litigato ferocemente con la moglie per colpa di un assegno scoperto che avrebbe dovuto pagare la retta scolastica della figlia. Va da Ethel e la vicina del quarto piano li sente litigare. Per tutto il fine settimana non torna a lavorare e nessuno lo vede. Conosce il Morrison State Park come il palmo della sua mano, ci andava con le figlie la domenica. Un paio di giorni dopo lascia cadere nella cassetta della posta di Ethel una lettera in cui la ringrazia per avere rinunciato agli alimenti, e alla lettera acclude l'assegno che non avrebbe più dovuto spedire. Poi torna indietro per recuperarlo. Ammette di avere preso a pugni Ethel e probabilmente ha anche confessato tutto alla moglie, perché lei si è presa la briga di rubare l'arma del delitto e di farla sparire.»

«L'avete trovata?» interloquì Schwartz.

«I nostri ragazzi la stanno cercando. E, signore, l'ultimo argomento è che... non ha superato il test del poligrafo.»

«Ma ha superato quello a cui si è sottoposto nell'ufficio del suo legale», fece notare Gomez. Non guardava il compagno, e ormai era deciso a esternare quello che pensava. «Signore, ho parlato con la signorina Kearny. Lei è sicura che qualcosa non quadra nel modo in cui era vestita la Lambston quando è stata trovata. Dall'autopsia risulta che la vittima ha strappato la calza, nell'infilarla. Quando il collant è stato fatto infilare al piede destro, l'unghia dell'al-

244

luce si è impigliata provocando una grossa smagliatura proprio sul davanti. La signorina Kearny è convinta che Ethel Lambston non sarebbe mai uscita in quelle condizioni, e io ho il massimo rispetto per le opinioni della signorina Kearny. Una donna attenta ai dettami della moda non uscirebbe di casa vestita così, quando le basterebbero dieci secondi per cambiarsi i collant.»

«Avete con voi il verbale dell'autopsia e le foto prese all'obitorio?»

«Sì, signore.»

Herb studiò con clinico distacco le fotografie. La prima, la mano della morta che sporgeva dal terreno; il cadavere dopo che era stato rimosso dalla cavità tra i sassi, irrigidito dal rigor mortis, una sorta di fagotto ripiegato di carne in decomposizione; poi un primo piano della mascella di Ethel, livida e bluastra; il taglio sulla guancia.

Herb prese un'altra istantanea in cui si vedeva soltanto l'orribile squarcio aperto sulla gola di Ethel. Quella vista lo fece trasalire. Per quanti anni avesse passato nella polizia, le manifestazioni della crudeltà dell'uomo verso i suoi simili lo rattristavano ancora.

Ma c'era più di questo.

Herb strinse convulsamente le dita intorno alla foto. Il modo in cui la gola era stata tagliata. Il lungo sfregio verso il basso, poi la linea precisa che partiva dalla base della gola e risaliva fino all'orecchio sinistro. Aveva già visto una volta quello stesso, identico taglio. Allungò la mano verso il telefono.

Lo choc non trapelò dalla voce del comandante della polizia Schwartz mentre con calma ordinava che gli portassero una certa pratica custodita negli archivi.

Neeve realizzò in fretta che i suoi pensieri non erano per gli abiti sportivi. La sua prima sosta fu al Gardner Separates. Gli short e magliette di cotone con le giacche morbide dai colori contrastanti erano divertenti e ben tagliati. Si raffigurò mentalmente un allestimento della vetrina principale, a giugno, sul tema delle vacanze al mare. Ma presa questa decisione, si scoprì incapace di concentrarsi sul resto della collezione. Accampando la scusa di non avere tempo, fissò un appuntamento per il lunedì successivo e si allontanò frettolosamente dall'impiegata iperansiosa che insisteva per mostrare i nuovi costumi da bagno. «Ne rimarrà entusiasta, sono veramente fantastici.»

In strada, Neeve esitò. Tornerei volentieri a casa, si disse. Ho bisogno di un po' di tranquillità. Le stava venendo un'emicrania, per il momento solo una lieve pressione intorno alla fronte. E pensare che non soffro mai di mal di testa, pensò mentre indugiava davanti all'edificio.

Ma non poteva andare a casa. Un attimo prima di salire in auto, la signora Poth le aveva chiesto di cercare per lei un abito bianco semplice adatto a un matrimonio in famiglia. «Niente di troppo elaborato», aveva spiegato. «Mia figlia ha già rotto due fidanzamenti e il pastore ha preso l'abitudine di segnare a matita le date che di volta in volta stabilisce per il matrimonio. Ma questa volta chissà, potrebbe andare bene.»

Erano parecchie le case di moda in cui Neeve aveva pensato di fare un salto in cerca dell'abito da sposa. Fece per girare a destra, poi si fermò. E mentre tornava sui suoi passi, lanciò uno sguardo al lato opposto della strada. Un uomo in tuta grigia, con una grossa busta sotto il braccio, un uomo con grandi occhi scuri e un'assurda acconciatura da rockettaro, correva verso di lei in mezzo al traffico lento. Per un istante i loro occhi s'incontrarono e Neeve ebbe la sensazione che da qualche parte fosse suonato un campanello d'allarme. La pressione intorno alla fronte si accentuò. L'arrivo di un furgone nascose alla sua vista l'uomo in tuta grigia e, improvvisamente irritata con se stessa, Neeve cominciò a scendere rapidamente lungo l'isolato.

Erano le quattro e mezzo. Il sole stava già tramontando, proiettando lunghe ombre oblique, e Neeve si riscoprì quasi a pregare di trovare l'abito giusto al primo tentativo. Mollo tutto e vado da Sal, pensò.

Aveva rinunciato a convincere Myles dell'importanza della camicetta che Ethel indossava da morta. Ma Sal avrebbe capito.

Dopo colazione Jack Campbell andò direttamente a una riunione redazionale che si protrasse fino alle quattro e mezzo. Tornato nel suo ufficio, si sforzò di concentrarsi sulla montagna di posta che Ginny aveva messo da parte per lui, ma inutilmente. La sensazione che ci fosse nell'aria qualcosa di terribilmente sbagliato lo tormentava. Qualcosa che gli era sfuggito. Ma che cosa?

In piedi sulla porta che separava l'ufficio di Jack dalla stanzetta in cui lavorava, Ginny lo guardava con aria pensierosa. Già da un mese Jack aveva assunto la presidenza della Givvons and Marks, e in quel breve arco di tempo lei era arrivata ad ammirarlo moltissimo. Dopo avere lavorato vent'anni per il suo predecessore, aveva temuto di non essere in grado di adeguarsi al cambiamento, o di scoprire che Jack non desiderava una collaboratrice appartenente all'epoca precedente.

Ma entrambe le sue preoccupazioni si erano rivelate infondate e ora, mentre lo guardava, approvando inconsciamente il sobrio buongusto del suo abito grigio scuro e divertita dal modo in cui lui si era allentato la cravatta e slacciato il primo bottone della camicia, si rese conto che Jack era seriamente preoccupato. Con le mani giunte sotto il mento, fissava la parete davanti a sé, la fronte aggrondata. La riunione era andata bene? si domandò Sapeva che non tutti lì dentro avevano accettato con buona grazia la nomina di Jack.

Bussò leggermente sul battente della porta aperta. Jack alzò gli occhi e dopo un istante la mise a fuoco. «Sei immerso in qualche profonda meditazione?» chiese lei scherzosa. «Perché se è così, la posta può aspettare.»

Jack tentò un sorriso. «No. È solo quella storia di Ethel Lambston. C'è qualcosa che mi è sfuggito, e mi sono spremuto il cervello nel tentativo di scoprirlo.»

Ginny sedette sulla sedia di fronte a lui. «Forse posso

aiutarti. Ricordi il giorno in cui Ethel è venuta qui? Non siete stati insieme più di due minuti e la porta era aperta, così ho sentito tutto. Lei blaterava non so che cosa su uno scandalo nel mondo della moda, ma senza fornire alcun particolare. Voleva parlare di soldi e ti ha buttato lì una cifra. No, non credo che ti sia sfuggito qualcosa.»

Jack sospirò. «Immagino di no, ma fammi una cortesia. Fammi dare un'occhiata alla cartella mandata da Toni. Forse c'è qualcosa tra gli appunti di Ethel.»

Alle cinque e mezzo, quando Ginny entrò per salutarlo, Jack si limitò a un cenno assente della testa. Stava ancora esaminando il voluminoso lavoro di ricerca di Ethel. Per ogni stilista menzionato nel suo articolo, la giornalista aveva apparentemente messo insieme una pratica separata contenente informazioni biografiche e le fotocopie di dozzine di articoli di moda da quotidiani e riviste come *Times*, *W*, *Women's Wear Daily*, *Vogue* e *Harper's Bazaar*.

Ethel amava evidentemente svolgere un lavoro nel modo più accurato possibile. Le interviste con gli stilisti erano contrassegnate da frequenti annotazioni: «Non quello che ha detto a *Vogue*». «Controllare queste cifre.» «Mai vinto questo premio.» «Vedere se la governante conferma la circostanza che da ragazzina cuciva gli abiti per le sue bambole.»

Ethel aveva buttato giù almeno dodici differenti bozze prima di scrivere l'articolo definitivo, e ciascuna presentava tagli e aggiunte.

Jack esaminò con cura il materiale e si fermò quando lesse il nome «Gordon Steuber». Steuber. Era suo l'abito che Ethel indossava quando era stata ritrovata. Neeve era stata così insistente sul fatto che la camicetta era stata appunto venduta assieme al completo, ma che Ethel non l'avrebbe mai deliberatamente indossata con quell'abito.

Con raddoppiato interesse, analizzò il materiale su Gordon Steuber e lo allarmò scoprire con quanta frequenza il suo nome compariva nei ritagli di giornale degli ultimi tre mesi in riferimento alle indagini di cui era fatto oggetto. Nel suo articolo, Ethel attribuiva a Neeve il merito di averlo smascherato, e l'ultima bozza dell'articolo non si limitava a parlare della scoperta dei laboratori clandestini e delle probabili evasioni fiscali di Steuber, ma conteneva anche una certa frase: «Steuber ha cominciato lavorando con il padre, fabbricando fodere per pellicce. Si dice in giro che nessuno nella storia dell'ambiente della moda abbia fatto più soldi con fodere e cuciture del nostro elegante signor Steuber».

Ethel aveva sottolineato l'intera frase e accanto aveva scarabocchiato un «Da mantenere». Ginny aveva raccontato a Jack dell'arresto di Steuber per traffico di droga. Forse Ethel aveva scoperto già da parecchie settimane che lui contrabbandava eroina nascondendola nelle fodere e nelle cuciture dei capi importati?

Quadrava, pensò Jack. Quadra con la teoria di Neeve sugli abiti che Ethel indossava. Quadra con il «grosso scandalo» di cui Ethel parlava.

Per qualche istante pensò di chiamare Myles, poi decise di mostrare prima il materiale a Neeve.

Neeve. Possibile che la conoscesse solo da sei giorni? No. Sei anni. Non aveva mai smesso di cercarla, da quel giorno sull'aereo. Lanciò un'occhiata al telefono. Il bisogno di stare con lei era imperioso. Non l'aveva presa tra le braccia neppure una volta e ora moriva dal desiderio di farlo. Lei gli aveva promesso di telefonargli dall'ufficio dello zio Sal non appena avesse sbrigato le sue commissioni.

Sal. Anthony della Salva, il famoso stilista. C'era un grosso pacco di ritagli di giornale e schizzi di modelli e articoli su di lui nella documentazione di Ethel. Sbirciando di tanto in tanto l'apparecchio telefonico, con il disperato desiderio che Neeve gli telefonasse *subito*, Jack cominciò a esaminare la cartella di Anthony della Salva. Era gonfia di illustrazioni della collezione Pacific Reef. Sì, non è difficile capire perché tutti ne sono rimasti entusiasti, pensò Jack, anche se non capisco nulla di moda. Gli abiti e le gonne sembravano fluttuare fuori delle pagine. Si divertì a leggere le didascalie che riportavano i commenti degli esperti di moda. «Svelte tunichette con drappeggi che ricadono come ali dalle spalle...»; «... morbide maniche pieghettate su sottilissimo chiffon...»; «... semplici abiti da giorno in lana che si drappeggiano intorno al corpo con un effetto sobrio e altamente elegante...» Nell'elogiare i colori, poi, gli esperti raggiungevano addirittura toni lirici.

Anthony della Salva visitò l'acquario di Chicago nei primi mesi del 1972 e fu nell'acquatico splendore del magnifico Pacific Reef che trovò l'ispirazione.

Camminò per ore tra i vari locali buttando giù gli schizzi del mondo sottomarino in cui le splendide creature del mare gareggiano con l'affascinante flora, i grappoli di corallo e le centinaia di conchiglie dai delicati colori. Riprodusse i colori, i motivi e le infinite combinazioni ideate dalla natura. Studiò i movimenti degli abitatori dell'oceano in modo da poter catturare con le forbici e la stoffa la grazia fluttuante che è loro per diritto di nascita.

Signore, dimenticate nell'armadio gli abiti tagliati a uomo e i vestiti da sera con le maniche increspate e le gonne voluminose. Questo è per voi l'anno della bellezza. Grazie, Anthony della Salva.

Suppongo che sia *davvero* bravo, pensò Jack, mentre rimetteva ordine nella cartella di della Salva, poi si chiese che cosa lo tormentasse. Ancora una volta lo assalì la sensazione di essersi lasciato sfuggire qualcosa; ma che cosa? Aveva letto la penultima bozza dell'articolo di Ethel. Ora scorse con gli occhi l'ultima, quella da cui poi sarebbe stato tratto l'articolo vero e proprio.

C'era un'annotazione messa in evidenza. «Acquario di Chicago... controllare la data della sua visita!» Ethel aveva graffiato uno degli schizzi della collezione Pacific Reef sulla sua bozza. Lì accanto aveva a sua volta tracciato un disegno.

Jack si sentì improvvisamente la bocca secca. Aveva già visto quel disegno pochi giorni prima. L'aveva visto nelle pagine macchiate del libro di cucina di Renata Kearny.

E l'acquario. «Controllare la data.» Ma *naturalmente*! Cominciava a capire e l'orrore crebbe. Ma doveva essere sicuro. Erano quasi le sei, il che significava che a Chicago mancavano pochi minuti alle cinque. Rapidamente compose il numero delle informazioni relativo agli abbonati della zona di Chicago.

Alle cinque meno un minuto, ora di Chicago, compose il numero che aveva chiesto. «Potrà parlare con il direttore domani mattina», gli disse una voce impaziente.

«Gli riferisca il mio nome. Lui mi conosce. Devo parlargli subito, e lasci che l'avverta, signora, se scopro che è in ufficio e lei non me l'ha passato, non lavorerà lì a lungo.»

«Resti in linea, signore.»

Un momento d'attesa, poi una voce sorpresa chiese: «Jack, che cosa succede?»

Le parole sgorgarono disordinate dalle labbra di Jack. Aveva le mani umide di sudore. Neeve, pensò, Neeve, sta' attenta. Abbassò gli occhi sull'articolo di Ethel e vide dove lei aveva scritto la frase: «Salutiamo in Anthony della Salva il creatore del look Pacific Reef». Ethel aveva tracciato una croce sul nome di della Salva e sopra vi aveva scritto: «Lo stilista del look Pacific Reef».

La risposta del direttore dell'acquario lo terrorizzò, se possibile, ancora di più. «Hai proprio ragione. E sai una cosa strana? Sei la seconda persona che mi telefona per chiedermelo nelle ultime due settimane.»

«Chi era l'altra?» chiese Jack, ma credeva di conoscere già la risposta.

«Una scrittrice. Edith... No, Ethel. Ethel Lambston.»

Myles ebbe una giornata insolitamente piena. Alle dieci squillò il telefono. Poteva essere libero per mezzogiorno, in modo da discutere l'incarico offertogli a Washington? Acconsentì a fare colazione nella Oak Room del *Plaza*. In tarda mattinata andò all'Athletic Club per una nuotata e un massaggio e restò segretamente deliziato dalle parole del massaggiatore: «Comandante Kearny, il suo corpo è di nuovo in ottima forma».

Myles sapeva di avere perso lo spettrale pallore dei mesi precedenti, ma non si trattava solo dell'aspetto fisico. Il fatto era che si *sentiva* felice. Avrò sessantotto anni, pensò mentre si allacciava la cravatta nel guardaroba, ma non sono niente male.

Non sono niente male ai miei occhi, pensò più tardi mentre aspettava l'ascensore. Una donna potrebbe pensarla diversamente. O, per essere più precisi, ammise con se stesso mentre usciva e voltava a destra verso la Quinta Avenue e il *Plaza,* Kitty Conway potrebbe vedermi sotto una luce meno lusinghiera.

La colazione con uno degli assistenti del presidente aveva uno scopo ben preciso; Myles doveva dare una risposta. Accettava la presidenza dell'Ufficio antidroga? Myles promise di prendere una decisione entro le successive quarantott'ore. «Noi tutti speriamo che sarà affermativa», disse l'assistente del presidente. «Il senatore Moynihan sembra pensare che lo sarà.»

Myles sorrise. «E io cerco di non contrastare mai Pat Moynihan.»

Ma tornato a casa, quel senso di benessere svanì. Aveva lasciato una delle finestre del tinello aperta e mentre entrava un piccione vi svolazzò dentro, percorse un cerchio sopra la sua testa, si appollaiò per qualche istante sul davanzale della finestra, poi volò di nuovo verso l'Hudson. «Un piccione in casa è segno di morte.» Le parole di sua madre gli rimbombarono nel cervello.

Stupido imbecille superstizioso, pensò irritatissimo Myles, ma ormai gli era impossibile scrollarsi di dosso quel brutto presentimento. Si rese conto che voleva parlare con Neeve e compose il numero del negozio.

Fu Eugenia a rispondere. «Comandante, è appena uscita per andare sulla Settima. Se vuole posso cercare di rintracciarla là.»

«No, non è importante. Ma se dovesse telefonare, le dica di chiamarmi.»

Aveva appena riattaccato quando il telefono squillò. Era Sal che chiamava per dirgli che anche lui era preoccupato per Neeve.

Nella mezz'ora successiva, Myles rifletté se chiamare o meno Herb Schwartz. Ma per che cosa? Neeve in fondo non sarebbe stata una testimone al processo contro Steuber. Lei si era limitata a puntargli il dito contro e a dare il via al

252

indagini. D'altro canto, Myles non aveva alcuna difficoltà a riconoscere che un milione di dollari di droga poteva rappresentare un ottimo motivo per far desiderare a Steuber e ai suoi accoliti di vendicarsi.

Forse potrei persuaderla a trasferirsi a Washington con me, pensò, e subito respinse quell'idea come ridicola. A New York, Neeve aveva la sua vita, il suo lavoro e, se non si sbagliava nel giudicare gli esseri umani, adesso aveva anche Jack Campbell. Quindi niente Washington, stabilì mentre camminava su e giù per il tinello. Che le piaccia o no, assumerò una guardia del corpo perché la sorvegli di continuo.

Alle sei sarebbe arrivata Kitty Conway, e alle cinque e un quarto Myles andò in camera, si spogliò, fece la doccia nel bagno adiacente e scelse con cura il vestito, la camicia e la cravatta che avrebbe indossato a cena. Alle sei meno venti era già pronto.

Da molto tempo aveva scoperto che il lavoro manuale aveva un effetto calmante su di lui quando si trovava di fronte a un problema particolarmente sgradevole. Decise quindi che avrebbe occupato il tempo rimastogli per riparare la caffettiera a cui poche sere prima si era staccato il manico.

Ancora una volta si accorse che stava guardando con ansia la propria immagine riflessa nello specchio. Capelli candidi ma ancora folti. Niente tonsure monacali nella sua famiglia. Ma che differenza potevano mai fare? Perché una donna graziosa di dieci anni più giovane di lui avrebbe dovuto provare un qualche interesse per un ex comandante della polizia con il cuore in disordine?

Scacciando questi pensieri sgradevoli, Myles si guardò intorno. Il letto a quattro colonne, il cassettone, lo specchio, erano tutti pezzi d'antiquariato. Doni di nozze della famiglia di Renata. Guardando il letto, Myles ripensò alla moglie adagiata sui cuscini con Neeve piccolissima al seno. «Cara, cara, mia cara», mormorava lei, sfiorando con le labbra la fronte della bambina.

Myles afferrò il bordo della testata mentre ancora una

volta il preoccupato messaggio di Sal gli risuonava nelle orecchie. «Prenditi cura di Neeve.» Dio del cielo! Nicky Sepetti aveva detto: «Si prenda cura di sua moglie e di sua figlia».

Basta così, s'impose Myles, lasciando la camera per andare in cucina. Ti stai trasformando in una vecchia zitella tremolante che strilla alla vista di un topo.

In cucina rovistò tra pentole e casseruole finché non trovò la caffettiera con cui Sal si era ustionato giovedì sera. La portò nello studio, la posò sulla scrivania e presa la cassetta degli attrezzi si calò nella parte che Neeve si divertiva a definire di «Mister Aggiustatutto».

Un momento più tardi si accorse che il manico non si era staccato per una vite rotta o allentata. Allora proruppe ad alta voce: «Ma è pazzesco!»

Poi si sforzò di ricordare con esattezza che cos'era accaduto la sera in cui Sal si era ustionato...

Il lunedì mattina Kitty Conway si svegliò con un senso di piacevole aspettativa che non provava da tempo. Respingendo stoicamente la tentazione di schiacciare un altro pisolino, si alzò, mise una tuta e andò a correre per Ridgewood dalle sette alle otto.

Gli alberi che costeggiavano gli ampi viali avevano assunto quella speciale tonalità rossastra che preannunciava la primavera. Solo la settimana prima, passando di lì, aveva notato le prime gemme e pensando a Mike si era ricordata di un frammento di una poesia: *Che cosa può fare la primavera / se non rinnovare / il mio bisogno di te?*

La settimana prima aveva guardato piena di nostalgia il giovane marito che in fondo all'isolato salutava con il braccio la moglie e i bambini mentre usciva con l'auto dal vialetto. Le era sembrato che fosse passato solo un giorno da quando lei, tenendo in braccio il piccolo Michael, salutava Mike in quel modo.

Un giorno e trent'anni.

Ma quella mattina si limitò a sorridere con aria un po'

distratta ai suoi vicini. Era attesa al museo a mezzogiorno. Sarebbe tornata a casa alle quattro, giusto in tempo per vestirsi e partire per New York. Prese in esame la possibilità di andare dal parrucchiere, poi decise che da sola se la cavava meglio.

Myles Kearny.

Kitty si frugò in tasca alla ricerca della chiave di casa, lasciandosi al tempo stesso sfuggire un lungo respiro. Fare jogging le dava un senso di benessere ma, Signore, le faceva anche sentire tutti i suoi cinquantotto anni.

D'impulso aprì il guardaroba dell'ingresso e guardò il cappello che Myles Kearny aveva «dimenticato». Ma lei aveva capito subito, scoprendolo la sera precedente, che era stato un gesto intenzionale per poterla rivedere. Le venne in mente il capitolo di *La buona terra* in cui il marito lascia la sua pipa per fare capire alla moglie che tornerà a trovarla durante la notte. Kitty sorrise, salutò mentalmente il cappello e andò di sopra a fare la doccia.

La giornata passò in fretta. Alle quattro e mezzo era di nuovo a casa, incerta fra due vestiti: uno di lana nera con una semplice scollatura quadrata che accentuava la sua snellezza e un tailleur di tessuto stampato blu e verde che metteva in risalto i suoi capelli rossi. Vada per questo, decise alla fine prendendo il tailleur.

Alle sei e cinque il portiere le indicò il numero dell'appartamento di Myles. Alle sei e sette minuti, Kitty scendeva dall'ascensore e lui la stava aspettando in corridoio.

Capì subito che qualcosa non andava. Il suo benvenuto fu distratto, quasi meccanico, eppure Kitty intuì istintivamente che quella freddezza non era diretta a lei.

Myles infilò il braccio sotto il suo mentre entravano in casa, l'aiutò a togliere il soprabito e lo posò distrattamente su una sedia. «Kitty», cominciò, «deve essere paziente con me. C'è qualcosa che sto cercando di scoprire ed è importante.»

La guidò nello studio, di cui Kitty ammirò il buongusto e il senso di comodità e di calore. «Non si preoccupi per me», lo rassicurò. «Faccia pure quello che deve.»

Myles tornò alla sua scrivania. «Il punto è», cominciò, pensando ad alta voce, «che questo manico non si è semplicemente allentato. È stato *strappato via*. Era la prima volta che Neeve usava quella caffettiera, così forse la cosa è del tutto naturale, capita spesso al giorno d'oggi... Ma, Cristo santo, possibile che non abbia notato che questo maledetto manico era appeso per un filo?»

Kitty sapeva che Myles non si aspettava una risposta. Si aggirò quietamente per la stanza, ammirando i quadri alle pareti, le foto di famiglia incorniciate, e sorrise davanti alla vista delle tre persone in tenuta da pesca subacquea. Sebbene fosse quasi impossibile distinguere i visi attraverso le maschere, si trattava sicuramente di Myles, di sua moglie e di Neeve, allora una bambina di sette, otto anni. Anche lei, Mike e Michael si divertivano a fare immersioni alle Hawaii.

Si voltò a guardare Myles che teneva il manico premuto contro la caffettiera, un'espressione intenta intenta sul viso, e gli si avvicinò. Lo sguardo le cadde sul libro di cucina aperto. Le pagine erano macchiate di caffè, ma l'effetto di scolorimento aveva enfatizzato piuttosto che cancellare gli schizzi. Kitty si chinò per esaminarli più da vicino, utilizzando la lente d'ingrandimento posata lì accanto. Uno in particolare attirò la sua attenzione. «Molto bello», commentò. «È di Neeve, naturalmente. Dev'essere stata la prima bambina a sfoggiare il look Pacific Reef. Terribilmente elegante, non trova?»

Sentì una mano serrarle il polso. «Che cos'ha detto?» sussurrò Myles. *«Che cos'ha detto?»*

Quando arrivò da Estrazy's, la prima sosta nella sua ricerca per l'abito nuziale, Neeve trovò lo show-room affollatissimo. C'erano gli addetti agli acquisti di Saks, Bonwit's e Bergdorf, e altri titolari di piccoli negozi privati come lei. Presto si rese conto che tutti stavano parlando di Gordon Steuber.

«Sai, Neeve», le confidò l'addetta agli acquisti di Saks, «ho un sacco di suoi capi sportivi invenduti. La gente è strana. Ti sorprenderebbe sapere quanti clienti hanno smesso di comprare Gucci e Nippon quando si parlava di eventuali loro evasioni fiscali. Una delle mie migliori clienti mi ha detto che lei non compra gli abiti di avidi delinquenti.»

Un'addetta alle vendite bisbigliò a Neeve che la sua migliore amica, che era la segretaria di Gordon Steuber, era sconvolta. «Steuber l'ha sempre trattata bene», dichiarò, «ma ora è in guai grossi e la mia amica ha paura che lo stesso capiti a lei. Che cosa deve fare?»

«Dire la verità», rispose Neeve, «e ti prego, dille che non deve alcuna lealtà a Gordon Steuber. Quell'uomo non se la merita.»

La ragazza riuscì a trovarle tre abiti bianchi, uno dei quali, Neeve ne era certa, sarebbe andato benissimo per la figlia della signora Poth. Lo ordinò e prese anche gli altri due con diritto di resa.

Erano le sei e cinque quando arrivò da Sal. Le strade si andavano svuotando perché come sempre, tra le cinque e le cinque e mezzo, l'attività nella zona cessava bruscamente. Entrò nell'atrio e con sorpresa constatò che la guardia non era alla sua scrivania nell'angolo. Probabilmente era andata in bagno, pensò avviandosi agli ascensori. Come al solito dopo le sei, ne funzionava uno soltanto. La porta si stava chiudendo quando Neeve sentì un rumore di passi in corsa sul pavimento di marmo e proprio un attimo prima che l'ascensore cominciasse a salire, intravide una tuta grigia e una testa arruffata.

Il fattorino. Con improvvisa, sconcertante chiarezza, Neeve ricordò di averlo visto quando aveva accompagnato la signora Poth alla macchina e poi di nuovo quando aveva lasciato la Islip Separates.

Con la bocca improvvisamente secca, premette il pulsante del dodicesimo piano e poi tutti gli altri dei nove superiori. Scese al dodicesimo e si precipitò lungo il corridoio che conduceva da Sal.

La porta dello showroom era aperta. Lei corse dentro e si affrettò a richiuderla alle sue spalle. La stanza era vuota. «Sal!» gridò, ormai quasi in preda al panico. «Zio Sal!»

257

Lo vide uscire frettolosamente dal suo ufficio privato. «Che cosa succede, Neeve?»

«Credo che qualcuno mi stia seguendo.» Gli si aggrappò al braccio. «Chiudi la porta a chiave, per favore.»

Sal la fissò. «Ne sei sicura?»

«Sì. L'ho già visto tre o quattro volte.»

Quegli occhi scuri e infossati, quella carnagione giallastra. Neeve sentì il sangue defluirle dal viso. «Sal», bisbigliò, «so chi è. Lavora alla caffetteria.»

«E perché mai ti starebbe seguendo?»

«Non lo so.» Fissò l'amico. «A meno che Myles non avesse ragione, dopotutto. È possibile che Nicky Sepetti mi volesse morta?»

Quando Sal aprì la porta esterna, udirono entrambi il ronzio dell'ascensore che scendeva. «Neeve», disse lui, «te la senti di fare un esperimento?»

Senza capire bene a che cosa si riferisse, lei annuì.

«Lascerò aperta questa porta. Tu e io stiamo parlando, giusto? Se qualcuno ti sta dietro, è consigliabile non spaventarlo. Potrebbe fuggire.»

«Vuoi che resti qui dove chiunque può vedermi?»

«Certo che no. Nasconditi dietro quel manichino. Io mi metterò dietro la porta. E se qualcuno entra, lo bloccherò. Bisogna trattenerlo, scoprire chi l'ha mandato.»

L'ascensore era arrivato al piano terra e ora aveva ripreso a salire.

Sal si precipitò nel suo ufficio, aprì il cassetto della scrivania, ne estrasse una pistola e tornò da lei. «Mi hanno dato il porto d'armi quando sono stato rapinato, anni fa», sussurrò. *«Neeve, va' dietro quel manichino».*

Come in sogno, lei ubbidì. Le luci erano state abbassate, ma anche nella semioscurità Neeve si accorse che i manichini indossavano i capi della nuova collezione di Sal.

Scuri colori autunnali, azzurro intenso e mirtillo, marrone e nero mezzanotte. Tasche e sciarpe e cinture ravvivate dai colori brillanti della collezione Pacific Reef. Tonalità corallo e rosse e dorate e smeraldine e argento e azzurre mescolate in versioni microscopiche dei delicati motivi che Sal

258

aveva ideato all'acquario, così tanto tempo prima.

Neeve fissò la sciarpa che le sfiorava il viso. *Quel motivo.* Schizzi. *Mamma, stai facendo il mio ritratto? Mamma, ma non è così che sono vestita... Oh, bambola mia, è solo un'idea di come potrebbe essere grazioso...*

Schizzi... gli schizzi fatti da Renata tre mesi prima di morire, un anno prima che Anthony della Salva stupisse il mondo della moda con la sua nuova idea. Solo la settimana prima, Sal aveva cercato di distruggere il libro a causa di uno di quegli schizzi.

«Neeve, dimmi qualcosa.» Il sussurro di Sal lacerò il silenzio della stanza, un ordine da cui trapelava l'urgenza.

La porta era socchiusa. Dall'esterno giunse a Neeve il rumore dell'ascensore che si fermava. «Stavo pensando», disse, sforzandosi di parlare in tono normale, «che mi piace il modo in cui hai incorporato il look Pacific Reef nella collezione autunnale.»

La porta dell'ascensore si aprì. Un suono lieve di passi nel corridoio.

La voce di Sal era gioviale. «Ho detto a tutti di andare via presto. Hanno lavorato come matti per essere pronti per la sfilata. Credo che questa sia la mia migliore collezione di questi anni.» Con un sorriso rassicurante nella sua direzione, indietreggiò verso la porta semiaperta. Le luci soffuse proiettarono la sua ombra sulla parete opposta, quella dipinta con il motivo del Pacific Reef.

Neeve guardò la parete, toccò la sciarpa del manichino. Voleva rispondere, ma le parole si rifiutavano di uscire.

La porta si aprì lentamente; scorse la sagoma di una mano, la canna di una pistola. A passi cauti Denny s'inoltrò nella stanza, gli occhi che frugavano la penombra. Poi Sal sbucò senza fare rumore da dietro la porta, la pistola in pugno. «Denny», disse piano.

Mentre l'altro piroettava su se stesso, Sal sparò. Il proiettile andò a conficcarsi nella fronte di Denny, che lasciò andare la pistola e cadde a terra senza un suono.

Stupefatta, Neeve guardò Sal estrarre di tasca un fazzoletto e con quello chinarsi a raccogliere la pistola del morto.

«Gli hai sparato», sussurrò allora lei. «L'hai ucciso a sangue freddo. Non avresti dovuto farlo! Non gli hai dato neppure una possibilità.»

«Avrebbe ucciso te.» Sal lasciò cadere la sua pistola sulla scrivania della receptionist. «Ti stavo solo proteggendo.» Poi si mosse verso di lei, l'arma di Denny in mano.

«Tu *sapevi* che stava arrivando», ansimò Neeve. «*Conoscevi* il suo nome. Sei stato tu a organizzare tutto questo.»

La maschera gioviale e affabile che era stata l'espressione di Sal era scomparsa. Le sue guance paffute erano lucide di sudore e gli occhi che sembravano sempre ammiccare si erano stretti in due fessure e quasi sparivano tra le pieghe di grasso del viso. Con la mano ancora rossa e piagata sollevò la pistola e la puntò contro di lei. Sulla sua giacca luccicavano piccole gocce del sangue di Denny e sul tappeto, ai suoi piedi, si andava allargando una pozza di liquido scuro.

«Ma certo che sono stato io», dichiarò. «La voce corrente è che sia stato Steuber a ordinare la tua morte. Quello che nessuno sa è che sono stato *io* a mettere in giro quella voce, *io* che ti volevo morta. Dirò a Myles che sono riuscito a uccidere il sicario, ma che non ho fatto in tempo a salvarti. Non preoccuparti, Neeve. Ci penserò io a consolare Myles. Sono bravo in questo.»

Incapace di muoversi, come radicata al suolo, Neeve era ormai al di là della paura. «È stata mia madre a creare il look Pacific Reef», sussurrò. «Tu gliel'hai rubato, non è vero? E chissà come, Ethel l'aveva scoperto. Sei stato tu a ucciderla! *Tu* l'hai vestita, non Steuber! *Tu* sapevi quale camicetta si accoppiava con il completo!»

Sal rise, una risata priva di allegria che lo scosse tutto. «Neeve, devo dire che sei molto più furba di tuo padre. Ecco perché devo liberarmi di te. Tu hai capito che qualcosa non andava quando Ethel è scomparsa. Ti sei accorta che tutti i suoi cappotti invernali erano ancora nell'armadio. L'avevo previsto. Quando poi ho visto quello schizzo nel libro di cucina ho capito che dovevo liberarmene in qualsiasi modo, anche a costo di bruciarmi la mano. Prima o poi tu avresti fatto il collegamento e scoperto tutto. Myles invece non l'avrebbe riconosciuto, neanche se fosse stata ingrandito fino alle dimensioni di una lavagna. Ethel aveva scoperto che la mia storia sull'essere stato ispirato dall'acquario di Chicago era una bugia. Le dissi che potevo spiegarle tutto e andai a casa sua. Era davvero in gamba. Mi ha detto che sapeva che avevo mentito, e anche *perché* l'avevo fatto... che avevo rubato quel design. E che lei era in grado di provarlo.»

«Ethel aveva visto il libro di cucina», mormorò sordamente Neeve. «E ha copiato uno degli schizzi sulla sua agenda.»

Sal sorrise. «È così che ha fatto il collegamento? Non è vissuta abbastanza per potermelo dire. Se ne avessimo il tempo, ti mostrerei la cartella di disegni datami da tua madre. C'è tutta la collezione, lì.»

Quello non era zio Sal. Non era l'amico d'infanzia di suo padre, ma uno sconosciuto che odiava lei, e odiava Myles. «Tuo padre e Dev mi hanno sempre trattato come se fossi il loro zimbello, fin da quando eravamo ragazzini. Ridevano di me. Tua madre. Piena di classe. Bella. Un talento innato per la moda. Sprecare tutte le sue capacità con un idiota come tuo padre che non sa distinguere neppure tra una vestaglia da camera e una cappa per l'incoronazione. Renata mi guardava sempre dall'alto in basso. Sapeva che io non ce l'avevo, il dono. Ma quando ha voluto un consiglio su dove portare i suoi disegni, indovina da chi è andata!

«Neeve, non hai ancora capito la parte migliore. Tu sarai l'unica a saperlo, e non andrai in giro a raccontarlo. Neeve, maledetta stupida, io non mi sono limitato a *rubare* l'idea del look Pacific Reef a tua madre. *Io le ho tagliato la gola per questo!*»

«È Sal», bisbigliò Myles. «È stato lui a staccare il manico dalla caffettiera. Lui ha tentato di rovinare quegli schizzi. E forse adesso è con Neeve.»

«Dove?» Kitty gli afferrò il braccio.

«Nel suo ufficio. Sulla Trentaseiesima.»

«La mia macchina è fuori. Ha il telefono.»

Con un cenno d'assenso, Myles corse fuori di casa. Un

minuto di pura agonia trascorse prima che giungesse l'ascensore. Si fermò due volte per fare salire altra gente prima di arrivare a pianterreno. Tenendo Kitty per mano, Myles corse fuori e attraversarono di corsa la strada, incuranti del traffico.

«Guido io», decise lui. Effettuò un'inversione facendo fischiare i pneumatici e percorse a tutta velocità la West End Avenue, con il desiderio spasmodico che un'autopattuglia lo notasse e lo seguisse.

Come sempre nei momenti di crisi, era improvvisamente diventato freddissimo. La sua mente era come un'entità a parte che valutava quello che doveva fare. Diede a Kitty un numero da comporre. Lei ubbidì in silenzio, poi gli passò il ricevitore.

«Ufficio del comandante della polizia.»

«Myles Kearny. Mi passi il comandante.»

Myles guidava con frenesia nel pesante traffico serale, ignorando i semafori e lasciando dietro di sé una fila di automobilisti furiosi. Adesso erano in Columbus Circle.

La voce di Herb. «Myles, stavo giusto cercando di mettermi in contatto con te. Steuber ha messo un contratto su Neeve, dobbiamo proteggerla. E ancora una cosa, Myles, credo che ci sia un collegamento tra l'omicidio di Ethel Lambston e la morte di Renata. La ferita a forma di V sulla gola della Lambston... è esattamente la stessa che ha ucciso Renata.»

Renata, con la gola squarciata. Renata, che giaceva così immobile nel parco. Neanche un segno di lotta. Renata, che non era stata aggredita, ma aveva incontrato un uomo di cui si fidava, il vecchio amico di suo marito. Oh, Gesù, pensò Myles. Oh, Gesù.

«Herb, Neeve è nell'ufficio di Anthony della Salva. Al duecentocinquanta della Trentaseiesima Ovest. Dodicesimo piano. Herb, manda là qualcuno e in fretta. Sal è un assassino.»

Tra la Cinquantaseiesima e la Quarantaquattresima erano in corso i lavori di ripavimentazione della corsia di destra della Settima Avenue. Ma gli operai se n'erano già andati e senza esitare Myles oltrepassò le transenne, procedendo lungo l'asfalto ancora umido. Superarono la Trentottesima, la Trentasettesima...

Neeve. Neeve. Neeve. Fammi arrivare in tempo, pregò Myles. Lasciami mia figlia.

Jack riattaccò, ancora intento ad assimilare quanto aveva appena udito. Il suo amico, il direttore dell'acquario di Chicago, aveva confermato i suoi sospetti. Il nuovo museo era stato aperto diciotto anni prima, ma la magnifica esposizione all'ultimo piano, in cui si aveva la sconcertante sensazione di camminare sul fondo dell'oceano al Pacific Reef, non era stata completata che *sedici* anni prima. Poca gente aveva saputo che si era verificato un problema con le cisterne e che il piano dedicato al Pacific Reef non era stato aperto al pubblico per quasi due anni, dopo che gli altri settori dell'acquario erano stati completati. Ovviamente, era un particolare che il direttore ometteva volentieri di menzionare nel materiale informativo e pubblicitario. Jack lo sapeva perché aveva frequentato la Northwestern University a Chicago e visitava regolarmente il museo.

Anthony della Salva sosteneva di avere avuto l'ispirazione per la collezione dedicata al Pacific Reef in seguito a una visita all'acquario di Chicago avvenuta *diciassette* anni prima. Impossibile. Ma perché aveva mentito?

Jack abbassò lo sguardo sui voluminosi appunti di Ethel; i ritagli delle interviste e degli articoli su Sal; i grossi punti interrogativi a margine della lirica descrizione di Sal dell'esperienza vissuta nel vedere la mostra all'acquario; la copia dello schizzo tratto dal libro di cucina. Ethel aveva individuato la discrepanza cronologica e aveva voluto indagare a fondo. Ora era morta.

Jack ripensò all'insistenza di Neeve riguardo a certe stranezze nel modo in cui Ethel era vestita. Ricordò Myles che diceva: «Ogni assassino lascia il suo biglietto da visita».

Gordon Steuber non era l'unico stilista che avrebbe potuto commettere un errore nel rivestire la sua vittima.

Anthony della Salva avrebbe potuto sbagliare nello stesso modo.

L'ufficio di Jack era silenzioso, il silenzio che scende in una stanza, abitualmente animata dal viavai di persone e dai telefoni che squillano, quando tutto tace.

Jack afferrò l'elenco telefonico. Anthony della Salva aveva sei uffici ad altrettanti indirizzi e il suo primo tentativo andò a vuoto. Al secondo e al terzo numero gli rispose la segreteria telefonica: «Gli orari d'ufficio vanno dalle otto e trenta alle diciassette. Siete pregati di lasciare un messaggio».

Provò poi all'appartamento alla Schwab House, ma dopo sei squilli dovette rinunciare. Come ultima risorsa chiamò in negozio. Che qualcuno risponda, pregò.

«La Bottega di Neeve.»

«Devo rintracciare Neeve Kearny. Sono Jack Campbell, un suo amico.»

La voce di Eugenia era piena di calore. «Lei è l'editore...»

«Doveva incontrarsi con della Salva», la interruppe lui. «Dove?»

«Nell'ufficio principale. Al duecentocinquanta della Trentaseiesima Ovest. Qualcosa non va?»

Senza rispondere, Jack riattaccò.

Il suo ufficio si trovava tra Park Avenue e la Quarantunesima. Percorse correndo i corridoi deserti, riuscì a infilarsi in un ascensore che stava per scendere e fermò al volo un taxi. Gettò al tassista venti dollari e gli urlò l'indirizzo. Erano le sei e diciotto minuti.

Era successo così anche a sua madre? si chiese Neeve. Aveva alzato gli occhi su di lui quel giorno e aveva visto il suo viso mutare? Quel cambiamento l'aveva allarmata?

Neeve sapeva che stava per morire. Per tutta la settimana aveva avuto la consapevolezza che il suo tempo volgeva al termine e ora, che era al di là di ogni speranza, le parve di colpo importantissimo avere tutte le risposte.

Sal le si era fatto più vicino e ormai li separava poco più i/

un metro. Dietro di lui, accanto alla porta, il corpo inerte di Denny, il ragazzo del bar che si preoccupava sempre di aprirle il contenitore del caffè, giaceva scomposto sul pavimento. Con la coda dell'occhio, Neeve vide il sangue che gocciolava dalla ferita alla testa; la grossa busta che lui aveva portato con sé era macchiata di rosso e la parrucca si era spostata a coprirgli misericordiosamente parte del viso.

Le sembrava che fosse passata un'eternità da quando Denny aveva fatto irruzione nella stanza. Ma in realtà quanto tempo prima era stato? Un minuto? Di meno. L'edificio era deserto, ma era possibile che qualcuno avesse udito lo sparo. Forse ora qualcuno stava indagando... La guardia che *avrebbe dovuto* essere al piano terra... Sal non aveva tempo da perdere, e lo sapevano entrambi.

In lontananza Neeve udì un debole ronzio. L'ascensore. Qualcuno stava arrivando. Come ritardare il momento in cui Sal avrebbe premuto il grilletto?

«Zio Sal», cominciò con voce calma, «mi diresti almeno una cosa? Perché giudicasti necessario uccidere mia madre? Non avresti potuto collaborare con lei? Tra gli stilisti alla moda non ce n'è uno che non sfrutti le idee dei suoi apprendisti.»

«Quando vedo il genio, Neeve, non lo divido con nessuno», fu la piatta risposta di Sal.

Il fruscio della porta dell'ascensore che si apriva nel corridoio. C'era qualcuno. Per impedire a Sal di udire il suono dei passi, Neeve quasi gridò. «È per avidità che hai ucciso mia madre. E poi ci hai consolati e hai pianto con noi. Davanti al suo feretro hai detto a Myles: 'Sforzati di pensare che il tuo tesoro stia dormendo'.»

«Chiudi il becco!»

Sal tese il braccio e davanti al viso di Neeve si parò la bocca della pistola. Voltò la testa e vide suo padre in piedi sulla soglia.

«Corri, Myles, ti ucciderà!» urlò allora.

Sal piroettò su se stesso.

Myles non si mosse. C'era un'autorità assoluta nella sua voce quando disse: «Dammi quella pistola, Sal. È tutto finito».

Ma Sal teneva la pistola puntata contro entrambi. Lo sguardo allucinato, pieno di odio e di terrore, indietreggiò mentre Myles avanzava verso di lui. «Non fare un altro passo», gridò. «O sparo.»

«No che non lo farai», replicò Myles, e la sua voce era mortalmente quieta adesso, senza traccia di timore o di dubbio. «Hai ucciso mia moglie. Hai ucciso Ethel Lambston. Ancora un secondo e avresti ucciso mia figlia. Ma Herb e i suoi saranno qui da un momento all'altro. Sanno già di te e non avresti alcuna possibilità di farla franca, questa volta. Quindi *dammi quella pistola*.»

Parlava scegliendo con cura le parole e pronunciandole con durezza e insieme con disprezzo. Fece una pausa, poi riprese. «Oppure fa' un favore a tutti noi e a te stesso: infilati quella canna in bocca e fatti saltare le cervella.»

Myles aveva detto a Kitty di rimanere in macchina e, sebbene quasi fuori di sé per la paura, lei ubbidì. Per favore... per favore, aiutali. Dal fondo della strada le giunse l'ululato insistente delle sirene. Proprio davanti a lei si fermò un taxi e ne scese correndo Jack Campbell.

«Jack.» Kitty aprì la portiera e gli corse dietro, nell'atrio. La guardia era al telefono.

«Della Salva!» esclamò Jack.

L'altro alzò appena una mano. «Un minuto.»

«È al dodicesimo piano», bisbigliò Kitty.

L'unico ascensore in servizio non era presente; dall'indicatore risultava fermo al dodicesimo piano. Jack afferrò la guardia per il bavero. «Metta in funzione l'altro.»

«Ehi, ma che cosa crede...»

Fuori dall'edificio, le autopattuglie si arrestarono in uno stridio di freni. La guardia spalancò gli occhi, stupefatto, e gettò a Jack una chiave. «Usi questa.»

Jack e Kitty stavano già salendo prima ancora che la polizia irrompesse nell'atrio. «Credo che della Salva...» disse Jack.

«Lo so», rispose Kitty.

L'ascensore salì fino al dodicesimo piano, si fermò. «A-spetti qui», mormorò Jack.

Arrivò in tempo per sentire Myles dire con voce pacata, tranquilla: «Se non hai intenzione di usarla contro di te, Sal, *dammi quella pistola*».

Si fermò sulla soglia. La stanza era immersa nella penombra e la scena sembrava un quadro surrealista. Il corpo sul tappeto. Neeve e suo padre sotto la minaccia di una pistola. Poi Jack scorse un bagliore metallico sulla scrivania accanto alla porta. C'era un'altra pistola. Avrebbe fatto in tempo a prenderla?

Ma in quel momento Anthony della Salva lasciò ricadere il braccio lungo il fianco. «Prendila, Myles», supplicò. «Myles, io non *volevo* farlo. Non ho mai voluto.» Cadde sulle ginocchia, gli abbracciò le gambe. «Myles, tu sei il mio migliore amico. Diglielo tu che non volevo.»

Per l'ultima volta quel giorno, il comandante della polizia Herb Schwartz conferì nel suo ufficio con gli agenti O'Brien e Gomez. Herb era appena tornato dall'ufficio di Anthony della Salva, dov'era arrivato subito dopo la prima autopattuglia. Dopo che della Salva era stato portato via, si era appartato con Myles. «Ti sei torturato per diciassette anni pensando di non avere preso sul serio la minaccia di Nicky Sepetti. Non è arrivato il momento di liberarti del senso di colpa? Credi che se Renata fosse venuta da te per mostrarti i suoi schizzi, tu saresti stato in grado di capire che erano geniali? Sei un poliziotto in gamba, ma in fatto di colori sei praticamente cieco. Ricordo che Renata diceva che era lei a prepararti le cravatte.»

Myles si sarebbe ripreso. Che peccato, pensava Herb, che «occhio per occhio dente per dente» non fosse più una regola accettabile. I contribuenti avrebbero mantenuto della Salva per il resto della sua vita...

O'Brien e Gomez aspettavano. Il comandante sembrava esausto, ma era stata una giornata proficua. Della Salva aveva confessato l'omicidio di Ethel Lambston. La Casa

Bianca e il sindaco avevano di che essere soddisfatti.

O'Brien aveva qualcosa da dire al comandante della polizia. «La segretaria di Steuber è venuta da noi circa un'ora fa, di sua spontanea volontà. La Lambston era andata a trovare Steuber una decina di giorni fa e, anzi, in quell'occasione gli disse che lo avrebbe rovinato. Probabilmente aveva scoperto quella faccenda della droga, ma questo non importa. Non è stato lui a uccidere la Lambston.»

Schwartz annuì.

«Signore», intervenne Gomez, «noi ora sappiamo che Seamus Lambston è innocente dell'assassinio della sua ex moglie. Vuole portare avanti l'accusa di aggressione contro di lui e quella di manomissione di prove nei confronti della moglie?»

«Avete trovato l'arma del delitto?»

«Sì. Era nel negozio indiano, come ci aveva detto lei.»

«Allora lasciamo in pace quei poveracci.» Herb si alzò. «È stata una giornata lunga. Buonanotte, signori.»

Devin Stanton si stava concedendo un aperitivo in compagnia del cardinale alla residenza di Madison Avenue e guardava con lui il notiziario della sera. Da vecchi amici quali erano, stavano discutendo del cappello cardinalizio che presto sarebbe toccato a Devin.

«Mi mancherà, Dev», sospirò il cardinale. «È proprio sicuro di volere quell'incarico? In estate Baltimora diventa una sauna.»

La notizia fu trasmessa proprio in chiusura. Il famoso stilista Anthony della Salva era stato arrestato per gli omicidi di Ethel Lambston, Renata Kearny e Denny Adler e per il tentato omicidio della figlia dell'ex comandante della polizia, Neeve Kearny.

Il cardinale si voltò verso Devin. «Ma sono i suoi amici!»

Devin era già balzato in piedi. «Se vuole scusarmi, eminenza...»

Ruth e Seamus Lambston si apprestarono ad ascoltare il notiziario delle sei della NBC sicuri che avrebbe trasmesso la notizia che l'ex marito di Ethel Lambston non aveva superato il test della macchina della verità. Erano rimasti stupefatti quando a Seamus era stato concesso di lasciare la centrale di polizia, convinti com'erano entrambi che il suo arresto fosse solo questione di tempo.

Peter Kennedy aveva tentato di confortarli. «I test del poligrafo non sono infallibili. Se arriviamo a un processo, disporremo della prova che lei aveva superato il primo.»

Ruth era stata accompagnata al negozio indiano. Il cesto in cui lei aveva lasciato cadere il tagliacarte era stato spostato, per questo i poliziotti non avevano trovato subito l'arma. L'aveva scovata lei per loro ed era rimasta a guardare mentre la infilavano in un sacchetto di plastica.

«L'ho lavato», li aveva informati.

«Non sempre le macchie di sangue scompaiono.»

Com'è potuto accadere? si chiese, seduta sulla vecchia sedia imbottita che aveva tanto odiato, ma che ora le sembrava comoda e familiare. Come abbiamo potuto perdere il controllo delle nostre vite?

La notizia dell'arresto di Anthony della Salva fu trasmessa proprio quando stava per spegnere il televisore. Per un istante lei e Seamus si fissarono, incapaci di comprendere appieno il significato di quello che avevano ascoltato, poi, goffamente, si abbracciarono.

Douglas Brown ascoltò incredulo la cronaca del *CBS Evening News,* poi sedette sul letto di Ethel... no, il *suo* letto... e si prese la testa tra le mani. Era finita. I poliziotti non erano riusciti a provare che lui aveva rubato il denaro di sua zia. Lui era l'erede. Era ricco.

Aveva voglia di festeggiare. Dal portafogli pescò il numero di telefono della sua ammiccante collega di lavoro, poi esitò. Quella ragazza che sbrigava le pulizie, l'attrice. C'era qualcosa in lei. Com'era quel suo nome idiota? Tse-Tse. Trovò il numero nell'agenda di Ethel.

Il telefono squillò tre volte prima che il ricevitore venisse sollevato. «Allò.»

Deve avere una coinquilina francese, pensò Doug. «Posso parlare con Tse-Tse, per favore? Sono Doug Brown.»

Tse-Tse, che contava di presentarsi a un provino per la parte di una prostituta francese, dimenticò di colpo l'accento. «Fottiti, verme», gli disse, e riattaccò.

Fermo sulla porta del soggiorno, Devin Stanton, arcivescovo designato della diocesi di Baltimora, guardava le sagome di Neeve e di Jack stagliate contro le finestre della stanza. Fuori, la luna aveva finalmente lacerato il banco di nubi. Con collera crescente, Devin pensò alla crudeltà, all'avidità e all'ipocrisia di Sal Esposito. Prima che la sua educazione clericale lo riconducesse alla carità cristiana, sibilò tra sé: «Quel bastardo assassino». Poi, guardando Neeve fra le braccia di Jack, pensò: Renata, spero e prego che tu lo sappia.

Dietro di lui, nello studio, Myles allungò la mano verso la bottiglia di vino. Kitty era seduta in un angolino del divano e la luce della lampada da tavolo vittoriana strappava riflessi ai suoi soffici capelli rossi. «I tuoi capelli hanno una tonalità incredibile», si sentì dire Myles. «Credo che mia madre l'avrebbe definita rosso tiziano. È giusto?»

Kitty sorrise. «Un tempo. Adesso devo dare una mano alla natura.»

«Nel tuo caso la natura non ha bisogno di nessuna mano.» Di colpo Myles si sentì impacciato. Come ringraziare una donna per avere salvato la vita di tua figlia? Se Kitty non avesse collegato immediatamente lo schizzo al look Pacific Reef, lui non sarebbe mai arrivato da Neeve in tempo. Ripensò a come la figlia, Kitty e Jack si fossero stretti intorno a lui dopo che gli agenti avevano portato via Sal. «Non ho ascoltato Renata», singhiozzava lui. «Non l'ho mai ascoltata. È per questo che è andata da lui ed è morta.»

«È andata da lui per avere l'opinione di un esperto», aveva obiettato con fermezza Kitty. «Sia abbastanza onesto da ammettere che lei questo non avrebbe potuto offrirglie-lo.»

Come dire a una donna che grazie alla sua presenza la rabbia e la collera che ti hanno tormentato per anni fanno ormai parte del passato, e che invece di sentirti vuoto e devastato ti senti forte e ansioso di cominciare di nuovo a vivere? Non esisteva un modo.

Myles si accorse di avere ancora in mano la bottiglia di vino e si guardò intorno cercando il bicchiere di lei.

«Non so dove sia», osservò Kitty. «Credo di averlo posato da qualche parte.»

C'era un modo per dirglielo. Deliberatamente, Myles riempì il suo bicchiere fino all'orlo e glielo tese. «Prendi il mio.»

In piedi davanti alla finestra, Neeve e Jack guardavano fuori verso il fiume Hudson, il viale alberato, la linea contro l'orizzonte dei condomini e dei ristoranti che si allineavano lungo l'altra sponda, nel New Jersey.

«Perché sei venuto da Sal?» chiese Neeve piano.

«Gli appunti di Ethel su di lui erano pieni di riferimenti al look Pacific Reef. Vi era un'intera raccolta di pagine pubblicitarie di quella collezione e accanto a loro eseguito uno schizzo. È stato quello a fare scattare qualcosa nella mia mente e mi sono reso conto che era lo stesso che avevo visto sul libro di cucina di tua madre.»

«E allora hai capito?»

«Ho ricordato quello che mi avevi raccontato tu, di come Sal avesse creato quel nuovo design dopo la morte di tua madre. Secondo gli appunti di Ethel, Sal era stato ispirato dall'esposizione ammirata nell'acquario di Chicago, ma questo era impossibile. Capito questo, il resto è stato semplice. Poi ho pensato che tu eri con lui, e sono quasi impazzito.»

Tanti anni prima Renata, allora decenne, che correva a casa mentre intorno a lei due eserciti si confrontavano, era stata spinta da una «sensazione» a entrare in chiesa e aveva salvato un soldato americano ferito. Neeve sentì il braccio di Jack circondarle la vita, in un gesto che non aveva nulla di esitante, ma che era invece fermo e sicuro.

«Neeve?»

In tutti quegli anni lei aveva continuato a dire a Myles che quando fosse accaduto, l'avrebbe capito.

Mentre Jack l'attirava più vicino, capì che quel momento era finalmente arrivato.

FINE

I libri di Mary Higgins Clark

Nella notte un grido
Una donna divorziata va a vivere con un affascinante pittore.
Ma gli echi di un torbido passato giungono al suo orecchio e
lei deve scoprire un terribile segreto.

La culla vuota
Dalla finestra dell'ospedale, un'avvocatessa scorge un uomo
che carica un corpo su un'auto. E scopre che nel laboratorio
due medici lavorano a un agghiacciante progetto...

Incubo
Una giornalista deve girare un documentario sulla prima
donna vicepresidente in America. Indagando sulla senatrice,
scopre la sconcertante storia della propria famiglia.

Non piangere più, signora
Sconvolta dalla morte della sorella, Elisabeth si rifugia da
un'amica. Ma presto si trova circondata da persone che avevano un buon motivo per uccidere sua sorella...

La Sindrome di Anastasia
Cinque racconti dal potere ipnotico dalla maestra del thriller, dove le situazioni da incubo sono ben celate sotto la
tranquilla banalità del vivere quotidiano.

Le piace la musica, le piace ballare
Una morte misteriosa e, come unico indizio, un ritaglio di
giornale. Una donna coraggiosa sulle tracce dell'assassino
dell'amica. Un thriller superbo.

In giro per la città
Un thriller psicologico di ottima fattura che ricostruisce il caso di una giovane affetta da schizofrenia, accusata dell'omicidio del suo professore...

Un giorno ti vedrò
L'odissea di una giornalista – in situazioni intricate ed esplosive – alle prese con una sosia il cui destino è misteriosamente intrecciato al suo.

Ricordatevi di me
Una coppia cerca di sfuggire ai ricordi di un passato doloroso in una nuova casa. Ma voci inquietanti cominciano a turbare la loro felicità. Un romanzo emozionante...

Domani vincerò
Sei racconti legati tra loro da un filo rosso sangue: una raccolta indimenticabile che unisce un profondo terrore psicologico e una prosa elegante ed efficace.

Un colpo al cuore
Il viso di una donna bellissima – morta strangolata anni prima – sembra rivivere in altre figure femminili, sollevando inquietanti interrogativi... Un romanzo da brivido.

Una notte, all'improvviso
New York, poco prima di Natale: il furto di un portafoglio un po' speciale spinge un bambino a seguire la ladra... Una storia dai risvolti struggenti e imprevedibili.

Bella al chiaro di luna
Un misto di suspense ed emozioni per questo intrigante bestseller. Che cosa è successo a Maggie, giovane fotografa, per trovarsi sepolta viva in un'antica bara?

Testimone allo specchio
Un'intraprendente agente immobiliare assiste a un omicidio, raccogliendo le ultime parole della vittima. Questo la obbligherà a rinunciare a identità e affetti...

Sarai solo mia
Tre anni dopo la scomparsa di Regina Clausen, la psicologa Susan Chandler dedica una puntata del suo show radiofonico all'episodio. Per lei è l'inizio di un incubo terribile.

Accadde tutto in una notte
Un calice dai benefici poteri trafugato e una neonata abbandonata; solo dopo una minuziosa indagine, Alvirah Meehan e suo marito Willy scopriranno il nesso tra i due episodi...

Ci incontreremo ancora
Molly viene accusata di aver assassinato il marito. Malgrado il patteggiamento della pena, passa cinque anni in carcere da dove esce risoluta a dimostrare la propria innocenza.

Uno sconosciuto nell'ombra
Ronald Thompson è condannato alla sedia elettrica per l'omicidio di una donna; tutto sembrerebbe già scritto, ma nelle poche ore che precedono l'esecuzione...

Prima di dirti addio
Nel tentativo di contattare un'ultima volta il marito da poco scomparso, Nell si rivolge a una medium. Scoprirà però un mondo fatto di insospettate bugie e clamorose rivelazioni...

L'appuntamento mancato (con CAROL HIGGINS CLARK)
Un impresario di pompe funebri e la sua autista vengono rapiti da una banda di malviventi che si muove prendendo spunto dalla trama di un giallo scritto proprio da sua moglie.

Sapevo tutto di lei
Quando Emily Graham acquista un'antica residenza di fami-glia, pensa di trovarvi rifugio dai problemi. Ma nel giardino della villa gli operai trovano i resti di due cadaveri...

Ti ho guardato dormire (CON CAROL HIGGINS CLARK)
Per entrare in paradiso Sterling Brooks dovrà riscattarsi da una vita non proprio esemplare: rimandato sulla Terra, do-vrà aiutare una bimba a esaudire il suo più grande desiderio.

La figlia prediletta
Ellie Cavanaugh ha sette anni quando sua sorella Andrea viene uccisa. La sua testimonianza fa condannare la persona da lei ritenuta responsabile, ma ventidue anni dopo...

Una luce nella notte
Mary Higgins Clark racconta, con straordinaria umanità, le tappe salienti della sua vita, un'esistenza non facile: le spe-ranze, le delusioni, le conquiste, ma soprattutto l'amore.

Dove sono i bambini?
Dopo la tragica perdita dei due figlioletti e la fine del matri-monio, Nancy si è rifatta una vita. Ma una terribile mattina capisce che l'incubo sta ricominciando...

La seconda volta
Incaricata dalla testata per cui lavora di ricostruire un pro-filo del cognato scomparso, inventore di un vaccino antican-cro, Carley resta coinvolta in un pericoloso intrigo.

Quattro volte domenica
L'agiata vita di Henry e della bellissima moglie Sandra è scos-sa dalla notizia che un caro amico ha ucciso la giovane aman-te. La coppia ritiene l'uomo innocente e inizia a indagare.

Collana «Superbestseller»

Finito di stampare nel gennaio 2005
presso la Mondadori Printing S.p.A.
Stabilimento N.S.M. di Cles (TN)
Printed in Italy

Gentile lettore,

la ringraziamo per aver scelto uno dei romanzi della ricca collana Superbestseller.

Per poter soddisfare sempre meglio le sue esigenze e i suoi gusti, le chiediamo di voler gentilmente compilare il seguente questionario. Se ci fornirà anche il suo indirizzo, le invieremo le informazioni relative alle nuove pubblicazioni del gruppo Sperling & Kupfer e alle iniziative speciali rivolte ai nostri lettori. Se invece preferisce registrarsi sul nostro sito www.sperling.it, riceverà nella sua casella e-mail la nostra newsletter informativa.

Ho trovato questo questionario nel volume dal titolo

....

Ho acquistato questo volume

☐ in libreria   ☐ in edicola   ☐ al supermercato

Numero libri acquistati in un anno: ....

Il mio autore preferito è: ....

Il mio genere preferito è

☐ Narrativa   ☐ Narrativa per ragazzi
☐ Thriller   ☐ Saggistica
☐ Narrativa al femminile   ☐ Business

INFORMAZIONI ANAGRAFICHE

Età: Sesso: ☐ M   ☐ F

Professione: ....

FACOLTATIVO

Nome ....
Cognome ....
Via .... n. ....
Città .... Provincia .... CAP ....
E-mail ....

La preghiamo di tagliare lungo la linea tratteggiata e di inviare in busta chiusa e affrancata a:

Sperling & Kupfer Editori S.p.A. Ufficio Promozione
Via Durazzo 4 - 20134 Milano

Prova d'acquisto
88-7824-385
2005